永遠の都

4

涙の谷

加賀乙彦

新潮社

永遠の都　4　涙の谷　目次

装画　司　修
装幀　新潮社装幀室

永遠の都　4　涙の谷

『永遠の都4』主要登場人物　（時代は昭和10年代前半〜17年）

小暮悠次…生命保険会社員
初江…悠次の妻、時田利平の長女
悠太…小暮家の長男
駿次…次男
研三…三男
央子…長女
時田利平…元海軍軍医、外科医、時田病院院長
菊江…利平の先妻、昭和11年死去
いと…利平の後妻、元看護婦
史郎…時田家の長男、会社員、妻薫
間島キヨ…利平の昔の愛人、元看護婦
五郎…キヨの息子、大工
上野平吉…利平の先々妻との子、時田病院事務長

菊池　透…帝大法学部卒、八丈島の漁師勇の次男、クリスチャン
夏江…透の妻、利平の次女
脇　礼助…政治家、昭和7年死去
美津…礼助の妻、小暮悠次の異母姉
敬助…脇家の長男、陸軍大尉、妻百合子、長女美枝
晋助…次男、帝大仏文科卒
風間振一郎…政治家、石炭統制会理事
藤江…振一郎の妻、時田菊江の妹
大河内松子…振一郎の双子の次女、夫の秀雄は実父の秘書
速水梅子…振一郎の双子の三女、夫の正蔵は建築家
野本桜子…振一郎の四女、夫の武太郎は造船会社社長
富士千束…ピアニスト、悠太の幼なじみ
村瀬芳雄…帝大医学生、晋助の学友

他に、外科医の唐山竜斎、大工の岡田、末広婦長、久米薬剤師、女中のなみや、ジョー・ウィリアムズ神父

第二部　小暗い森

第四章　涙の谷（承前）

6

窓の外には花笑みがあった。ほかほかした空気に頬《ほお》を撫《な》でられ、夏江《なつえ》は菊池透《きくちとおる》に頬笑みかけたが、途中で笑いを収め、心臓を押えるように胸の前で両手を組んだ。自分の人生を一変させる大事がおころうとしている、今となってはもう逃げ出せない、ただ待つだけだと思う。

教会の控室には洗礼志願者が六人待っていた。夏江のほかは、老夫婦、初老の紳士、高等女学校出たてぐらいの娘、小学校一、二年の少女だ。代父代母や友人親戚《しんせき》に囲まれて、志願者たちは神妙に沈黙を守り、まるで待ち時間の重みを心の芯《しん》でじっと支えているかのようだ。なかで、白い大きなリボンを髪に結んだ少女だけが、無邪気にはしゃいでいた。花弁が数枚、窓から飛びこみ、机の上を車輪のように回転していくのを少女が追った。近くの桜堤に花見に繰り出した群衆のざわめきが、にわかに風に乗って伝わってきた。

世話係の修道士が顔を出し、点呼をとった。志願者が一人、それに夏江が代母を頼んだ江《え》森恭子《もりきようこ》がまだ来ていなかった。

「どうしたのかしら、おそいわね」

「なあに、まだ時間はたっぷりある」と菊池透は柱時計を見上げた。定刻の二時まで小一時間はあった。黄色味を帯びた彼の顔は、父の利平《りへい》に言われてから、肝臓に障碍《しょうがい》のある人の肌《はだ》色《いろ》と見えて、痛々しさを誘う。が、きょうは、いつもより血色がよい。年相応の若々しい張りと艶《つや》があって、頼もしい。彼に頼りたい、キリスト者として先輩である彼の胸に抱かれたい、人前でなければ、飛びついていきたい気持である。

去年の九月の末、古川橋の下宿に、史郎《しろう》が時田病院に宛《あ》てた一枚の葉書を持ってきてくれた。陸軍病院から菊池透が出したもので、傷を負って内地送還になったと簡単に認《したた》めてあり、昭和十二年の春に渡満してから二年余のあいだ一度も音信がなかった彼が、自分を思い出してくれただけで嬉《うれ》しく、すぐに見舞に飛んでいった。

が、彼は片腕と内臓の一部を失なったうえ、骸骨《がいこつ》さながらに痩《や》せて苦しげに喘《あえ》ぎ、一目見て助からぬ重体と察しられ、心配のあまり、博物館勤務の暇を盗んで、病院へ通い詰めた。彼は、逆に気遣ってくれた。「あなたは仕事があるんでしょう。こんなに毎日じゃ疲れてしまうよ」「いいえ、博物館なんて暇なのよ。それに、あなたにお会いできると、なぜですか心安まり、元気になるんですもの」「こんな重傷者のぼくが……夏江さんを元気にする……考えられない」「あなたが、すこしでもよくなられる、すると、わたし元気になるの」「そう……では……ぼくはよくならなければね……」「もちろんよ。わたしのために、よくなってくださいな」

単調な病院食を憐《あわれ》み、五目鮨《ごもくずし》、握り飯、深川飯、赤飯などを作り、牛肉の味噌漬《みそづけ》やフグの粕漬《かすづけ》のように入手困難な食品を集め、すでに店頭から姿を消していた彼の好物の甘味品、中村屋の花林糖《かりんとう》、花園饅頭《はなぞのまんじゅう》、スイートポテトなどを、つてをもとめて入手しては、持参した。最初はとんと食欲がなく、遠慮もあってか、せっかくの差入れ品もあまり気味だったのが、追い追いに食が進み、それとともに体力も回復のきざしが見え、ますますわたしは熱心に努めた。ベッドより起きて、屋上や庭を歩けるようになると、人目の多い病室内と違って、にわかに彼は親しみのこもった口調で語った。ある日、白衣の懐《ふところ》からボロボロの小冊を取り出して見せた。表紙は剝《は》がれ、綴《と》じ糸がほつれ、染《し》みだらけの新約聖書であった。

「これを、ぼくは軍衣の物入れにいつも忍ばせていた」「見付かったら大変だったんじゃないの……」「そう、古参兵に見付かったら私的制裁の種にはなったろうね。彼らは、ぼくがキリスト教という西洋の宗教の信者で、帝大出で、二度も逮捕された赤だ——逮捕されるような人間は赤なんだ——と知っていて、ことごとく辛《つら》く当ってきた。『大元帥《だいげんすい》陛下とキリストとどちらが偉いか』『神州日本は伊弉諾尊《いざなぎのみこと》の天《あま》の瓊矛《ぬぼこ》で生れたが、それとエホバの創《つく》った天地とどう違う』『帝大出のくせしやがって生意気な』『赤の非国民』と言い詰めだったからね」「じゃこの聖書は……」「ピタリ『戦闘綱要』と同じ大きさでね、疑われなかった。さいわい『戦闘綱要』はまる暗記していたから、演習中、出して見る必要はなかった。そしてこの聖書のおかげで不思議なことがおこった。ぼくらの速射砲中隊はノモンハンで戦ったんだが、敵戦車隊の集中砲火を浴びて、あっというまに二十名からの死者、三十数名の負傷者で潰滅《かいめつ》状態になった。それは想像を絶する物凄《ものすご》いものだった。無数の砲弾の破片が、ビュンビュン竹とんぼのように回転しながら、空中一杯に飛んでくる。その一つに触れただけで、首が飛ぶ、腕がちぎれる。そこで夢中で砲弾の炸裂《さくれつ》した跡穴を見付けて身を伏せるのだが、それも及ばず、あたり一面に噴水のような血しぶきがあがった。ああ、ひどい、人間のいられる所ではないと思ったとたん、竹とんぼの一つに腕を切り取られた。自分の腕が人形の腕みたいにポンと前に落ちた。気がついたときは海拉爾《ハイラル》の病院だった。廊下に荷物みたいに転がされていて、ぼくの上を人々の脚が通り過ぎていく。消毒薬の臭《にお》いと呻《うめ》きと悲鳴の渦《うず》のなかで、自分が繃帯《ほうたい》で雁字《がんじ》搦《がら》めなのを知った。ようやく動く左腕で右腕を探ってみた。むろん腕なんか消えていた。それから二、三週間、ぼくは痛みと熱とに苦しみ続けた。痛みがあんなに激しいものだとは知らなかったよ。砲弾の一つは大動脈の真横を貫通していた。そして、大動脈の真上というのが丁度聖書のあった位置でね、表紙には三つも破片が突き刺さっていた。軍医は『お前は聖書のおかげで助かった』としきりに言っていた」

わたしは、ボロボロの聖書を大事に掌《てのひら》に乗せ、黄色い染みが古い血痕《けっこん》であるのを認め、すると、震えが手から肩へ、胸から全身へと伝わっていき、まるで悪寒《おかん》におそわれたようになった。「どうしたの」と彼が尋ねたとき、驟雨《しゅうう》のように涙が流れ出た。「どうしたの」ともう一度彼が尋ねた。「死んではいやよ、あなた」とわたしはやっと言うと聖書を両手にはさんで祈った。必死で祈った。秋の雑木林が涙でうるみ、次第に暗くなると、自分の内面を聖なる光が稲妻のように走った。「わたしも洗礼を受けてみたい」と言うと、彼が、「それがいい。ぜひ、そうしなさい」とわたしの手に自分の左の掌をかぶせて、握手した。

洗礼を受けるという行為が何を意味するかを、わたしは、知識としては心得ていた。しかし、それによってどんな変化が自分の身に訪れてくるのかは想像もできなかった。ただそうすることで何か新しい世界、明るいつぎの世界が開けてくる予感は覚え、それはちょっと結婚式に似ている、つまり男と正式に一緒になることを公に認めさせて、男と別な関係に入るようなものだとは思い、未婚の女が男が夫になる未来を知りながらも、夫として相手をまだ実感できないでいる、猶予《ゆうよ》の状態に自分を思い較《くら》べた。キリスト教は、わたしにとって、親しいけれども外にある世界であった。幼稚園から聖心女子学院に通い、小学校、高等女学校と、全部で十二年ものあいだ、そこで育ったため、神父やマザーはごく日常の存在であったし、修身の時間に聖書の内容が教えられ、アブラハム、モーセ、ダヴィデ、イエズスの名は、何か特別におごそかな響きで心に沁《し》み入ってきたし、〝主禱文《しゅとうぶん》〟や〝天使祝詞〟や〝使徒信《しん》経《きょう》〟や主な聖歌はいつのまにか暗記もしていた。学園でおこなわれる宗教行事は華やかで、二月のお清めの祝日の蠟燭《ろうそく》行列、五月の聖母像への戴冠《たいかん》のお祭り、十月の王たるキリストの祝日での聖体行列と花撒《はなま》き、復活祭やクリスマスの歌ミサなど、その折々のマザーや先生方や友人の顔とともに、鮮やかな印象として心に残っている。初聖体を受けるため、白衣に白いベールをかぶってお聖堂《みどう》に整列する生徒たちに見惚《みと》れ、夕陽《ゆうひ》を浴びながらマザーたちが頭を下げて晩禱する姿に胸を打たれた。にもかかわらず、わたしは今一歩のところで、あちら側へ踏み出せないでいた。

それは多分、あの出来事があったせいかも知れない。小学校二年か三年のとき、当時高等女学校生だった初江《はつえ》が、洗礼を受けるため熱心に公教要理のクラスに通いだし、姉が何かをすればすぐ自分もしたがる習いのある妹は、見様見真似《みまね》で、聖書を読んでみたが、文語文がむつかしくて理解できず、公教要理の箇条書きの味気ない文章に辟易《へきえき》し、それでも姉が探してきてくれた聖書物語の絵本は熱心に眺《なが》め、学院のマザーに願って小学生の聖書研究会に入り、神父の話を聞いて一年ほど経《た》った。ある日、姉が、飛びあがらんばかりの喜びようで、神父より受洗許可をいただいた、クリスマスがその日だ、と告げたが、その日の夜には、父の利平から耶蘇《やそ》などもってのほかと叱《しか》られたと、大声をあげて泣いていた。母の菊江《きくえ》が部屋に来て、いろいろなだめたが、初江の号泣は鳴りやまず、こんなに激しく泣く姉を初めて眼《ま》の当りにしたわたしは、姉が狂ったのかと驚き怖《おそ》れ、姉をそのような酷《ひど》い目にあわせた父を憎み、同時に聖書も、それまで自分がしてきたキリスト教の勉強も、イエズス・キリストも、父が嫌《きら》う以上は何か悪いことのように思えてきた。それっきり、姉は、受洗をあきらめ、聖書も公教要理もどこかに仕舞い込んでしまい、妹も、姉の真似をしているうち、まるでそんなことがなかったかのような気がしてきた。もっとも小学校での宗教行事のほうには今までと同じように参加し、ミッション・スクールの常として、キリスト教の雰囲気《ふんいき》からは逃げることもできずにいたが、いつも、あちら側に入るのを怖れ、もし入ったら自分も姉のような激しい叱責《しっせき》――おそらくは責め苛《さいな》むような折檻《せっかん》で、わたしにも身に覚えがあった――を受けねばならぬとは思っていた。

その父に、今度の受洗を告げたところ、いとも簡単に、「おれは反対はせん。キリスト教は立派な宗教じゃ」と言ってくれた。初江の場合の激しい反対に較べると拍子抜けするほど寛容な態度で、この十数年のあいだに父は考え方を変えたとしか思えない。どのような変化が起ったか知る由《よし》もないが……一つ思い出した出来事がある……あれは、わたしが中林と離婚し、時田病院の事務長をやめ、永山光蔵《ながやまみつぞう》鉱物博物館の管理人になったときのこと、ある日、父がふらりと、例によって前触れもなく現れ、展示室を後手組んで歩き回り、わたしは、離婚と事務長の辞職と続けさまに父の勘気に触れるような行為をし、時田病院にいたたまれず家を出た直後のこととて、恐る恐る父のあとに従っていた。父はそんな娘の気持を知らぬげに、落ち着き払って部屋から部屋へと移っていき、化石展示室をことのほか熱心に、永山光蔵描くところの化石時代の想像図に見入り、説明文を読んだ。

「フウム、フウム。生物の進化とは面白いもんじゃな。おっそろしく長い時間のあいだに、確実に動植物を高級化しおる。自然界においてはエントロピーはかならず増大して平衡を保つのに、生物だけは平衡を破る方向へと変化しよる。なぜ、動物は高級な方向に進化するのか、不思議じゃな。もし、自然淘汰《とうた》と突然変異で変ったというなら、強いものが残っていくはずなのに、別に強くもない高級なものが現れてきたのは、誰かの意志が働かねば理解できんな」わたしは黙っていた。父の独り言には馴《な》れていたし、娘に語りかけるより自分の考えを整理するような語調であったからだ。父は不意にわたしを振り向き、「隕石《いんせき》を見せい」と要求した。「隕石ですか……」わたしは虚を衝《つ》かれて聞き返した。「ないのか」「いいえ、あるかも知れませんけど」実は開館間際《まぎわ》で収蔵品の整理がすんでおらず、どんなものがどこにあるかを明瞭《めいりょう》に把握《はあく》していなかったのだ。しかし永山光蔵の採集記録帳を繰ってみると隕石はちゃんと存在したのだ。散々探したあげく、倉庫の奥の立派な桐箱《きりばこ》の中に宝玉のように大事に、幾重もの布にくるまれた直径五センチほどの黒い重い石を発見した。それを手に取って見たときの父の喜びようは大きく、「いやあ、これはこれは、立派なものじゃ。宇宙の彼方《かなた》から来た、ものすごい貴重品じゃ。夏江、こいつを展示せい。当博物館の目玉商品じゃ」と子供のように小躍りし、また独り言のようにつぶやいた。「この隕石にはな、この地球上で発見されんような元素は何一つ含まれておらん。つまり、星と地球は同じもので作られちょる。これは大変に不思議なことじゃ。地球など全宇宙に散らばっちょる何億という星のなかの、ほんのちっぽけな星の一つにすぎんが、それでも全宇宙と同じ元素で作られちょる。誰かの意志によって全宇宙ができたと考えんことにはこの不思議は解けん」「不思議なことばかりですのね」「摩訶《まか》不思議千万無量じゃ。おれはな、医学などかじっちょる、科学者の端くれじゃが、科学の対象とする、宇宙も星も地球も生物も、無限の不思議を内蔵しておってな、科学は、その不思議のほんの一部を解明しただけじゃ。おれは紫外線やら結核感染やらを研究して人生を費したが、ほんとを言うと、紫外線についても結核についても何もわからん。医学者なんて憐れなものよ」父は絶望の表情――思い出した、この前、御台場《おだいば》の海辺で見せた〃地の底にずり落ちていく人のような絶望の表情〃にそっくりだった――を浮べ、自嘲《じちょう》するように溜息《ためいき》をついた。父が、何か大いなるものの力、無限の不思議に対して畏《い》敬《けい》の念を抱いていると知ったのは、あのときである。それは、キリスト教への心境の変化とどこかで関連のある出来事ではあった。受洗への志をもって、四谷《よつや》の聖テレジア教会のホイヴェルス神父の聖書教室に通い始めてから、どうかすると、わたしは父利平の〝無限の不思議〟を思い出した。そして聖書の一節一節が、この世の、人間の、そして神の無限の不思議について語っている。その不思議をそっくり認めることが信仰の世界に入ることであるとわかってきた……。

また風が立ち、花が舞った。大きな桜の木の木末《こぬ》れから散り始め、下枝《しずえ》の中ほどが答え、また上のほうへと移っていく。風は花々に気まぐれにたわむれ、と思うと全体をさっと吹き抜けて吹雪となってあたりを飾った。「風はおのれが好むところに吹く、なんぢその声を聞けども、いづこより来りいづこへ往《ゆ》くを知らず。すべて霊によりて生るる者もかくのごとし」というヨハネ福音書の一節が、花弁の群舞のさなかより、聞こえてきた。風は神の吐息であり、霊である。菊池透の聖書に手を触れたときにも、どこからか風が吹き寄せ、あっと思った瞬間に、体中に電流のようなものが走り、ぶるぶると震えだした。あれこそ〝聖霊〟が下ったのではなかったのか。神は言う。「われ、わが霊をなんぢらのうちに置きて、なんぢらを生かしめ、なんぢらをその地に安んぜしめん」そう、今、目の前に舞う落花は神の御手《みて》による。それを信じたとたんに、すべては明らかで、すべては栄光につつまれる。神の御手は、この世に霊として充満し、喜びを伝えている。パスカルの賭《かけ》とはそのような消息を言表《げんぴょう》したものではあった。神があるか、またはないか、この極端なへだたりのあいだで賭が行なわれる。損得を計ってみる。もし賭に勝てば、わたしは大変な得をする。なぜなら、そこには真理と幸福があるからだ。しかし、もし負けても、わたしは元々なのだ。「だから、ためらわずに、神があると賭けたまえ」とパスカルは言う。ところで神とは無限なのだ、あの風が数えることができない無限の動きを示しているように。そして風がどこから来てどこへ行くか知らなくても、わたしは風を知っている、あたかも神が何であるかを知らないでも、神の存在を知っているように。わたしは有限なもの、数えることができるものなら、父利平が言ったように、その存在と性質を知りうる。しかし無限なもの、神のように広がりも限界もないものは、知ることができない。しかし、あるものの性質を知らなくても、その存在を知りうる。神が、「有《あり》て在《あ》る者」とご自分を規定されたのは何と意味深いことか。

　一歩を踏み出せば、すなわち信ずるというほうに賭ければ、新しい、つぎの、あちら側の世界に入っていかれる。パスカルの言うように、信ずると信じないのあいだには極端なへだたりがあるが、それを踏み越えるには、わずか一歩で充分なのだ。小さいけれども巨大な一歩、そのことの深淵《しんえん》な意味を悟ったのは、ある日、福音書を読んでいるときだった。ガリラヤ湖のほとりを歩いていたイエズスは、シモンとアンデレが湖に網うちいるのを見、「われに従ひきたれ」と言う。すると二人は、ただちに網を捨てて従ったのだ。このくだりを、わたしは何度も読んで、十全にはわからずにいた。「われに従ひきたれ」と言われただけで、漁師にとって大切な財産である網を捨て、親兄弟も家も、何もかも捨てて従ったのは、どのような力をイエズスが備えていたためなのか。福音書には同じように簡潔で説明のない言葉がふんだんに出てくる。「心安かれ。なんぢの信仰なんぢを救へり」「起きよ。床をとりて歩め」「神を信ぜよ」「およそ祈り願ふことは、すでに得たりと信ぜよ」「われ、まことになんぢに告ぐ、今日なんぢはわれとともにパラダイスにあるべし」「人あらたに生れずば、神の国を見ること能《あた》はず」すべては信ずるという行為、一歩を踏み出すことにかかわりがある。

公教要理を習っていた神父より受洗の許可がおりたのは、クリスマスの前のある夜だった。「来年の春、復活祭のころ、洗礼を受けなさい」と長身碧眼《へきがん》のドイツ人神父は、ブロンドの髪を晴れやかに輝かせて言った。そのとき、いまだかつて経験したこともない喜びがわたしの体全体に充《み》ち、体は軽く、心も軽く、ふわふわと浮び上る心地になった。わたしは、一気に了解できたのだ、イエズスに「われに従へ」と言われて、網を捨て、何もかも捨てて従ったシモン・ペテロが何ごとにも替えがたい喜びに充ちていたことを。ほんのわずかだが、一歩を踏み出した、神がある方向に賭けてしまった、賭はなされた、もう引き返しえない地点に来たと思った。陸軍病院に飛んで行って菊池透に知らせると、「おめでとう」と笑顔が零《こぼ》れ落ちた。いつも控え目の微笑でとどまっていた彼が、あんなに顔の隅々《すみずみ》までひろがった、明け透けな笑顔を見せたのは初めてだった。

「ありがとう、あなたのおかげよ」「ぼくではない。神の霊のおかげだ」「霊名を決めなさいと言われたわ」「カトリック教会の聖人のなかから一人をえらぶんだ」「聖人なんてあんまり大勢で誰を選んだらいいか見当もつかない。あなたの霊名は何なの」「フランシスコ」「ザビエル……」「いいや、アッシジの聖者のほうだ」「今、わかったわ、あなたの考え方や感性はあの方にそっくりだわ」「ぼくはあんなに偉くはないよ」「わたし、自分のを決めたわ。クララにする」アッシジの貴族の娘クララは、十八歳のときフランシスコに会って霊的指導を受け、修道女になった。これを知って驚いた家族の反対を押し切って、クララは志を貫き、逆についには妹や母まで修道女になる決意をさせた。フランシスコを崇敬し、その教えに終生忠実であった。わたしは一度でクララという霊名が気に入ってしまった。クララ夏江……素敵な名ではないか。

「クララか。覚えやすいし、呼びやすいし、いい霊名だと思うよ」「ありがとう」「ところで……」と、菊池透は一転して苦渋に押し潰《つぶ》されたような顔付きになった。「きみも気がついてるだろうけど、キリスト者になるというのは明るい喜びに充ちたことばかりではないよ。これからが大変なんだ」「覚悟してるわ。あなただって軍隊で迫害に耐えなすったのですもの。わたしだって……」「それだけではない。本当に大変なのは教会の外との関係ではなく、教会内部との関係にある。これはぼくにとって重大で必死の事態なので、きみにはぜひ聞いてほしい。洗礼を受ける前に知っていてほしい……」

二人は病院の端のほう、人のいない一角へと歩き続け、松林のなかの丸太のベンチに腰をおろした。そこは公園風にしつらえてあったが冬は訪れる人もなく、冬ざれの下草が寒々と震えていた。白衣の上に兵隊外套《がいとう》を羽織っただけの彼は、「夏江さんの前にいると体が暖くなるから大丈夫」と、白い息を吐きながら、憑《つ》かれたように喋《しゃべ》り立てた。

「残念ながら、今のカトリック教会は、きみが想像しているような理想の楽園ではなくなっている。せっかく受洗の喜びを予感しているきみに向って、こういうことを言わねばならないのは残念なんだけれど、やっぱり言っておきたい。つまり、教会は国家権力に迎合して、忠君愛国と軍国主義を標榜《ひょうぼう》している。旧約に記されたイスラエルの民、ジャンヌ・ダルク、ヴェルダン要塞《ようさい》で『ただ死あるのみ』と動かなかったペタン将軍、アイルランドの自由擁護に立ったダニエル・オーコンネルなんかを引き合いに出して、愛国心をあおっている。いつかきみに話した、例のロマ書の十三の一、『すべての人、上にある権威に従ふべし。そは神によらぬ権威なく、あらゆる権威は神によりて立てらる』と、マタイ二十二の二十一『カイザルの物はカイザルに、神の物は神に納めよ』を引用して天皇への絶対服従を説き立てている。昭和十年四月に全教区長連名で出された教書には、国旗掲揚を奨励し、出征軍人や壮丁の入退営の送迎をすすんでやるべしとある。そして教会は飛行機献納の募金をやり、武器軍隊を祝福するのはキリスト教古来よりの美風だなんて言っている。聖歌を唱《うた》う一方で『雲に聳《そび》ゆる高千穂』を唱い、中華民国を侵略することは愛国の美徳であると言い、キリストに祈りながら聖寿の万歳をとなえている。今の戦争がどんなものかを知っているぼくから見ると、教会のしていることは間違っている。万里の長城を強行突破して張家口《ちょうかこう》、大同《だいどう》と転戦し、満洲では匪賊《ひぞく》討伐をしてきたぼくから見れば、戦争は他国の侵略と住民の虐殺《ぎゃくさつ》以外の何ものでもない。それなのに、教会は支那事変を聖戦だと誉《ほ》めそやし、皇軍の勝利をミサで祈っている……」菊池透がふと黙ったのは、枯草を踏む足音がしたからである。面会人の女と連れだった松葉杖《まつばづえ》の兵隊で、こちらも男女だと見ると、兵隊はにやりと笑い、遠ざかっていった。

菊池透の言うことは事実で、教会には皇軍将兵のための慰問袋作り、千人針、廃品回収、軍への献金を奨《すす》める張り紙があり、ミサのさなかにも皇軍の勝利が毎回祈られていた。しかし、それが政府や軍部に対する擬装と取れる面もあって、教会で勇ましい軍国主義の説教をする神父が、個人的に会ったときは、天皇や皇軍についてはまるで忘れたように言及せず、ひたすら神の愛と信仰の喜びを口にするのだった。教会の態度は、「蛇《へび》のごとく慧《さと》く、鳩《はと》のごとく素直なれ」であるのかも知れなかった。

「でもね、今の日本で教会が生き残るためには表面上の妥協は致《いた》し方《かた》がないかも知れないわよ」「そう、それがまこと表面上ならいい。しかし、神父にも信者にも、心の底からの軍国主義者がいる。しかも、そういう人のほうが教会の多数派を占めている」「でも、そうじゃない人もいるんでしょう、菊池さんのように」「そう……ほんの少数だが」「キリストはたった一人で十字架にかかられたわ。弟子たちは逃げ出し、全ユダヤの民からはののしられ」「それはそうだ」「あなた一人でもいいの。わたし、あなたを信じる、そして、ホイヴェルス神父さまも」「その覚悟なら大丈夫だと思う。いや、おめでとうを心から言うよ」と菊池透はふたたび笑顔を取り戻した。

「遅くなって、ごめんなさーい」と言って江森恭子が現れた。あとから数人がどやどやと入ってきた。恭子が呼び集めたらしく、みんな聖心の同級生たちだった。風間《かざま》の双子の姉妹、松子《まつこ》と梅子《うめこ》もいる。一同の最後から姉の初江も来た。

夏江は一同に菊池透を紹介し、最後に、「わたしのフィアンセです」と付け加えた。友人たちが、「ええ」と驚いた声をたてた。菊池の顔色の悪さや片腕を盗み見る者もいる。彼の手前、急にみんな澄まし顔だったが、松子がまず沈黙を破り、やけに華やいだ声で言った。

「恭子から聞いてみんな、びっくり、どんな様子か偵察《ていさつ》してやれってことになったの。ねーえ」とみんなに念を押すと、一同が頷《うなず》き合った。

「ねえ、夏江、どんな気持」と梅子が言った。

「どんなって……口ではうまく言えないわ」

「悲しい……」

「どうして悲しいの」

「だって、わたしたちみたいな俗人と離れて、悟りの世界に行っちゃうんでしょう」

「洗礼って、悟ることじゃないわよ」

夏江の周辺が、急に賑《にぎ》やかになったので、人々が不審そうに振り返る。夏江は気が気でないのに、松子と梅子は、まるで平気で無作法に談笑している。と、初江が夏江に耳打ちした。

「よかったわね、夏っちゃん。何だか晴々として、嬉《うれ》しそうで、こっちまでわくわくしてくるわ。そうそう、おとうさまも見えるって」

「おとうさまが……怖いわ」

「怖い……」

「おとうさまったら、耶蘇《やそ》として生きる覚悟はよいか、なんて念をお押しになった。何か、叱《しか》られているような気がするの」

「すっかりお変りになったわ、おとうさま。何かを信ずるのはよいことだとおっしゃる。昔は何も信ずるななんて、わたしに猛反対なさったのに。夏っちゃんがうらやましい。わたしも洗礼受けたい」

「なら、受けなさいよ」

「それが、ダメナノ。わたしって、それはそれは罪深い女だもの」と初江は戯《おど》け口に言った。

「罪深いから、信じられるのよ。わたしだって、それはそれは……」と夏江も戯けた。

「わたしの罪は底なしに深いの。あまり深すぎて神様もお許しにならないわ」

「神様がお許しにならない罪なんて、この世にないわよ。たとえ人殺しだってお許しになるわ」

「悔いあらためればでしょう。わたし、悔いあらためられない」

「そんなの神様に対して失礼よ。傲慢《ごうまん》よ」

「たしかに、わたしって傲慢なのね。悪い女」初江は自嘲気味に笑ったが、その笑いは泣きっ面《つら》に変り、そっぽを向いた目付きは壁でも穿《うが》つように険しかった。夏江は、受洗を前に浮き浮きしていた気分が、急にぎゅっと引き締った想《おも》いで姉を見詰めた。

　修道士がまた顔を出し、受洗志願者と代父代母が揃《そろ》ったのを確かめると、式次第を解説し始めた。


　前一列に七人の洗礼志願者が並び、後一列に代父母が並んだ。夏江のうしろには江森恭子が立っていた。

　夏江が最初だった。司祭が近付いてきて祈る。神父の胸が目の前にあり、白衣が目に沁《し》み、肩の紫の襟垂帯《ストラ》が花のように揺れた。

「われらの主、イエズス・キリストによりて、われ、なんじに救《たすか》りの聖油を塗る。これなんじが永遠の命を有せんためなり。アーメン」

神父の大きな手が香ばしい油を光らせ、夏江の胸と肩とに十字架を印した。

隣の初老の紳士へと神父が移っていったとき、入口の扉《とびら》を軋《きし》ませて利平が入ってき、初江に前の席へと案内された。菊池透は最後列にひっそりと坐《すわ》っていた。広い会堂にまばらに散った人々は、みんな固唾《かたず》を呑《の》んでいた。

塗油がひとわたり終ると、いよいよ洗礼式である。祭壇の端の大理石の洗礼台の前に夏江は導かれた。神父のストラが紫から白に変った。紫色は痛悔を示し、白色は無罪と喜びを示す。

簡単な問いが神父から発せられた。洗礼を受ける希望を尋ねたのである。それから額に水が注がれた。ひんやりとした水の流れから、イスラエルのヨルダン川の水でイエズスがヨハネから洗礼を受けたときの感覚、一歩を踏み出した喜びの感覚が、闇《やみ》を裂く稲妻のように心の中を照らした。つぎの一瞬、受洗の許しをえたときと同質で、身も心も軽やかにふわふわと浮きあがる心持になった。あのときの一歩からさらにもう一歩を踏み出した。一歩一歩とイエズスのあとをつけて、坂道を登り始めた。わたしはキリスト者になった。夏江は菊池透に合図を送ろうと人々を見た。が、何も見えなかった。涙の流れが幕を垂れ、あたりはうろうろと明暗の縞《しま》となって揺れ動くだけであった。

代母の江森恭子が白い薄絹を頭に掛けてくれた。何かが終り、何かが始まった。それまでの自分は死んでしまい、新しい自分が生れた。丁度、生命が無限の暗黒にぽっと灯《ひ》を点《とも》すように、広く深い宇宙のどこかからか自分が押し出されてきたという不可思議な感覚に夏江はひたっていた。気がついたとき、志願者全員の洗礼が終っていた。新しい信者たちが前の席に坐って、ミサが続けられた。女たちは白紗《はくしゃ》の頭巾《ずきん》をかぶり男たちは右の肩に白布を掛けていた。聖歌隊の合唱、オルガン演奏、司祭の祈り、聖体拝領と続いていくミサの儀式を、夏江は、あたかも映りの悪い映画か霞《かす》んだ遠い所の景色のように見聴きしていた。ミサが終って、入口のほうに押し出されていくとき、四周から「おめでとう」の言葉の雨が降りかかってきた。なかで江森恭子の声がひときわ朗らかだった。

教会前の広場に菊池透と並んで利平がステッキをついて立っていた。

「おとうさま。わざわざ、ありがとうございます」

利平は頷くと、彼にしては珍しく、ちょっと気恥かしげに、猫背《ねこぜ》に首をすぼめた。

「フウム、なかなか、耶蘇の儀式とは、よいもんじゃ。お前も、よう覚悟した。覚悟した以上、しっかりせい」

「はい」夏江は従順に合点した。

「おとうさまにね」と初江が拗《す》ねるように両肩を交互に出した。「わたしも洗礼を受けたいと言ったら、お前には耶蘇はむかん、お前は意志が弱いから、初志を貫けん、ですって。ひどいのよ」

「あたりまえじゃ。お前と夏江とは違う」

「おや、どう違いますの」

「お前は、よい子じゃ。おれの言い付けに従う。しかし夏江は」利平は、夏江と菊池透を半々に見てから、一呼吸おいて言った。「おれの言うことをさっぱりきかん」

「つまり夏っちゃんは悪い子だってことですか」と初江が言った。口のあたりは笑っていたが、目は真面目《まじめ》に父を見据《みす》えていた。

「そう、悪い子じゃ。散々おれに反抗しよる。菊池君もこんな子とでは気の毒じゃが、まあ、これからもよろしく頼む」

菊池が「はあ」とかしこまるのに会釈《えしやく》すると利平は去っていった。午後の斜陽が、その丸い背中をわびしく目立たせ、気取った風のステッキの振りが放浪者を演ずるチャップリンのようでおかしかった。夏江は初江と顔を見合せ、同じ速度で目をパチパチさせた。

「祝賀のパーティーが始まります。みなさん、お集り下さい。神父さまがお待ちです」と松子が、いつのまにか教会の職員のようにして、人々を呼び集めていた。

7

まずい面だ。写真より実物のほうが立体的なだけ始末に困る。広すぎる額の下に、両眼が蛙《かえる》のように飛び出している。鼻筋は真《ま》っ直《す》ぐだが、引き伸ばされたように長すぎ、そのあおりで押し下げられた口と顎《あご》が端っこにやっとぶらさがっている。しかし総体としては下品ではなく、額から目鼻にかけて、利巧そうな趣きが漂い、チラリと見せる歯並びも綺麗《きれい》に整っている。それに抜けるように色白だ。自身が色黒だけに、色白の女にあこがれている史郎は、十九歳のうら若い、すべすべした肌《はだ》には魅《ひ》かれた。

結局のところ、容貌《ようぼう》は、プラス・マイナス・ゼロというところか。吉原、洲崎《すさき》と、いままで何人もの娼婦《しょうふ》を抱いてきたが、この女より美しいのも、反対に醜いのもいて、いずれにしてもおのれの欲望を満足させることはできた。むろん、この塚原薫《つかはらかおる》という女でも満足させられるだろう。あまり表情を動かさない。笑顔を見たいと思うのだが笑わない。口数も少ない。問えば、すこし関西弁の混った、変に莫迦《ばか》丁寧な話し方で応じてくる。一体おれのことをどう感じているのか、人生何に興味があるのか、さっぱり摑《つか》み所がない。

塚原教授は、いかにも娘の父親らしく、蛙の飛び出し目だ。ただし、こちらは極端に痩《や》せて、頭蓋骨《ずがいこつ》の形があきらかで、医学生用の骨格見本のようだ。何でも英文学のほうでは名の通った碩学《せきがく》だそうで、気取った発音で外国の地名を口にする。ランダブリとは何のことかと思ったらロンドン・ブリッジのことだった。話題がイギリス留学時代の思い出となると、にわかに雄弁になり、いつかはヨーロッパへ旅をしたく思っていて、帰朝者と見ると嫉妬《しっと》と嫌悪《けんお》をいだく利平は、顔色を変えて黙ってしまい、かわりに小暮悠次《こぐれゆうじ》が得意になって教授のお相手を務めだした。バッキンガム宮殿の衛兵交替の時刻、ロンドンの下町の辻《つじ》音楽師に投げてやる銭の額、スコットランド・ヤードの警官の最低の身長規準……教授も悠次も数字が好きで話が合い、おかげで会話の連続は保たれたものの、肝腎《かんじん》の二人の生い立ちや家庭の状況などの話題からははずれてしまった。初江もそれに気がついて、利平や教授夫人に水を向けたりするのだが、悠次は話に夢中で、妻の気苦労に気がつかない。

利平はそっぽを向き、庭の芝生で泳ぐ鯉幟《こいのぼり》の影を見ている。いとは見事に無表情を極《き》め込んでいる。

「どうでしょう。ここらで、若いお二人だけでお話し合いになってみたら」と初江は提案した。「お二階に席をお作りしてありますのよ」

「そうしましょう」と史郎はあっさり立ち上った。薫は坐ったまんまこちらを見送っている。史郎がかまわず先に行って振り向くと、のろのろと立った薫がよろけて初江に支えられたところだった。

「娘は洋風に育てましたので、坐るのに馴《な》れておりません。失礼いたしました」と教授があやまった。

史郎は二階の八畳間で、どこに坐ろうか考えたが、武者人形を飾った床の間を背にする上座に、図々しく坐ることにした。密《ひそ》やかな足音が階段をのぼってきて部屋の前で止り、そのまま入ってこない。こそとも気配がしない。

「どうぞ」と仕方なく史郎は言った。じれったい思いが語勢に現れている。

襖《ふすま》をそっと押して女が入ってきた。平伏したまま顔をあげない。

「まあとにかく坐んなさい」と史郎は苦笑して相手を前に坐らせた。「面倒な礼儀は抜きにして、ざっくばらんに行きましょうや」

「はい」と顔をほんのり赤らめている。

「まずおたずねしたいが、あなた、おれんところに来る気があるのですか」

「はい。ふつつかでございますが」と、これは即座に答えが返ってきて、史郎はすこしあわてた。まだこの女と結婚する気にはなれないのに、相手が従順になびいてくるのが困る……早すぎる。

「おれは怠け者ですよ。医者になって親父《おやじ》の病院を継ぐ、つまり勤勉な医者になるのがいやで、しがない月給取りで金はない。家もない。親父の遺産なんか当てにできない。きちきちの生活だけど、それでもいいんですか」

「はい、結構でございます」と明瞭《めいりよう》な返答だ。

なおも史郎は自分を悪く言った。

「おれは朝風呂《あさぶろ》が好きで、毎日朝早く風呂を沸かしてもらわにゃならん。これは主婦にとっちゃ重労働ですよ」

「はい、かしこまりました」

「それに、おれは花柳病になった過去がある。この年になるまで独身でいた男なんて、不潔なものでね、随分と郭通《くるわがよ》いをしてるんだ。もっとも今は治ってますがね。それでもいいですか」

「はい、よろしゅうございます」

「あなた、花柳病がどんなもんか知らんのでしょう。おれのは梅毒や淋病《りんびょう》じゃなくて軟性下疳《なんせいげかん》てやつだ。見せましょう」

史郎は女の前に立ってズボンを脱ぎ、越中褌《えっちゅうふんどし》の前をはらりと落し、陰部を女の顔に突きつけた。

「ほら、これがただれた跡だ。袋のほうにも跡があるでしょう。ただし、こんなになってても、男の役目はちゃんとできます」女が目をそらさず、恥かしがりもせず、じっと局所を正視しているので、史郎は驚いた。

「あなた、こんな有様でもいいんですか」

「はい、よろしゅうございます」

「おれは、結婚してからも遊ぶ可能性がありますよ。元来が、移り気でね、だらしがない男だ。あなた、そんなの辛抱できんでしょう」

「いいえ、辛抱いたします」

史郎は、女の長い顔を、上から下まで舐《な》めるように見ているうちに、気持が動いてきた。この女は、何を言っても従順そのもので、おれの短所や欠点にも動ぜず、妻になりたいと言う。女房に理想の女を追い求めるほど、もうおれは若くはない。それに赤紙でもくれば家庭の幸福なんて一撃のもとに毀《こわ》れてしまう。この女が、こんなにおれの妻になりたがっているのなら、妻にしてもいいのではないか。

「じゃ、来てもらいましょう」と言ってしまってから史郎は、一瞬、自分の結論を悔み、同時に、ともかくも決着がついたと、ほっと安堵《あんど》もした。

　下の八畳間では、時田《ときた》夫妻と塚原夫妻が初江の手料理で酒を酌《く》み交していた。「きまりました。お嬢さんをいただくことにしました」と史郎は塚原教授に頭を下げた。「あら、よかった」といとが、おそらく、きょう初めての笑顔を見せた。「それはおめでたい」「おめでとう」「さあ、お祝いで一杯やりましょう」「さあさあ、お二人ともそこにお坐りなさい」と、一同は大喜びでざわめいた。青空を背景に矢車が威勢よく回り、三匹の鯉が尾をあげて泳ぎ、緑が晴れやかにそよめき、おのれの門出を祝しているようで、史郎は幸先《さいさき》よいぞと自分も喜ぶことにした。


　日暮れどき、悠次と初江は脇《わき》家を訪れた。はじめ、初江はひとりで預けた子供たちを迎えに行くつもりだったのが、悠次が姉に会いたいと付いてきたのだ。最近夫婦揃《そろ》っての訪問は珍しかった。

　丁度、みんなで食卓を囲んでいた。美津《みつ》と晋助《しんすけ》と子供たちのほか、若松町から敬助《けいすけ》夫妻と娘の美枝《みえ》も来ていて、にぎやかな有様である。八畳間と六畳間を続け、明け放した障子のむこうに、美津が丹誠した庭が夕陽《ゆうひ》にあかあかと輝いていた。花盛りの躑躅《つつじ》で囲んだ花壇に射《しゃ》干《が》、サフラン、海老根《えびね》、チューリップが形よく配され、背景には藪手毬《やぶでまり》や白雲木《はくうんぼく》の白い花々が競い合っている。みんなの中心にいる美津は半白の髪をきちんと結い上げて、威厳のある様子だ。初江は、義姉の前の畳に額をすりつけた。

「相済みません。時分どきですので急いでうかがったのですが、こんなにしていただいて。いえ、わたくしたちは済ませましたから……」

「お節句だし」と美津はつんとした切口上で言った。「敬助たちも来てくれたし、すこし早目にお夕食をしただけですよ。子供たちがみんなお腹《なか》が空いたと言うし」

「どうも遅くなって申し訳ありません。案外に会合が長びきましたものですから」初江はまた頭を下げた。

「で、どうでしたの」

「それが」と言いかけた初江の声にかぶせて「大成功さ」と悠次が言った。「お見合い一回目で結婚の約束まで持っていった。どう、ぼくら仲人《なこうど》の腕も大したもんだろう」

「それはおめでたい」と美津は別ににこりともせずに言った。「よかったじゃないの」

「よかったよ。相手は色白の美人だ。それに英語はペラペラの才媛《さいえん》だ。史郎さんも一目《ひとめ》惚《ぼ》れってわけさ」

逸早《いちはや》く食事を終えた子供たちが遊び始めた。央子《おうこ》は姉さんぶって美枝におはじきを教え、駿次《しゅんじ》と研三《けんぞう》は軍人将棋を始めた。悠太《ゆうた》だけが食卓に残り晋助と話し込んでいる。初江は、晋助のはだけた襟元《えりもと》を自分の視線が眩《まぶ》しげに往復するのでうろたえた。ずっと忘れていた感覚が、きょうの見合いで、刺戟《しげき》され、ほじくり出されてきたようだ。

「史郎さんもいよいよ身を固めなさるわけね」と美津は言い、初江にむかって、「おとうさまもお喜びでしょう」と言った。

「はい」と初江が頬笑《ほほえ》んでみせたとき、悠次が言った。

「時田家にはもう一つおめでたがあるんだ。夏江さんが再婚する」

敬助が顔をはっとあげた。百合子《ゆりこ》もこちらを向いた。二人とも史郎の見合いにはまるで余所事《よそごと》のように興味を示さなかったのに夏江のこととなると無関心ではおれないのだ。敬助は最初、時田夏江に結婚の申し込みをし、途中から風間百合子に心変りした。夏江が最初の夫と離婚して一人暮しをしていることは、二人ともよく知っていた。

「おや、それは初耳だね」と美津の顔色も動いた。美津も、敬助と夏江の縁談を望み、仲介の労を初江に頼んだいきさつがあった。「お相手の方は誰なの」

「それが、おれはまだ会ったことがねえんでね」悠次は目くばせで説明を促した。

「はい」と初江は頷《うなず》いた。「菊池透という人で、傷痍《しょうい》軍人です。敬助さんが多分ご存知だと思いますわ。歩兵第三聯隊《れんたい》にいて、ノモンハンで負傷したんです」

「誰だって……」敬助は身を乗り出した。

「菊池透一等兵。速射砲中隊ですって」

「キクチ……知らないなあ。おれは第五中隊だったから」

「兵隊は大勢いるからわからないかも知れないわね。菊池一等兵さんのほうは脇大尉《たいい》殿をよく覚えてましたよ。時々英姿をお見かけしたんですって。万里の長城やノモンハンでご一緒だったんでしょう」

「ノモンハンは違う。わたしの聯隊で激戦地に行き死傷者を出したのは速射砲中隊だけなんです。聯隊の主力は行軍してノモンハンに到着はしたが、すぐさま停戦となり実戦には参加しなかった……おっとこれは軍機に属する。ここだけの話ですよ」

「そうですか。詳しいことはわたしも知りませんけど、とにかくその菊池という人、右腕を失う重傷で帰還したんです。今、永山博物館の事務員をしています」

「菊池……まてよ、思い出した。東京帝大出の法学士じゃないか。そして……」

「やっぱりご存知だったのね。聯隊内でもいろいろな意味で注目されていたわけね」菊池の逮捕歴は要注意人物と目されたに違いなく、当然上層部にいた敬助も知っていたはずと初江は思った。

「海拉爾《ハイラル》に本隊が到着したとき、先発していた速射砲中隊の負傷者を、第一陸軍病院に見舞いました。そのなかに、菊池一等兵という人がいたんです。なぜ覚えていたかというと、帝大出で、八丈島の出身で、すごい重傷だったからです。よかった、彼は助かったんですね」

「はい、そして夏江のご主人になる。不思議なご縁ですわ」

「お式はいつ」と美津が訊《たず》ねた。

「五月二十日です。夏江が再婚ですし、新郎が八丈島の出身ですので本宴は島でしたいというので、東京ではごく内々の式と披露宴《ひろうえん》だけします」ここで初江は悠次を恨んだ。脇には、式と宴が終ったあと報告すればすむと思っていたのに、こんな風に知られてしまうと、招待状の枠《わく》をひろげねばならぬ。すくなくとも敬助夫妻と晋助、さらに美津も呼ばねばならなくなった。

「とにかく、時田家はおめでたが重なるわけだ」

「ほんとによかった」と百合子が言った。「史郎ちゃんも夏っちゃんも」

「ところで陸大生敬助大尉にうかがいたいが」と、悠次が話の終りを待っていたように口を開いた。「ヒトラーがデンマークとノールウェーを攻撃したね。つぎの目標はどこだろう」

「当然、西部戦線でしょうね」

「だけど、フランスは全力を尽して防衛するだろう。天下の要塞《ようさい》、マジノ線もあるし」

「今のドイツの機械化部隊の威力はマジノ線なんか問題としませんよ」

「フランスの力はみくびれないよ」と晋助が言った。「何しろナポレオンの国だ。マジノ線、陸軍、愛国心、それに英国の同盟」

「シロウトが何を言う。ナポレオンなんて持ち出すようじゃ、お前は百年遅れてるよ。フランス軍の実力は今やドイツ以下だ。ヒトラーが電撃作戦をおこせば、フランスは二箇月と持たん。勝利の女神はドイツに頰笑んでいる。お前も、先を見る目があるなら、フランス語なんかさっさとやめて、ドイツ語をやるべきだ」

「よけいなお世話だよ」晋助は兄を睨《にら》んだが、軍事についての議論では勝目なく、表情をゆるめて苦笑した。

「晋助さん」と初江が話題を変えてやった。「オッコのヴァイオリンの先生、お願いするわ。富士《ふじ》先生と言ったっけ」

「富士彰子《あきこ》先生。承知しました。さっそく頼んでみましょう。実は、もう内諾は得てある。

だから一緒に行って紹介するだけでいい。それから十六分の一のヴァイオリンも、楽器店から持ってきてある。今、見せようか」

「わたし見にいく」初江は立って晋助のあとを追い、あんまり急いだため、入ってきたはるやと鉢合《はちあわ》せしそうになった。


敬助は美枝に〝高い高い〟をしてやった。幼い子は天井近くまで抛《ほう》りあげられると、キャッキャッと喜び、両腕を水平に伸ばした〝飛行機〟の恰好《かっこう》で落ちてきて、父親の逞《たくま》しい腕にふんわりと受け止められた。調子に乗った敬助が央子を抱きあげ、〝高い高い〟をすると、悲鳴をあげて泣き出し、その激しさに敬助は仰天して下におろした。泣きじゃくる子の機嫌《きげん》を取ろうと敬助が努めているのを百合子が助太刀している。

「話は違うけどね、悠ちゃん」と美津は声をひそめた。「なみやはどうなったんだい。このごろ姿を見ないけど」

「流産したんで里に帰した」

「そうだったのかい。いつのこと……」

「四月一日、急に腹が痛み出して、入院させたんだが、駄目《だめ》だった」

「相手の男は判《わか》ったのかい」

「いいや、強情なやつでね、頑《がん》として言わねえ」

「しかし流産したんなら、後のごたごたはなくなったわけだね」

「そうも言える。本人の希望で、親には黙っておくことにした」

「この節の若い女中は油断がならないんだねえ。でも、女中なしじゃ初江さんも大変だろう」

「鋭意探してる最中だが、女中難で困ってる。心当りはないかね」

「心得とくよ。でも当てにはしないで。そうそう、この前、風間に行ったら、夏江さんの結婚のほかにさ、洗礼の話で持ち切りだったよ」

「なあんだ、ねえさん、結婚の話は知ってたのか。しかし、洗礼だって……そいつは聞いてねえな」

「悠ちゃんは何も知らないんだね、自分の奥さんの妹のことなのに。キリスト教の洗礼だってさ。何でも初江さん、洗礼式に来てたそうだよ」

「知らねえ。あいつ、何も話さねえ」

「しっかりおしよ。暢気《のんき》なご主人さまだ」

「夏江もついに、尼寺へ行け尼寺へ、か」

「そう、あの人も不幸な星に生れついてるね。最初の結婚があんなで、今度の人は片腕のない不具だという。よっぽど悩んだ末、神にでもすがる気になったんだろう。あの人の不幸についちゃ、わたしにも責任がある。だから洗礼なんか受けたと聞くと胸が痛むよ」

「いまどき、キリスト教じゃ、はやらねえな」

「全然はやらないよ。金沢の黒田教ならいいけれど」

「ねえさん、黒田の神様に凝ってるそうだね」

「凝ってるなんて失礼だよ。信じてるんだよ。信じればすぐご利益《りやく》があるからね。敬助が陸大に初回受験で入れたのも、風間振一郎《しんいちろう》が石炭鉱業聯合会常務理事になれたのも、黒田の神様のお蔭《かげ》なんだから。悠ちゃんも赤紙が来ないよう信心したがいいよ」

「おれみたいに、丙種《へいしゅ》で近眼で眼底出血で糖尿病の三十九歳なんか、兵隊としちゃ屑《くず》だよ」

「本当だねえ。病気の男が長生きできる世の中だねえ。敬助は軍人で仕方がないけれど、晋助はどうなるやら」

「来年、大学の卒業だな。すると兵隊検査は来年の暮か」

「それまでに支那事変が終ってりゃいいんだけど、敬助によると戦争はますます長引いてひどくなると言うしね」

美津は半白のほつれ毛を掻《か》きあげ、わざとらしく年寄じみた空咳《からせき》をした。

8

東京湾汽船会社の桐《きり》丸が東京の日の出桟橋《さんばし》を出たのは定刻の午後六時であった。遠ざかっていく港の灯《ひ》にかわって、宵《よい》の海と空とが船を囲んだ。御台場脇を過ぎるころ、密雲が裂けて満月が現れ、波間に縦一列の黄色い反映ができた。風に翻《ひるがえ》る髪をおさえながら、夏江は甲板を一巡し、また月の見える位置にもどってきた。

聖テレジア教会の結婚式や水交社の披露宴が、あの月の反映のように散り散りに思い出された。ホイヴェルス神父の引き締った口元から流れ出るテノール、自分の指に金の指輪をはめたときの透の指の震え、ジョー・ウィリアムズ神父のユーモアたっぷりのスピーチ、それに続く風間振一郎叔父の突然の発言……。〝ジョーさん〟とみんなに呼ばれているウィリアムズ神父は、小柄《こがら》で整った顔立ちで、ビング・クロスビーによく似ていた。ホイヴェルス神父の助祭をしている四十年輩のこのアメリカ人神父と話が合うらしく、透は、「あのジョーさんが、またこんなことを言っていた」と楽しげに語るのが常であった。その日のジョーさんは、立ちあがるとすぐさま、巧みなタップダンスをやってのけ、「このダンスは、わたくしが菊池さんに教えたね。ところで、わたくしが話している日本語は菊池さんが教えたね。ですので、菊池さんのダンスが下手なように、わたくしの日本語も下手です。申し訳ないです」と一同を笑わせた。「菊池さんは無口な人ですけれど、ふつうの日本人と逆で、わたくしみたいな神父の前では、何と申しますか、たいへん露骨ね。ずけずけ言うね。ふつうの日本人は、わたくしの前では無口で、遠慮深いですけど、裏ではたいへんおしゃべりね。さあ、みなさん笑います。わたくしが真実を言ったからね」「わたくしが菊池さんと初めて会ったのは、彼が東京帝大の学生のときでした。そのころわたくしは神田のカトリック教会に来て、日本語がまだ、今よりもっと、下手だったね。そして菊池さんと英語で話した。本当は彼は神さまよりも英語に興味があって訪ねて来たらしいのね。で、二人は契約を結びました。彼がわたくしに日本語を教えるかわりに、わたくしが彼に英語を教える。二人のテキストは

the Authorized Version でして、ここにわたくしの策略があり、彼はキリスト教に興味を持ち、二年後受洗したね。タップダンス……あれはね、菊池さんの英語がわたくしの日本語より上手になりすぎたので、わたくしより下手なものを一つ作れという策略でした。よかったよ。何というの、そう、図に当ったね」「そのあと菊池さんは兵隊にとられ、戦争して殺されかけたけど、奪われたのは片腕だけですんで、帰ってきました。戦争は大変ですね。若い人たちが大勢殺されています。China でも Europe でも沢山沢山、人間が殺されています。おそろしいことです。早く戦争が終ってほしい。平和が来てほしい。菊池さんが奪われた片腕は、平和のための犠牲です。丁度イエズスさまが人類の平安のためにおん身を犠牲になされましたように、菊池さんは平和のために片腕を捧《ささ》げました。そしてさらに今度は夏江さんという立派な奥さんをめぐまれました。片腕を奪われた菊池さんは、今度は二つの腕をめぐまれ、三つの腕になりました。神は、人に失わせたものを、それ以上の恵みで補って下さるね。神に感謝」

　ジョーさんが坐《すわ》るやいなや坊主頭《ぼうずあたま》に黒紋付《くろもんつき》の風間振一郎叔父が立ちあがり、居合抜きで腰の刀を引き抜くように身をひねり、「エイ、ヤア」と絶叫して、一同を仰天させた。みずからが提供したフランス産葡萄酒《ぶどうしゅ》の酔いも手伝ってか、呂律《ろれつ》の怪しい高調子でまくしたてた。

「今の神父さんのご発言はおかしいですわ。残念ながら日本語の神髄がわかってない。我輩はむかし商社員としてロンドンに駐在し、したがっていささか英語をたしなむものだが、神父さんの日本語は英語的発想に毒されている。戦争で軍人は英語のように〝殺される〟のではなく、〝戦死する〟ので、つまり英語の受動形に反して、われわれ日本人は能動形で語るのを特徴としてるのであります。そして軍人は、片腕を〝奪われる〟のではなく、片腕を〝無くす〟のである。菊池君は何のために片腕を無くしたか。平和のためだって、違う、断じて違う。それは天皇陛下（振一郎は直立不動の姿勢となり、脇敬助ほか何人かも居住いを正した）のおんためである。今次支那《シナ》事変は、天皇陛下のご命令により、支那四億の民を欧米列強の侵略から守るための聖戦ですぞ。不肖、この風間振一郎は、同志と計り、超党派で〝聖戦貫徹議員連盟〟を結成しておる。政党など欧米の猿真似《さるまね》機関など解消して、天皇陛下ご親政のもとに臣民一同一致団結して、この聖戦を貫徹し、すなわち完全に勝利し、東亜の新秩序建設をおこなわねばならんのです。だから神父さん、平和なんて甘ったるい言葉はもう古いんだ。あんたの言う平和とは、白人種の優越性というおかしな思想にもとづき、東亜の国々を侵略し、口に人道と平和を唱えながら、その実東洋人の上に王者のごとく君臨してるだけではないか。アメリカは比島を、フランスは印度支那《インドシナ》を、イギリスは印度とシンガポールを、オランダは蘭《らん》領印度を領有している。そんな平和はぶちこわし、万世一系の天皇陛下のもと、わが日本を盟主とする東亜新秩序を建設する。そのために菊池君は片腕を捧げたんだ……」振一郎の長広舌はなおも続き、司会者がやめさせようとしても止らなかった。

ジョーさんは別に反論を加えず、ホイヴェルス神父と顔を見合せていた。利平が何か言いたげに腰を浮かしたがまた坐った。花嫁の父として発言を差し控えたものらしかった。そして、夏江は透に、〝仕方がないわよ〟という意味のめくばせをした。新郎の信仰上の師である神父に対し、披露宴の席上、飛び入りで批判を加えるとは、非礼ではあるが、振一郎叔父の言説は、今の日本人なら誰でも言うことで反対はできないし、それに彼は、新郎新婦の勧める永山光蔵鉱物博物館の最大の出資者である、黙って拝聴しておくより仕方がない。この宴のあとで透から聞いたところでは、出席していたキリスト者のなかでも、ジョー神父の発言は不評で、むしろ振一郎叔父の真正面からの批判に喝采《かっさい》する人が大半だったという。そうして、反米反英の感情が高まるにつれて米国人ジョーさんへの反感がつのり、逆にドイツ人ホイヴェルス神父の人気が高まっているという。「何だか世の中が逆しまになってしまったんだ」と透は嘆息した。「ジョーさんが非政治的発言をすれば、すべては政治的な発言ととられる。ぼくは、今、熱烈に平和を欲し、平和のために祈っている。そうすると、聖戦に反対する非国民と見なされてしまう。戦争の目的はたった一つ平和しかないはずなのに、誰もその方向に目を向けず、新秩序建設だなんていう、つぎの大戦争の火種となるより仕方がない方向だけへ向けている。大戦争——米英との戦争——にでも突入したら、日本は憎悪《ぞうお》と殺戮《さつりく》と疲弊のただなかに投げこまれ、真の平和、心の平安など吹っ飛んでしまうのに……」「そうね」とわたしは頷《うなず》いた。わたしは向きになって何かを話している透が好きだ。時局や戦争については、正直のところ、よくはわからないが、戦争なんて早くやめてほしいという気持は彼と一致している。

船の動揺がひどくなり、夏江は手摺《てすり》につかまった。高波が甲板までしぶきをあげた。月はいつのまにか隠れてしまい、四周は真っ黒な海だ。湾外に出たらしく、岬《みさき》の灯も見えない。

不意に胸がむかついてきて、急いで船室に降りた。

茣蓙《ござ》を敷き詰めた大部屋には、漁師らしい日焼けした男や田舎じみた筒袖《つつそで》の女たちが、思い思いに坐ったり寝そべったりしていた。この節、さすが行楽客らしい人は少なく、大体が島の住人で、したがって顔見知り同士の気安さから談笑や酒宴でにぎやかである。しかし、部屋にこもったアルコールと魚くさい臭《にお》いを嗅《か》いで、夏江の吐き気はつのった。透の隣に正座すると、胸を押えて目を瞑《つむ》る。

「どうした」と透が言った。

「すこし気分が悪いの」

「横になるといい。大分荒れ模様だから、まだまだ揺れはひどくなるよ」

「ええ、でも」と夏江は透の両親に気兼ねした。父の勇《いさむ》がスルメと乾燥芋を肴《さかな》にコップ酒をあおっているそばに、母の亀子《かめこ》が坐っている。両親の目の前で、嫁が横になるのははばかられる。

「かまわないさ。遠慮することはない」

「大丈夫。もうすこし我慢してみる。そのうち馴れるかも知れない」

透は頷くと岩波文庫を読みだした。聖アウグスチヌスの『告白』だ。夏江は自分も何か本を持ってくればよかったと思った。じっと坐っているのが所在無い。さいわい悪心《おしん》はすこしおさまってきたが……。

勇は、髪は半白で顔に深い皺《しわ》が多く、還暦過ぎの人に見えるが、利平よりも十も若いのだそうだ。透に似て顎《あご》が張り、骨太でズングリとした体型だ。乗船した直後から酒を飲みだし、そんな夫のお酌《しゃく》を亀子がしている。こちらは、取り立てて特徴のない、平凡な顔付きである。夏江が驚いたことに、二人のあいだに全く会話がなかった。船を待つあいだ、船室に入ったあとも、二人は一言も口をきかない。が、夫が歩けば妻は従い、キセルをくわえればマッチを取り出し、飲めば酌をするという具合に阿吽《あうん》の呼吸があった。そして両親と息子のあいだにも会話がない。透が切符や荷物に気配りし、船室内に場所取りをするのを、両親は黙って見ていて、息子の指示通りに動いた。そうして、二人は夏江に対しても何も言わなかった。息子が紹介し、夏江が「よろしくお願いします」と頭を下げたのに、勇は大きく頷き、亀子は夫を見ながら軽く点頭しただけだった。思ったことを即刻口にする利平や口うるさい菊江を両親として持った夏江から見ると、相手の沈黙は、何を考えているか判らぬだけ無気味であった。勇がコップをぐいと突き出した。亀子が五合徳利からとくとくと注いだ。そして夫がゆっくりと飲むあいだ妻は黙って見守っている。わたしにはあの真似は出来そうにない。男が飲むのを黙って見ている女の心が推し量れない。

揺れがひどくなった。床が傾いたとき、どこかで缶《かん》からが派手に転がり、目の前の信玄袋《しんげんぶくろ》が逃げて行き、にわかに吐き気が突きあげてきた。

「横になれよ」と透が言うと、勇が振り向いた。舅《しゅうと》の視線の下で、夏江は射すくめられたようにぐったりと横に倒れた。茣蓙の下の固い板が肩に痛い。寝返りをうとうとしたが、動くと吐いてしまいそうで、そのままの姿勢でじっとしていた。毛布を掛けてくれた。頭を下に脚を上にした恰好で胃袋が押され、中のものが逆流しそうだ。と思うと頭が上になり、咽喉《のど》から食道あたりをぎゅっと握られ、胃の内圧が上昇する。夏江の我慢は限度にきて吐き始めた。紙袋をあてがってくれた。新聞紙で折った兜《かぶと》だった。何もかも吐いたつもりが吐き気だけが残り、空嘔《からえずき》となった。今度は背中をさすってくれた。

「昼間だと、海の遠くを見ていると楽になれるんだが」と彼は言い、真っ黒な窓へ顎を振り上げた。雨が降りだしたらしく、無数の水滴が御玉杓子《おたまじゃくし》のように泳いでいる。彼は立って海を覗《のぞ》き、「時化《しけ》てきたな。荒波だ」と気の毒そうに言った。

「ありがとう。大分楽になったわ」と夏江は言い、透は手を休めたが、本当は楽になったどころではなく、内臓が捩《ねじ》れてしまったような苦しみであった。しかし、透が片腕を懸命に働かせているのがいたわしいし、男に背を触られているのが人々の手前気恥かしい。それでも彼に抱いてもらえたら、こんな船酔いなど治まってしまうのにという思いがおこる。彼に初めて抱かれた昨夜、夏江は安心しきって身をまかせた。嫌悪《けんお》と義務感でいやいやながら関係を持った中林松男との、それははっきりとした違いであった。痩《や》せて筋張ってはいたが、しなやかで力強い男に愛され守られている、彼を通じて神の大きな愛がわたしを包んでいる、そのような幸せに答えてわたしの身も心も透明な蛹《さなぎ》に変身したかのようだった。彼と一生、死ぬまで暮したいと願いながら、一抹《いちまつ》の不安は、病身の彼が先に死んでしまうことで、その想像だけでわたしは、支えを失ない、落ちていく、落ちていく、どん底へ、悲鳴をあげながら、生きたままで……。

気がつくと明るい花園にいた。幼いわたしが花を摘んでいる。母がいる。姉がいる。兄が二人いる。いいえ、わたしには兄が一人しかいないのに、おかしなことと考えているうち、小さいほうの〝兄〟が顔を寄せてきた。わたしはその顔を見たくなかった。それが中林松男だったら幻滅だし、脇敬助であったら屈辱である。何しろわたしの着ていた不断着は丈が短く、裾《すそ》が割れ、その下は腰巻一つない裸であったから。〝兄〟は、紅い花を一つ摘んで、その拍子にわたしのあそこを覗き込み、わたしは「いやよ、いやよ」と叫んだ。そのとたん、わたしの叫びは歓声に変った。〝兄〟は菊池透だった、若くて健康で、学生時代の顔をそのまま幼なくしたような、いたずら坊主の顔だった。

目が覚めた。揺れは大分ゆるやかで、吐き気は嘘《うそ》のように治まっていた。減光した電球の汚水のような光のもと、人々が眠りほうけ、透もその両親もそうだった。そっと伸びあがって丸窓に顔をつけると、もう朝で、鉛色の海のむこうに雨に煙る岸辺が見えた。船は停《とま》っている。三宅島だった。すると午前五時ごろだ。八丈島に着くのは正午の予定、何とか半分以上の行程を経たわけだ。洗面をすませた夏江は、身繕いを始めた。せめて昨夜のつぐないに、透一家が起きる前にきちんと化粧を終えて坐っていたかった。紅を引き終えたとき、あたりがざわめき、勇がまず伸びをして、亀子がその気配に叩《たた》かれたように起きた。夏江は両親に向って丁寧に挨拶《あいさつ》した。

「気分はどうだ」と勇が言った。夏江への初めての話し掛けだった。

「大丈夫です。もう慣れました」

「こういう船は乗ったことねえかね」

「はい」

それで勇はそっぽを向き、手拭《てぬぐい》を下げて顔を洗いに行ってしまった。透を起そうとした夏江は亀子に止められた。

「その子は疲れてるからね。寝かしておやり」

「はい」

「あんたは早起きだね」

「きのう、早く寝かせていただきましたから」

亀子は頷いて、かすかに頬笑《ほほえ》んだ。その目元に優しい輝きを認め、夏江は幾分心和んだ。ともかく、これで彼の両親とお初に何とか言葉を交したわけだ。この調子なら何とかうまく付き合っていけそうに思えた。

透が起きたのは八時過ぎだった。洗面所からもどった彼に亀子が言った。

「アサケに行こう」

透が説明した、八丈島の方言では、朝食はアサケだと、ついでに昼食はヒョウラ、夕食はヨウケだとも。

食堂は眺望《ちょうぼう》のきく後甲板にあった。麦飯と味噌汁《みそしる》と香々《こうこ》だけの貧しい朝食を一同は黙々と食べた。夏江は荒れた海から目を離せなかった。灰色の雨脚の幕で閉じられた彼方《かなた》から、突如、幕を切り裂いて現れた怪魚は、にゅーっと立ち上り、頭のあたりで白い牙《きば》を剝《む》き出しにすると、まっしぐらに襲い掛ってきた。甲板を噛《か》み付かれた船は身悶《みもだ》えしてよろめいた。急湍《きゅうたん》となって走る水は、どうかすると食堂の中まで流れ込み、草履をあわててあげねばならない。なかなか食事どころでないのだが、透も両親も平然として食べている。吐き気が治ってから食欲の出た夏江は、みんなに追い付こうと懸命に飯を呑《の》み込んだ。

八丈島には三時間余の遅れで着いた。着いたと言っても目の前には黒い荒磯と小さな桟橋《さんばし》があるのみで、九百トンの桐丸は接岸できず、艀《はしけ》で旅客を運ばねばならぬ。絶えず上下する桟橋に船員の手助けで飛び乗ると、ぐらりと体が傾《かし》ぐほどの吹き降りであった。傘《かさ》をすぼめて待合室に駆け入ったとき、誰もが濡《ぬ》れ鼠《ねずみ》になっていた。

迎えに来ていたのは、透の妹、勝子《かつこ》と兄宏《ひろし》の妻、フクの二人だった。宏は応召中であるという。二人が持ってきてくれた、棕梠《しゅろ》の葉で作った蓑《みの》と笠《かさ》をまとい、各自、着物の裾をはしょって歩き出した。夏江は雨用に用意した爪皮《つまかわ》掛けの下駄《げた》を履いたが、すぐに間違いに気付いた。ぬかるみ道に沈み、歯の間の泥《どろ》で難儀な歩行となった。

東京あたりでは見たこともない、棒のような太い雨であった。大賀郷《おおかご》の村に入った。役場、学校、郵便局、駐在所、火の見櫓《やぐら》、集乳所、酒造工場などが目につく目抜き通りを行くのだが、道は未舗装のうえ、店屋の間口は小さく、どこかうらぶれている。地面に押し潰《つぶ》されたような低い屋並みに見覚えがあると思ったのは、それが柳島の細民街にそっくりだったからだ。もっともここには高い煙突を持つ大工場やコンクリートのアパートはない。そのかわりにこんもりした森が家々の上に迫《せ》り出している。内地の森と違って、檳榔《びんろう》や蘇鉄《そてつ》や棕梠を混えて、熱帯樹林の様相である。そう言えば肌《はだ》までぐっしょり濡れているのに寒くはなく、むしろ冷やされて気持よく感じられるほど、あたりは蒸《そ》し暑かった。

小一時間も歩いたすえ、村外れに来た。丘を削いだだけの荒削りな切り通しの先に、海が開けた。つまり、これで島を東西へ横断したわけで、存外に小さな島と思えた。緑の茂る集落が左手にひろがっていたが、どの家も玉石を積んだ石垣《いしがき》に囲まれ、しかも石垣の上には、頑丈《がんじょう》な生け垣があった。

「防風林だよ。椿《つばき》と椎《しい》だ。ここらあたり、昔からの家が多くてね、木が茂っているだろう」と透が言った。

なるほど椿も椎も大木で、おたがいに枝と枝とをがっしりと組み合せていた。坂を登る。白百合《しらゆり》が垣から一斉《いっせい》にラッパを突きだして雨に打たれていた。

「鉄砲百合だ」と透がまた言った。

菊池の家は、道が巻いて昇る角にあり、ひときわ大きな玉石と角に切石を城壁のように積み重ねた立派な石垣をめぐらしていた。〝菊池商店　漁具漁網雑貨〟の木看板が雨に光っている。店の奥に斜面を利用した二階屋が続き、正面から見たところ茅葺《かやぶ》きの三重の塔のようだ。

まずは天水桶《てんすいおけ》で泥を洗ったのち、男たちはそこで裸になり、女たちは湯殿で着替えた。いきなり姑《しゅうとめ》や義姉義妹の前で裸になるのが極《き》まりが悪かったがどうにも仕方がない。亀子は痩せていたがフクも勝子も豊かな乳房と厚い腰にめぐまれていて、夏江の生っ白《ちろ》くほっそりした体は、まるで少女のように見劣りした。小さな乳房を隠すようにしている夏江に、勝子が「夏江さんて肌が綺麗《きれい》だあ。透き通るようっての、あんたみたいのを言うだね」と無遠慮に言った。夏江がもじもじと赤くなっていると、勝子は大口をあけて笑った。別に悪意がありそうにも思われぬ、土地っ子らしい素朴《そぼく》な仕振りと見えた。

女たちが薄汚れた感じの不断着を着たので夏江も真似《まね》て、洋服はやめて不断着の久留米《くるめ》がすりにした。

「さ、家の中、案内する」と勝子は夏江を引っ張って部屋から納屋《なや》へ、厨《くりや》から憚《はばか》りへと巡《まわ》りながら、声高に話した。彼女は二十五歳、夏江と同年で、フクは五つ年上だという。「あねさは口が重いし、かあさもあんまり話さねえから、夏江さんが来てくれて、話相手ができて嬉《うれ》しいよ」と勝子は目を眇《すが》め、両手を組んで振った。

菊池の祖先は古い流人《るにん》の出で、宇喜多秀家《うきたひでいえ》とほぼ同じ時代に八丈島に送られてきた武士であったというが、流人の身の上で武具甲冑《かっちゅう》のたぐいは持たず、代々漁業をなりわいとしてきた。しかし勇の代になって漁具漁網の商売を始め、漁師のほうは片手間の仕事となった。それも長男の宏が応召した三年前からは、ほとんど勇が趣味程度に海に出るだけになり、主に商売のほうで生計を立てているという。

「それに、おととし、物凄《ものすご》い台風が来て、持船三艘《そう》のうち二艘まで流されてしまってね。もう漁業ではやっていけなくなった」と勝子は言った。

一昨年、昭和十三年九月二十四日の台風は、風速六十メートルに達し、全島が唸《うな》りをあげた。菊池家は斜面に建ち、海風をまともに受けるため用心して、雨戸に大竹を打ちつけ、屋根にロープを渡して備えた。いざ、嵐《あらし》となると、まるで滝が横に落ちるようで、たちまち家中に雨漏りが始まり大童《おおわらわ》のところ、折れた枝が窓硝子《まどガラス》を割って飛びこみ、雨戸は吹き飛び、と同時に大広間の屋根が吹き割れた。外に逃げ出すと、茅葺《かやぶき》屋根の押え石が転げ落ち、折れ枝やトタンが飛び、裏の崖《がけ》が崩れて樹々《きぎ》が根こそぎ流れ込むという有様で、防風林の根元に伏せてやっと嵐をやり過した。あの椿と椎の防風林はさすが頑丈で、家屋が滅茶滅茶の被害を受けた強風のさなか、立派に人々を守ってくれた。

勝子は家の中に残る台風の爪跡《つめあと》を見せてくれた。梁《はり》や羽目板が一部新しくなっていたり、茅が葺き替られていたりする。厨では食器がほとんど毀《こわ》れ、土で固めた竈《かまど》も融《と》けてしまったという。

土間に続く厨と憚りと、勇と亀子の住む大広間と勝子の小部屋が一階で、フクと透の部屋は二階にあった。勝子に別れて、夏江があがっていくと、透は押入れを開いて何か物をいじっていた。窓からは海が一望でき、夏江は思わず嘆声を漏らした。

「わあ、素晴しい景色」

「そうさね」と透が立って来た。「晴れればもっといい。あの、もやもやしている先に小島があり、あとは水平線まで太平洋だ。子供のときからこの景色を眺《なが》めて暮した。ただし、海景色は、波と空だから単調な面もある。森のように四季の変化がはっきりしていないしね」

「贅沢《ぜいたく》ね。わたしには、新鮮そのもの。それに風通しがよくて涼しいじゃない」

「西日が当って夏は暑い。西の寒風をもろに受けて冬は寒い」

「天《あま》の邪鬼《じゃく》ね。反対ばっかりして」

「反対ではないのよ。真実を申してるね」と透はジョーさんの口真似をした。

「何をしているの」

「片付け物だ。きみとここにしばらく住むことになりそうだからね」透は引っ張りだした、いかにも手作りらしい粗末な机や本箱を指差した。「こいつは、ぼくが小学生のとき使ったやつだ」鉛筆跡や落書が一杯で、傷だらけの代物《しろもの》を、彼は懐《なつ》かしげに撫《な》でた。

「わたし、まだ決心がつかないの。博物館だって、いつまでも無人にしとくわけにいかないし」

「そうか」透は、顔を曇らせた。彼はこの機会に島に長逗留《ながとうりゅう》して療養をしたがっていた。その心底は夏江にもよく察しられた。自然、村、家、部屋のすべてに古里の刻印があり、彼の少年の時間がこびりついている。たしかにこの地にいれば心安まるであろう。しかし彼にとって親しいものが、彼女にとっては異質で、この部屋にしてからが何やら落ち着かぬ感じなのだ。

「ここ、あなたの勉強部屋だったの」

「そうだ。ここで寝泊りしていた。ぼくは中学生のとき島を出たけれど、春夏冬の休みには帰省して、高等学校、大学の受験勉強なんかした。そうそう、ついひと月前ここに来てみたら、なにもかも黴《か》びてしまい、緑一色だった。本箱や畳はまだしも柱や天井まで黴びているんだからね、茸《きのこ》が生えてなかったのが不思議なくらいだった」

夏江は、今度新しく張り替えて、藺草《いぐさ》の香り立つ畳を踏みながら、さっきからの落ち着きなさの元に気付いた。一歩踏み出すたびにみしみしと音をたてる。夜のいとなみのとき、音は階下に筒抜けではないか。そう言えば、床板が薄いせいか階下の話し声もくぐもってはいるが聞えてくる。夜の睦言《むつごと》まで下に洩《も》れるのでは、気が張って仕方がない。

みしみしと階段を軋《きし》ませて誰かがあがってきた。いきなり襖《ふすま》を開けて顔を出したのは亀子だった。

「透、とうさが今晩の酒盛りの相談してえと言っとるだよ。夏江、あんたも下でお手伝いしてや」

いきなり呼び捨てで事を命ぜられたので、夏江はすこし驚いた。

土間から厨へかけて、大勢の女たちが立ち働いていた。亀子が総指揮で、フクも勝子も、それに近所の主婦や親戚《しんせき》の女たちも加わっている。夏江はみんなの真似をして、割烹着《かっぽうぎ》に姉《あね》さん被《かぶ》りとなった。大人数の料理を作る骨《こつ》は、時田病院で心得ていたものの、名も知らぬ魚に庖丁《ほうちょう》を当て、刺身にしたり蒸したり炙《あぶ》ったり焼いたりし、酢のものにする海草もやたらと種類が多く、さらに土地料理のあらかじめ醬油《しょうゆ》に浸した種を用いる〝島鮨《しまずし》〟や、異臭を発するクサヤ焼きとなると全くお手上げであった。それに盛り付けや膳《ぜん》の出し入れにも菊池家のしきたりがあり、見様見真似で失敗するよりはと、ついには一隅《いちぐう》に立って女たちの動きをじっと見守ることにした。

夜になって酒宴が始まった。あらかじめ予定した招待客のほかに、飛び入りの人もいる盛宴であった。新郎新婦に親戚知人が紹介されたが、人々の関係が入り組んでいるうえ、顔も姓名も似通っていて、よく区別がつかなかった。一高帝大を出た、島ではまれな秀才であり、支那事変で名誉の負傷をした凱旋《がいせん》の勇士と、東京の大病院長のお嬢さんの結婚と見なされ、二人は注目の的であり、献酬に来た人は、何かと質問し話し込みたがった。肝臓に障碍《しょうがい》のある透と生来酒はいけぬ夏江は勧められた杯を断るのに汲々《きゅうきゅう》としていたうえ、二人とも話下手で相手の話題に調子を合せるのに気を遣いついには疲れ果ててしまった。しかし、戦傷を養うため欠礼すると言って透が引っ込んだあとも、夏江は気丈に坐《すわ》り続け、飲めぬ酒にもすこしは口をつけ、ほろ酔い気分で舌が軽くなり、かえって物怖《ものお》じせずに話すことができた。

勇は大変な酒豪で、彼を中心に宴会は明け方になっても終らず、すでに大半の人々は帰り、女たちが眠ってしまったあとも夏江は頑張って酔客のお相手をし、台所に立って足りなくなった酒肴《しゅこう》を作り、お銚子《ちょうし》を運ぶなどした。亀子は、「夏江は華奢《きゃしゃ》に見えるけど、芯《しん》は強いんだねえ」と目を丸くしていた。その合間に、二階で横になっている透を見舞い、肝臓薬を飲ませたりした。「疲れたろう、もう寝なさい」と男がいたわると、夏江は、「あなたが抱いてくれるなら寝てもいいわよ」と擦《す》り寄り、男が腕を伸ばすや、さっと逃げた。「まだだめよ。お客さんがいらっしゃるんだもん。最後までちゃんとしますから、あなたは安心して寝てらっしゃい」

すっかり朝となって、さすが客たちはみんな散っていった。またも暗い雨の日であった。一睡もしなかった夏江は、二時間ほど眠ったのち、午後にはもう起きて、亀子の指示に従って後始末にかかった。食器洗い、片付け、掃除。一段落すると今度は、雨のなかを透と二人で主だった人たちに挨拶回り。何だかすっかり気持が張り詰めて、疲れを忘れたようだったのが、さすがその夜は早々と睡気《ねむけ》に襲われ、翌日、すっかり日が高くなってから、勝子の呼び声に起こされた。もう朝の十一時過ぎ、磨《みが》きあげたような青空がひろがり暑かった。透は床をあげて、姿を消していた。


「あにさは泳ぎに行ってるだ。夏江さんも行くけ」と勝子が言い、夏江の内心を読み取ったように、「とうさは仕事だ。あねさが店番すっから、あんた、出掛けてもええ」

「しかし透さん、あの体で泳げるのかしら」

「お医者さまにも、すこし運動したらいいと言われとるんだと。なあにあにさは泳ぎの達人だから、歩くよりは楽なんださ」

勇は大広間の襖を立て切って網の修理をし、亀子は風通しのよい土間べりでお針をしていた。フクは店の奥に坐って何やら記帳に余念がない。顔を洗っているところに勝子が来た。

「かあさの諒解《りようかい》もとってあるから心配しねえでええ。あんたこの二日働き詰めだったもの、すこうし気晴ししねえと体持たねえ。水着持ってるけえ。そうか、あんた泳げるだね。そんなら面白え」勝子は、籠《かご》を差し出し、ここに弁当を作ってあると言った。

勝子は、モンペを着、籠を幅広の帯で額から吊《つ》り下げ、棕梠の葉で編んだ三角笠《さんかくがさ》をかぶった。すると、ちょっと野良《のら》仕事にでも出掛ける風体になった。そう言えば、近所でもそういう恰好《かっこう》の女たちによく行き遭った。海水浴となるとタオルガウンにサンダル履きと相場が決っていた夏江は、勝子のモンペと小型の額掛け籠を借りて、棕梠笠をかぶると、すっかり土地もんらしい形姿《なりかたち》となった。

海岸までのだらだら坂を下っていく。島は輪郭明らかな全容を見せていた。北の八丈富士は緑一色のすべらかな斜面で、南の三原山や台子山は森林がごつごつと張りついたけわしい起伏を示している。一昨日雨中行をした大賀郷の村は二種の山の谷間に細長く横たわっていたわけである。目の前にひろがる海には小島がポツンと頼りなげに浮いていた。風は強く、海は全体に沸騰《ふっとう》して騒ぎ、二、三の漁船が波にもまれていた。

「あにさはあんたと一緒に行くと言っとったけどさ、男と女が一緒つうのは目立つから先に行けと追い払っただよ」と勝子は笑った。明るい所で見る彼女の褐色《かっしょく》の肌は、いかにも健康そうな艶《つや》に輝いていて、乱杙歯《らんぐいば》は治療の跡もなく白かった。

鄙《ひな》びた漁港を過ぎて、そばだった崖の道に来た。こんな所で泳げるのかしらと思っていると、崖下に岩の群が海中になだれ落ちたような異様な磯が見えた。昔、八丈富士の噴火で流出した熔岩《ようがん》が海で冷えて固まったもので〝千畳敷〟と呼ばれていると勝子が言った。近寄ると黒い大きな石が積み重なり、おたがいに熔接して、複雑怪奇な磯となっている。しぶき立つ荒磯や波静かな小型の湾が組合さって、変化に富んでいる。岩に立て懸けた自転車を見て、勝子は、「あにさのだ」と言った。波間に見え隠れする透を発見したのは夏江であった。

9

風が強い。うねりが高い。うねりに乗って体が上昇すると、水平線が見えた。トゲトゲの破線だ。沖は荒れているらしい。今度はうねりの底に行く。尖《とが》った小波《さざなみ》の先が、折あらば打ち掛かろうとジャブを出す。巧みに相手を避けているつもりが時として目潰《めつぶ》しをくう。波とのゲームだ。競争だ。

片腕で泳ぐことがこれほどの難事だとは思わなかった。体は簡単に浮いた。あとは片腕と両脚の推力で進めばよいと考えた。ところがクロールでは、左腕で水を掻《か》こうとするや、上体が沈没してしまう。その瞬間に息を吸いこんで浮力をつければすこし沈没を抑えうるが、この要領がむつかしく、何度も水を呑《の》み、ついには溺《おぼ》れそうになった。溺れる……このおれが、物心ついたときから泳いでいて、地上よりも水中のほうが気楽な、このおれが溺れる……散々水を呑み、鼻の奥までつんと塩辛くなって、菊池透は考え直した。

おのれの能力を過信してはいけない。片腕の体は、半分の能力しか持たないので、それだけ水の威力が増大したことを意味する。慣れ親しんだ海、わがままのきく優しい海だとして見くびるな。クロールをやめて平泳ぎで試してみたところ、これは成功して、片腕で何とか泳げるようになった。もとより両腕の場合ほど速くは前進できぬが、一応の速度で前進できる。岩の狭間《はざま》を擦り抜け、海流の具合を量って流れに身をまかせ、波枕《なみまくら》に乗って浮き身をし、反転して潜ってみる——まあまあ昔の通りであった。

と、風が強まり、うねりが高くなったのだ。波の平手打ちを避けるため、顔を水上により高く突き出して息をするのに、片腕ではその力が不足気味だ。力一杯水を抑えて顔を浮かせても、つい水を呑んでしまう。これはいけない、引き返そうと決心したときがすこし遅かった。この磯《いそ》に特有の錯綜《さくそう》する海流の一つにだまされたらしく岸から遠くに来すぎていた。以前の彼だったら難なく泳ぎ着ける、高々百メートルほどの距離が非常な遠くに見えた。しかも岸までは逆風である。一つ一つ鋭角に頭をもたげる小波が、ピシャリピシャリと顔面を打つ、十に一つは鼻孔を刺し貫き、つんとむせる、左腕を必死で掻くのだが体が鉄のタガではめられたかのように自由がきかず、ずるずると沈んでいく、おれはいつもそうなのだ、慣れ親しんでいたものから除《の》け者あつかいにされ、苦しめられ、迫害される、セツルメントでは、主義者の連中から、意識の遅れたルンペンプロレタリアート、宗教などという阿片《あへん》にひたる反革命主義者、スパイとして糾弾され……また水を呑んだ、塩気が咽喉《のど》に痛い、水の塩、地の塩、なんぢらは地の塩なり、塩もし効力を失なはば、何をもてかこれに塩すべき、痛い、辛い、息苦しい、塩もし効力を失なはば、のちは用なし、外に捨てられ人に踏まるるのみ、おれは捨てられてしまう、神よ、果してそうでしょうか、信徒会理事の国重教授がジョーさんを批判した、おれはジョーさんを支持した、すると国重教授がおれを猛烈に批難した、この波のようにトゲを出して、お前は教会の平安をみだすのか、教会に反逆するのか、ピシャリと目潰し、海水が鼻の奥にトゲをさした、水を搔くのが右腕、無いはずの腕で搔いている、むなしく水圧をもとめ、二の腕の切断面が水圧を受け、沈む、溺れる、このおれが溺れる……あと三十メートルに来た、岩の上に不意に現れた二人の女、女たちが手を振る、叫ぶ、夏江と勝子だ、左腕の力を振り絞って、じりじりと近付いていく、二十メートル、十五メートル、横波を受けて流された、黒いぶつぶつの火山岩が波を砕いている、砕かれた心、涙の谷、水を呑んだ、助けを呼ぼうか、勝子ひとりならそうしたろう、夏江の前で、そんなみっともない真似《まね》はできやしないぞ、おや、ぬるっとした魚が触った、二匹の魚に運ばれていく、岩に左手がとどく、その手を引っ張りあげられ、どうにか体が水から脱《ぬ》け出せた、体が重過ぎて、脚の力で立てない、まるでクラゲだ、だらしなく融けて、岩にひろがっている。

「あにさ、どうした、しっかりして」と勝子の顔が黒い面だ、脈をとられた、夏江だった、医者の手付だ、医者の娘だった。

「大丈夫だ、何ともない」起きあがろうとする、体が動かない、動こうとする意志のみあって筋肉は作動せず、腕も脚も胴体もクラゲになったまま伸びている、夏江がタオルで体を拭《ぬぐ》い、こすってくれる、勝子も手伝う、暖いものが通いだし、血液がめぐってきた、体の中が暖くなり、切れていた神経が繫《つな》がれたように両脚が動き、左腕が動き、右腕が動いた、右腕……無いものが動いている、右腕は痒《かゆ》く、手首のあたりが胸から腹へ、そして腹の中へと入っていった……起きあがる、今度は起きあがれた、しかし、両腕をついて上半身を支えようとすると、右側に倒れてしまった、不思議なことに、右腕は今岩の中にあった。岩の中を聖霊のように自在に動き回っている、今度は用心深く左腕だけで支えてみて、成功した。

「よかった、あにさ、死んだかと思ったよ」と勝子が喜び、つぎに睨《にら》みつけ、「だけど無茶してはだめ、こんな時化《しけ》にあんな遠出をするだから、失敗する」と言った。

「ごめん、まったく無茶だった。昔の体と違うのをつい忘れていた」

「夏江さんは命の恩人だね。真っ先に飛び込んで、あにさを連れてきた。泳ぎが、まあず、うまいだから」

「わたし一人の力ではありません」と夏江が言った。「勝子さんがいなけりゃ、とても……」

「ともかく、ありがとう」と菊池透は二人に頭を下げた。勝子は、面映《おもはゆ》げに太陽を見上げ、海女《あま》用の白衣をつまんで水を撥《は》ねた。夏江はにっこりした。ちょっとの間に日焼けした夏江の珊瑚《さんご》色《いろ》の肌《はだ》がまぶしい。彼女の着ている空色の水着から伸びる形のよい脚がまぶしい。と、水しぶきがあがり、勝子が泳いでいた。あたりを埋めている熔岩のせいか黒っぽい水の中に、褐色の勝子が右に左に素早く移動していた。

「勝子さん、泳ぎ、お上手だわ」

「海女をしてるからね、潜るのは得意だ。だけど泳ぎは自己流だ。夏江さんのように正式に習ったのと違う」

「わたしのも自己流よ。ねえ、もう〝夏江さん〟はやめて、〝夏江〟って呼び捨てにしてよ」

「夏江」と透は言い、苦笑した。「どうも慣れないもんで言いにくいな」

「わたしも、〝菊池さん〟をやめて〝透さん〟って呼ぶから。ねえ……」夏江は、男の胸に顔を擦り寄せ、甘えるように言った。「ずうっと二人きりで話す機会、なかったでしょう。お話したいの」

「どうぞ」

「いやよ。あなたがお話して。今、思ってること、感じてること……」

「夏江を思い、夏江を感じている」

「嘘《うそ》ばっかり……さっき、沖で、何を考えてらしたの」

「沖……あんな近い所は沖とは言えない。でも、今のぼくにはあそこが沖になった。あそこでぼくは溺れかけて、あわてて帰ってきて、ついに本当に溺れる寸前だった。海の子を自任しているぼくが、大好きな海で溺れるなんて無様《ぶざま》なことだが、いつも、ぼくはそうなんだ、自分が親しみを持つ組織から弾《はじ》き出され、異端視される。以前きみに話したように、セツルメントではマルクス主義者たちから、人類の社会進歩の一番低い段階の空想産物である神なんかを信じている遅れた意識の、反革命分子と言われ、ガサでもあると、特高に拷問《ごうもん》されて仲間を裏切って密告したなんて疑われて、散々な目にあった。にもかかわらず、ぼくはセツルメントをやめはしなかった。あの柳島のスラムで貧乏と病気と飢えに苦しむ人々への愛のほうが、セツラーへの反感と恨みより強かったからだと思う」透は言葉を切って、目をしばたたき、波の泡立《あわだ》ちが岩の間を流れるのを見た。〝愛〟などという言葉を使ったのが照れくさかった。

「あの〝沖〟でそんなことを考えてらしたの」と夏江は感心した口振りになった。棕梠笠をかぶった影の中で、眼《め》が輝いている。

「ほんの一刻、そんな過去を思い出しただけだ。それから、今の教会のことも思った」

「どんなことを」

「これも、きみに話したようなことさ。支那事変を聖戦だなんてそやし、キリスト者は今こそ天皇陛下のために剣を取って愛国者として立ちあがれ、それこそがイエズス・キリストのみ心にかなうなどと言う人々から、ぼくが批難されていることさ。きみの叔父さんがジョーさんを批判したろう、教会の外にいる人が、そうするのは仕方がない。きみの叔父さんには悪いが、今の日本人は悪鬼に取り憑《つ》かれて狂暴になっていて、まるで崖を下って湖になだれこむ豚のようなものだからね。ところが、教会内部のジョーさん批判は、それがエホバやイエズスの権威を引き合いに出してくるから始末に負えない。今年の、たしか正月、最初の日曜日のミサにぼくは神田の教会へ行った。司祭はウィリアムズ神父で、お説教のとき、現在世界中で戦争がおこっているが、これは異常事態で、キリスト者は平和のために祈りたい、一刻も早く戦争が終って平和が来るように、と言った。随分大胆な発言だなと思っているうち、ジョーさんは、紀元二千六百年の奉祝行事に教会が参加するのは、信仰の観点から見ていかがなものかと言い出した。もちろん直截《ちよくさい》な言い方はしなかったが、日本の天皇が世界の天皇になるという、例の八紘一宇《はつこういちう》の思想を婉曲《えんきよく》に批判したんだ。ざわめきがおこった。ミサが終るとすぐ、東郷元帥《げんすい》みたいに鼻下に髭《ひげ》をたくわえた偉丈夫が立って、大声でジョーさんに反論しだした。聖書の記述と記紀の記述とは一致する、そういうふうに読むのが皇国臣民たるキリスト者の道だ、エホバと天之御中主神《あめのみなかぬしのかみ》は同じである、エホバの創世と国造りや天孫降臨は同じである、約束の地カナンを攻め取ったヨシュアと大和の国を平定した神武天皇は同一人物である、神話というのは事実の細部よりも物語の精神こそが重要なので、その観点から見れば、キリスト者が、紀元二千六百年を奉祝し、金甌無欠《きんおうむけつ》の国体を守り、肇国《ちようこく》の大理想である八紘一宇の大精神を世界に宣伝するのは、神のみ心にかなったことだというんだな。髭の偉丈夫の話がおわったとたん、堂内は拍手の渦《うず》となった。『そうだ』『神父さんは間違っている』『アメリカ人は帰れ』という野次まで飛びだした。教会の中であんな騒ぎがおこったのは前代未聞だろうね。ジョーさんは、一言も反論せず、人々に向って会釈《えしやく》すると引き下がった。ぼくは彼を弁護すべきだったろうができなかった。退院したばかりの病みあがりで体力がなかったし、教会の近況にも暗く、慎重に振舞いたかったというのは言い訳でね、実は会衆の熱気が怖かったのだ。ぼくにできたことは、項垂《うなだ》れて歩くジョーさんの跡をつけることだけだった。司祭館の前で追いついたものだから、ジョーさんにさっきのお説教はよかった、勇気ある発言で感銘を覚えたと言った。ところがぼくのすぐ後ろに髭の偉丈夫がついてきていたもんで、ぼくの言葉を聞き咎《とが》めた。そこで二人の議論になった。議論の内容は、きみが推測するとおりさ、まっこうからの対立さ。ぼくは相手が信徒会の理事で東京帝大の国史学科の有名な国重教授であるとは知らず、猪突《ちよとつ》猛進したんだ。ジョーさんが、まあまあと双方をなだめてその場はおさまった。問題はあとで信徒会からぼくに呼び出しがあって、数人から散々に絞られたことだ。今カトリック教会は特高警察と文部省という前門の虎《とら》と後門の狼《おおかみ》で危急存亡の秋《とき》である、蛇《へび》の如《ごと》くさとく鳩《はと》の如く柔和に生きねばならぬ、ウィリアムズ神父はこの点道を誤っている、教会が八紘一宇を是とし、紀元二千六百年奉祝、皇軍の武運長久祈願、飛行機献納、慰問袋作りに熱中しているのは、教会の繁栄と存続を願うからこそである、ウィリアムズ神父のような米英寄りの日本批判や平和主義こそ、今もっとも唾棄《だき》すべき反教会思想である、とまあこういうわけで、ぼくはジョーさんに同調する教会内の分裂主義者、異端者として糾弾された。国重教授を中心に、本当に彼らはぼくを異端審問のうえ、できたら拷問によって抹殺《まっさつ》したいような勢いだった」透は、勝子が脇《わき》で聞き入っているのに気がついて一息入れた。夏江は相変らず真剣な面差しでこちらの顔を覗《のぞ》き込んでいる。

「つまり、沖でそういうことを考えてらしたのね」と夏江が頷《うなず》いた。

「あきれた、そんな面倒なこと考えてるから、あにさは溺れそうになるだよ」と勝子が笑った。「人が来たよ。男と女がいちゃついてると思われると厄介《やっかい》だ。夏江さん、泳ごう」と勝子はいきなり頭から海に飛び込んだ。釣竿《つりざお》を持った男が二人、岩から岩へと渡りながらこちらに向っている。夏江も岩陰に隠れるようにして、そろそろと水に足先を入れた。女たちは男たちの目を逃れて、洞窟《どうくつ》の中に泳ぎ入り、魚か蟹《かに》でも見付けたのか、しきりと水溜《みずたま》りを窺《うかが》っている。

釣人たちは、とある岩の上に足場をきめて糸を垂れた。彼らの一人、眉毛《まゆげ》の濃い男に気付き、透は、はっとした。けさ、散歩に出た透は、警察のものだという男に呼び止められ、島に滞在する期間を尋ねられた。男はすぐ去っていったが、今の眉毛の濃い男が彼であった気がする。最近、米英両国の神父の動静に当局が神経質になっていて、とくに平和主義者のジョーさんなどは要注意人物として監視されており、透も一度神田署で神父との会話の内容を聞かれたことがある。が、まさか八丈島まで特高の手がのびるとは思わなかった。考えてみれば、小さな島だから、彼らが目当ての人物を追うには、かえって便利だとも言える。一見平凡な釣人が、かえって無気味である。

勝子が全身から水を流しつつ、あがってきた。釣人たちを見て、「ありゃ島の人ではないね。あそこは全然釣の穴場じゃねえだから」と言う。

「見覚えのねえ人たちか」

「見覚えねえね」

「お巡《まわ》りじゃあるまいね」

「お巡り……どうだか。警察なんてさっぱりかかわりがねえで。どっちみち気にすることたあねえわ。腹減った。ヒョウラにしょ。ほら弁当作ってきたから」勝子は籠《かご》の被《おお》いを取って、経木《きようぎ》に包んだ握り飯や水筒を取り出して並べながら、よく徹《とお》る声で夏江を呼んだ。やがて夏江は水滴を煌《きら》めかせて岩に這《は》いあがった。透は手を伸ばして助けようとして、無い右手を差し出しているのに気付いて、あわてて左手を出した。勝子がけたたましく笑い、急に泣きっ面《つら》に変って、「ごめん、あにさ。笑うつもりはなかったに……つい」

「いいさ」と透は明るく笑ってみせた。「おかしいんさね。ときどき、無い腕や手がそこにあるみたいに感じるだよ。さっきも、無い腕が痒くてね。搔こうとすると、腕は逃げていき胸の中や腹の中へ入ったり、このぶつぶつの熔岩《ようがん》の中に入ったりする」

「おかしいね」と勝子が不思議そうに、二の腕の切断面のあたりを見た。

「今に始まったことじゃない、海拉爾《ハイラル》の陸軍病院で傷口が癒《い》えたときから始まった。医者は幻の肢《てあし》、〝幻影肢《げんえいし》〟という現象だと教えてくれた。不断は消えてるんだが、何かの拍子に出現する」

「今はどう」と夏江が心配そうに透の胸のあたりを見た。そのとき、丁度夏江の視線のあたりに透明な手と腕の感覚が現れた。腕をあげて彼女の頰《ほお》を撫《な》でる。水に締った肌の、冷たいすべらかな感触までまざまざと幻の手の平に感じられる。

「幻影肢がきみの顔のあたりにある。十字を切って見せようか」すると夏江の視線が、手が動くにつれて、正確に移動した。

「いやだ」と勝子が吹き出した。「夏江さん、そのゲンエーシってのが見えるみたい」

「見えたのよ」と夏江は真顔で言った。「キラキラとした、美しい手」

「まさか」「ほんとよ」「冗談でしょ」「ほんとだってば」夏江は強く言い切ると、透に同意をもとめるように頷いた。その瞬間、透は彼女が実際に幻の右手を見たと信じた。夏江という女は、生真面目《きまじめ》に何かを言い張るとき、それに従わねばならぬ強さを備えていて、それが透には魅力であった。

新聞紙を石で押えた上に弁当がひろげられた。いかにも勝子が作ったらしい大振りの握り飯であった。それを一口齧《かじ》ったとき、透は自分に食思《しょくし》がまったく無いのに気付いた。砂でも嚙むようで、吐き出したくなる。夏江が訝《いぶか》って、「どうしたの」と尋ねた。

「何だか食べたくない、疲れたらしい」

勝子が急にさわぎだした。「あにさ、顔色が悪いよ。熱があるんでねえか。すぐ家に帰って寝たほうがええ」

「大丈夫だ」と透は言ったが、直後、さっき水からあがったときのように、体全体の力が脱けて、ふにゃふにゃと倒れてしまった。夏江が頭を両腕で受け止めてくれなかったら、岩角で頭を打ったかも知れない。

「医者を呼んだほうがええ」と勝子が立った。

「いいや、その必要ない」と透は制した。「体力を消耗すると時たまこうなる。休んでいるうち回復する」

「そんなら、休んでな。おら、そのあいだに、大八を引っ張ってくっからさ。夏江さん、あにさを頼んだよ」勝子は海女着を脱ぎ捨て、すっぱだかになった。こちらを見ている釣人を睨み付けながらモンペを着込む。と、もう自転車に飛び乗り、見る見る遠ざかって行った。

夏江は岩の上にタオルを敷いて透を寝かせ、棕梠笠《しゅろがさ》や筒袖《つつそで》で覆《おお》った。焼け付くような陽光が遮《さえぎ》られて心地よい。

「いろいろ造作を掛けるね。だらしない話だ……」

「黙って」と夏江は唇《くちびる》に人差指を立てた。

「あなた、無理のし過ぎよ。泳ぎ過ぎ、喋《しゃべ》り過ぎ、勉強し過ぎ……そしてここ数日、式だの、宴会だの、船旅だの重なって、疲れ過ぎよ」

「きみだって大変だった」

「いいえ、わたしの疲れなんか、一晩寝れば取れてしまうもの」

風は涼しい。濤声《とうせい》は快い。そして夏江の声は柔かである。透は体の隅々《すみずみ》の肌から染《し》み入ってくる睡気《ねむけ》にひたされた。目覚めたとき、勝子と勇が大八車の前に立っていた。車上には蒲《ふ》団《とん》が敷いてある。

「さあ乗れ」と勇が言った。

「こんな大袈裟《おおげさ》なことせんでもええに。歩いて行けるわ」

「莫迦《ばか》こけ。自分を大事にせい。さ、乗れ」

透はいやいやながら乗った。湿った褌《ふんどし》が蒲団に染みを作るのが恥かしかったが、あきらめた。勇が曳《ひ》き、勝子と夏江が後押しした。石を弾き、飛び跳ねて進む。雲が流れ、鷗《かもめ》が群がった。絶えず揺さ振られながらおのれの体が自由にならぬもどかしさで、透は気が滅入《めい》った。

勇のシャツに汗が染みて、硬い筋肉が張り出た背中をあらわにした。頑固《がんこ》一徹で手荒い父であった。漁師の子は漁師になれが口癖で、子供のときから海に連れだされ、櫓《ろ》、操舵《そうだ》、投《と》網《あみ》、刺網、延縄《はえなわ》、とくに島独特の漁法である〝手投げ浮き釣〟をたたきこまれた……。

当然、息子は小学校を出たら漁師になるものと決めていた勇が、中学校に行きたいと言いだした息子と真っ正面から衝突したのは、透が六年生の夏であった。漁師が中学に行って何になる、おれはそんなつもりでお前を仕込んだのじゃねえ、と息巻く父に透は一歩も引かず、突き飛ばされても殴られても、額に瘤《こぶ》を作り鼻血を出しても、頑として踏ん張った。息子が血まみれになれば、父親も手指を痛め、そんな角突き合いが何日も続いたすえ、父は仕方ねえ、好きにせいと折れた。そして府立一中に合格したとき、父親は初めて笑顔を見せ、ひょっとしたらお前は学問で身を立てられるかも知れないなと言った。

勇の、血管の脹《ふく》れあがった皺《しわ》だらけの手を見ているうちに、透は父も年老いたと思った。かつて、おのれの頬や胸に突き出された尖《とが》った岩のような拳《こぶし》と違い、いかにも皮膚の薄い、やわな手が目の前で空気を漕《こ》いでいた。

村に近付くと人に見られるのが気恥かしく、透は掛蒲団を引っ被《かぶ》った。「あにさ、それじゃまるで死骸《しがい》だ。やめて」と勝子が言ったが、顔を出さなかった。まるで死骸……その通りで、これから先、長くは生きられぬという暗澹《あんたん》たる思いで、透は死体さながらに揺られていた。

10

晴れたのは一日のみで、そのあと、来る日も来る日も雨であった。しとしとと湿る、おとなしい雨は少く、降れば島を押し流すかと思えるほどの土砂降りで、ひとしきり降り頻《しき》ると、また重く暗い雲の流れとなった。灰色の垂れ幕の下に墨色の塊が素早く飛び、大きな雨雲を導いている水先案内のようだった。密雲に吸い尽された山、空と一つにつながった海、塩気を含む重たい風、来る日も来る日も同じ光景であった。

六月に入っても雨勝ちで、もうすっかり梅雨の様相だ。透の病室となった勝子の部屋は、そうでなくても崖《がけ》が迫って湿気た四畳半だったが、長雨に畳が黴《か》びて、ぬるぬると足裏を滑らせた。蒲団も水を含んで固く重い。晴れた日に干してやりたいと夏江は思うのだが、頑《かたく》なに姿を隠した太陽は、片鱗《へんりん》さえも見せずにいた。そうして部屋は異様な臭《にお》い、丁度腐った卵とニンニクの混じり合ったような悪臭を発した。何かが腐っていると思い、戸を開いて風を通し、蒲団をはたき、畳を隅々まで拭《ぬぐ》っても臭いは取れない。そのうち、それが透の口臭だとわかった。透自身もそれを知っていて、誰かが近寄ると息を凝らしてごまかしていたのを、彼が眠っている間に、夏江は気が付いたのだった。

透の体が腐り始めている、と夏江は思った。何よりも食が細い。島の豊かな魚介類や海藻《かいそう》類もほんのわずかしか食べない。本人は無理をして呑《の》み込むのだが、直後に猛烈な吐き気がきてもどしてしまう。以前にも増してやつれた肌《はだ》は黄色味を帯びて張りがない。微熱がとれず、いかにも物憂《ものう》げに寝返りをうつ。苦痛をほとんど訴えない人が、いかにも辛《つら》そうに腹をさすっている。

亀子が医者を呼んできた。村外れに診療所を開く、もう七十に手の届きそうな老医であったが、爺《じじ》むさい恰好《かっこう》のわりに面倒見がよく、村に一軒の医者として多忙ななかを往診してきては、ヴィタミンを注射してくれた。リンゲル液に栄養剤を混ぜて補給すべきだが、島では医薬品が払底《ふってい》でかなわぬというので、夏江は、病状を詳しく認《したた》めて利平に薬の送付を願った。すぐさま林檎箱《りんごばこ》一杯の薬品が送られてき、父一流の粟粒《あわつぶ》のように小さな字を連ねて、養生の心得が書き添えてあった。「食餌《しょくじ》療法の要は、低塩、高蛋白《こうたんぱく》、高カロリー食たるべきこと。御地は高蛋白の魚肉において優れたるも、塩分の摂取過剰なり気味なれば注意されたし。酒煙草《たばこ》は厳禁す。安静第一と心得て肝臓血流の確保に努めるべし」

しかし、夏江が父の指示にしたがって、低塩食をと醬油《しょうゆ》をかけぬ刺身を作ったりすると、亀子が反対した。姑《しゅうとめ》の考えでは、息子に食欲がないのは新妻が息子の嗜好《しこう》を充分にわきまえていないためなので、塩辛いものが好物なのだから島鮨《しまずし》に見習って醬油に漬《つ》けた刺身を出すべきだというのだ。夏江が利平の医者としての指示を説明しても、亀子は、すぐ村の老医に相談してき、島の者は島の特産物が一番だと言い張り、醬油をたっぷり掛けたトロや塩辛い室鯵《むろあじ》の開き、そして味の濃いクサヤを、みずから食膳《しょくぜん》に出した。姑に逆らえず、夏江は、塩分を節するようにと夫にそっと忠告するのがせいぜいであった。

栄養をつけさせねばならぬと亀子は、知り合いの集乳所へ行き、牛乳や液状バターを買ってきては息子にあたえた。夏江から見れば、脂肪分が多すぎて肝臓に余計な負担をかけると思うのだが、と言って、島にも戦争による食糧の逼迫《ひっぱく》はあって、米、小麦粉、砂糖などは本土と等しくおいそれとは手に入らず、利平の言う高カロリー食を作る手立てもなかった。

当初、嫁の意見に何かと異を唱えてくる亀子に内心腹を立てていた夏江は、立腹を表に出して言い争ったら一つ屋根の下に住む以上嫁と姑の際限もない確執になる予感はあって、努めて逆らわず、姑の作る料理をいそいそと運んでみせながら、陰ではこっそりおのれの手料理を与えていたが、厨《くりや》から四畳半へ行くには亀子が居間にしている大広間を通らねばならず、気骨の折れることではあった。が、お袋さんの味を息子は喜ぶ風もあって、笑顔で箸《はし》をつけたりするのを見ると、夏江には母親としての亀子の勘も正しいように思え、反面、せっかく夫の健康を守って、あれこれ世話してあげたいのに、母親に邪魔されたと思う不快も拭いがたく、まして両親の居間の脇の病室では、夫と二人、水入らずで過すこともかなわぬのが、淋《さび》しく腹立たしくもあった。

雨もやいの天候のさなかも、勝子は浜に出て海女《あま》として働き、店番は残った者が交替でした。もっとも、客はめったになくて、店番を兼ねて、みんな何か手仕事をしていた。勇は古い漁網の修理、亀子は絎台《くけだい》や針坊主を前に仕立物、フクは火熨斗《ひのし》がけや繕い物だが、そういう余事を見付けられぬ夏江は時間を持て余し、透の書架をあさって岩波文庫の『シャーロック・ホームズの冒険』を持ち出して読んでいたら、たちまち亀子から、「女が妙な本なんぞ読むのは愛想がないで、お客に嫌《きら》われる」と言われた。全く予想外の文句に夏江は驚いてしまい、「なぜですの、これ透さんの本ですが」と聞き返すと、亀子は、「男が本を読むのはあたりまえ、男の甲斐性《かいしょう》だよ」と言い放ち、取り付く島もなかった。この件を透に告げると、「島の女は本を読まないのを嗜《たしな》みとしているからな」と、わかったようなわからぬような言種《いいぐさ》であった。

姑は口達者で、洗濯《せんたく》の折には天水を節約するよう心掛けよ、結婚した女が丈の短いスカートをはくのははしたない、洋服は家の中ではよいが外へ出るときは着物にしろ、などと口喧《くちやかま》しく注意された。ある日、俄雨《にわかあめ》に走って家に駆け込むと、裾《すそ》を割って走るのはみっともないと言われ、それでは、しょぼ濡《ぬ》れで体の線が浮き出すのがよいのかと反論したくもなった。

勝子は昼間は外に出ているので、兄嫁のフクに姑への対応を何かと相談したかったのだが、この小肥《こぶと》りで無表情な義姉は、おそろしく口重《くちおも》で、近寄りがたかった。水仕事が得意で庖丁《ほうちょう》さばきなど玄人《くろうと》はだしだったし、裁縫をよくして亀子の手間仕事を手伝い、店の出納簿も一手に引き受け、調法な働き者なのだが、なにせむっつりとして、何を考えているのか見当もつかない。そういう人だとみんなが認め、必要最小限にしか他人に話し掛けない様子で、お喋りの勝子さえ、彼女の前では口を噤《つぐ》むのだった。勝子によると、フクは島の南の村、中之郷の黄八丈染元の娘で、兄の宏が三年前に出征したとき、大急ぎで祝言《しゅうげん》を挙げた、夫婦が一緒にいたのはほんの三日間だけだった、宏は今中支あたりにいるらしいが、ここ半年ほど音信不通だという。一度、夏江がフクの部屋をそっと覗いてみたところ、嫁入道具らしい、真新しい桐簞笥《きりだんす》や派手な長持が、まるで担《かつ》ぎ込まれた直後のように並べられ、卓袱《ちゃぶ》台《だい》に陸軍上等兵の夫の写真がポツンと置かれてあった。団子鼻と鰓《えら》のある顎《あご》は透にそっくりだが、肉付きがよく、軍服の胸元が弾《はじ》けそうに張っていた。

夜、透の体を濡れ手拭で拭ってやったあと、夏江が二階にのぼると、フクはもう自室に引き籠《こも》っていた。まだ寝ていない証拠に、襖《ふすま》の端に光の筋があった。夜になると頻繁《ひんぱん》に訪れてくる勝子が散々長話をして帰ったあと、フクの部屋は暗くなっていた。しかし暗い中からつぶやきが洩《も》れてきた。最初はお経でも読んでいるのかと思ったが、そうではなく、何かの本を音読しているらしかった。遠い波の音が静かさを際立《きわだ》てているなかに、フクの低い呪文《じゅもん》のような声がいつまでも聞えてきた。

ある夜のことだ、夏江は部屋に入り、枕元《まくらもと》に跪《ひざまず》いて〝就床時の祈り〟を唱えていた。

「イエズス、マリア、ヨゼフ、臨終のもだえの時に、われを助け給え。イエズス、マリア、ヨゼフ、御保護のもとに、安らかに息絶ゆるを得しめ給え……」

「夏江さん、ちょっといいかね」とフクが呼んでいた。

「はい」と夏江は、急いで敷き延べてあった蒲団を二つ折りにして、襖を開き、「どうぞ」とフクを招き入れた。束髪を解いて肩に垂らし、初夜の花嫁が着るような赤い寝巻姿で、意外に若い趣きのフクは、「もうお休みだったたね。お邪魔だったね」と遠慮しいしい、にじり込み、押し殺した声で、「聖書を貸してくださいな」と言った。

「これをどうぞ」と夏江は、ラゲ訳の新約聖書を差し出した。受洗祝にホイヴェルス神父から贈っていただいたものである。

「でも、これ大事なものなんでしょう」

「いいんです。わたし、もう一冊持っていますから」と夏江は、もう一冊のボロボロのを示した。こちらは透の贈り物で、ノモンハンの激戦の時、軍衣の物入れにあった血まみれの聖書であった。

フクは突然の来訪の動機を何も話さず、入ってきたときと同じく、すっと出て行った。しかし、一週間ほど経《た》った夜、また訪れてきて、「ちょっと教えて欲しいんだけんど」と読んだ箇所についての疑問を尋ねてきた。「聖霊てのは、どんなもんかね。〝鳩《はと》の如《ごと》く天より降りて〟とあるが、鳩の一種かね」「〝はじめに御言《みことば》あり〟とはどういう意味かしら」「人間は死んだら、どこへ行くんだろう。天国って何ですか」と矢継ぎばやの質問に、夏江は答えられず、「わたしには教えられない。まだ、キリスト教ではほんの新参者だから……」と頭を振りながら、「そういうことは神父に聞くのがよいのだけれど、島にはカトリックの教会はないし……」と考え込み、「透さんに聞いてみたら」と言った。

「透さんは駄目《だめ》なんだ」フクは言下に言った。

「どうして」

「恥かしいよ。あんたの御主人だし、秀才だし、わたしには苦手なんだ。夏江さん、お願い。あんたが透さんに聞いて、わたしに教えて」

「それはいいけれど……」

「このことは、とうさとかあさには内緒よ。二人とも耶蘇《やそ》が大嫌いだから」

「おや、そうなの」夏江は、教会の結婚式に神妙な顔付きで並んで坐《すわ》っていた、勇と亀子を思いだし心外だった。

「二人とも、キリスト教については理解があると思うんだけど」

「うわべはね。でも本心は違う。透さんが学生時代から何度も警察に挙げられたのは、キリスト教のせいだと、二人とも思ってるんだね。何かの折に、あの子の身を誤らせたのはキリストだって言うもの。言いにくいけど、夏江さんが信者だっていうんで、二人とも今度の結婚話に反対だった。それを説得したのは勝子だあ。そんだこんだで、一時は、家の中、ごたごたして大変だった」

「そう……」

フクが帰ったあと、夏江は溜息《ためいき》をついた。海風が硝子戸《ガラスど》を軋《きし》ませている。曇っていて星は見えない。広大な闇《やみ》に自分の小さな溜息が吸い込まれていく。聖霊、御言《みことば》、天国、一つ一つの溜息が消えていった。

翌日、夏江は透にフクからの質問を伝えて答をもとめた。「むつかしいね」と言いながら、透はそれでも一所懸命に解答を考えてくれた。念のため、透の言葉をノートにとり、夜になるとフクに伝えた。フクは、喜んで、また新しい質問をしてきた。こういう中継ぎをしているうち、夏江は聖書を注意深く読み、自分自身の疑問をも解消していく喜びを覚えた。ふと、透は神父に向いているのではないかと考える時がある。が、神父に妻帯は許されぬ。もし透が神父になったら自分は彼と別れねばならぬ。そう思うと、急いで自分の考えを打ち消すのだった。

七月に入ると晴れる日が多くなった。強烈な夏の日差しだが、風が強いため影に入ると凌《しの》ぎやすかった。とくに病室は、風の通り道で涼しい。この頃《ごろ》は熱もとれ、食欲も出、目に見えて元気になった透は、朝夕には近間に散歩に出られるようになった。

七月七日、支那事変三周年記念行事として全島の各戸は国旗を掲揚し、正午には火の見櫓《やぐら》の警鐘が打ち鳴らされ、それを合図に戦没軍人の霊を追悼し、出征将兵の武運長久を祈念して黙禱《もくとう》をするよう村役場からの通達があった。隣組長をしている勇の所には近所の人々が庭に集り、整列して正午を待った。透が顔を出すと、誰かが「名誉の凱旋《がいせん》兵士に号令を掛けてもらおう」と言い、結局、透の号令で数十人の男女が黙禱をした。透の声は、その弱々しい体軀《たいく》に似ず大音声《だいおんじょう》で、「さすが戦地で鍛えた兵隊さんは違う」と人々に賞《ほ》められた。

ある日、村の集乳所へ予約の牛乳を取りに行った夏江は、「八丈島キリスト教会」と書いた道標《みちしるべ》を見付けた。細い道を辿《たど》ってみると、新しい木造平屋の教会があり、十字架が光っていた。日曜日の礼拝は午前十時よりと掲示板にある。石碑には、「昭和十四年、宣教二十五周年を記念して教会を新築す」と刻まれてあった。プロテスタントの教会だった。つぎの日曜日、礼拝の頃合いを見計って行ってみた。オルガンの伴奏で人々が唱《うた》っていた。赤ら顔の恰幅《かっぷく》のよい牧師が夏江を認めて会釈《えしやく》し、何人かが振り向いた。夏江は堂内に入り最後尾の席についた。

カトリックのミサのような聖体拝領はなく、祈りと歌と説教だけの式であったが、同じキリスト仲間の集いという親しみがあり、それに綻《ほころ》びや破れの目立つ背中や肩が、原始教会の集会を連想させる素朴《そぼく》な感じで好ましかった。ただ、牧師が、戦う皇軍将士の御苦労を偲《しの》び勝利を祈りましょうとか、今や大日本帝国は大東亜新秩序建設に邁進《まいしん》しつつあり、わたくしたちキリスト信徒も教会教派の別を棄《す》て、天皇陛下の御大業に尽忠報国の誠を尽さねばなりません、と言うのが、夏江には興醒《きようざ》めであった。このプロテスタントも、カトリックと同じように、時代の殺伐《さつばつ》な風潮に染まっている、こんな離島の教会にも国家の要請が浸透しているると思いながら、魚を沢山食べ芋焼酎《いもじょうちゅう》を浴びるほど飲んでいるらしい、つやつやと血色のよい牧師の顔を見ていた。

礼拝が終って外に出ると、夏江を菊池の新妻だと知る女がいて呼び止められ、たちまち数人の女たちに取り囲まれた。人々は、夏江と透が洗礼を受けた正式の信者であり、東京の教会で結婚式を挙げたことや、透が臥《ふせ》っていて亀子と夏江が看病に掛りっ切りなことを知っていて、祝いや見舞の言葉を述べるのだが、夏江のほうは彼女らについて何も知らず、ただありがとうございますと頭を下げるのみだった。しかし、彼女たちのほうでは、もう夏江を自分たちの教会の一員と見なしているような口振りで、今日の午後、島出身の皇軍将士のため教会で慰問袋を作るから手伝ってくれないかと持ち掛けてき、夫の病状が思わしくないので帰らねばなりませんからと、やっと断った。

「きょう、プロテスタントの教会に行ってみたわ」と夏江は透に報告した。

「どうだったね」

「カトリックと同じよ。武運長久祈願と慰問袋作り。それに東京よりも悪いことに、みんな知り合い同士で、べたべたくっつくようで、わずらわしくて、あれじゃ行きにくいわ」

「狭い日本の狭い島だからね」

「ええ、そして……」

「この家も狭い。きみが両親に、とくにお袋に気兼ねして、気詰りなのは、ぼくも気がついていた」

「それはいいの。おかあさま、あなたのお体を心配して、看病に夢中になっていらっしゃる。その御蔭《おかげ》で、あなたもこれだけ回復なさった」

「きみの御蔭が大きいよ」

「わたしは何もできない。おかあさまには敵《かな》わないわ。とにかく、あなたがお元気になるのが第一。それにはここがいいの。食べ物は豊富で空気はいいし……ただねえ、わたし、あなたと二人きりの時間や場所が欲しいの。この部屋は……」夏江がそう言い掛けたとき、大広間に亀子が現れ、こちらを一瞥《いちべつ》すると、そ知らぬ顔で裁縫を始めた。透は夏江と顔を見合せ、今度はささやき声で話した。

「それなら事は簡単だ。ぼくは二階に移る。もう階段の登り降りはできるから、下に寝る必要はない」

「でも、きっと、おかあさまが反対なさるわよ」

　夏江の予想した通り、下の病室を畳む件に亀子は強く反対した。二階は食事を運ぶのに不便だし、西日が当って暑いと言う。透は、食事は下で家族と一緒にとる、西日には馴《な》れていると反論して、母を押し切った。その夜、二箇月ぶりで夏江は夫に抱かれた。これを待ち焦《こ》がれていたと思い知った。男の体が入ってきたとき、自分の心が男の心と混ざり合い、熱を発して明るく燃えあがるようだった。神の合せたもうたものという言葉が、おのれの心に重なり光り輝いた。すべてが終ったとき、透は夏江を抱き寄せて言った。

「将来のことについて、いろいろ考えたんだが、ぼくは村の小学校の先生になろうと思う。こういう離島だから教員の不足がちだったのに加えて、立て続けの応召で人手がなく、今や代用教員ばかりで質の低下が問題化している。故郷の子供たちのために、ぼくの力を役立てたい。実はね、大賀郷小学校の校長から、九月から臨時教員として就職してほしいと話があった」

「あなた、お引き受けになったの」

「ああ、大体。もちろん、きみに相談してから決めると言ってはあるが」

「あなたが、そうしたいなら、わたしは……」〝いいです〟と言い切れぬ躊躇《ためら》いがあった。亀子、島の人々、歩いても息をしても彼らから見られている。四六時中、村には異質な人間と見られて、肩が凝り、息の詰る生活を、この先長く続けねばならない。

「やっぱり、きみは気が進まないんだね」

「そんなことはないの。あなたの健康によく、あなたのお仕事がある所に、わたしもいたいわ」

「それじゃ、いいんだね」

「ええ」

夏江が頷《うなず》くと透は、今まで見せたことのない喜びの表情となった。一番気掛りだった関門を通過したという安堵《あんど》が顔一杯に染《し》み出していた。そんな夫を見ていると夏江は、なおさら自分の不安を告げる気にならなかった。

八月になると透は、床をあげて、大体は平常な生活ができるようになった。顔にふくらみが出、色艶《いろつや》もよく、動作も活潑《かっぱつ》で、歩き振りも軽やかである。勇と一緒に漁具や雑貨の仕入れに行ったり、青年団や警防団の集りにも顔を出し、日曜の午後には、聖書研究会を始めた。二階の六畳間と四畳半を続け間にして人々が集まった。もっとも人々の関心は、聖書よりも島随一のインテリで支那事変の凱旋兵士でもある透から戦地の様子を聞いたり、時局の見通しを教わったりする方向にあって、しばしば聖書そっちのけで話がはずんだ。最初は青年団の若者が集っていたのに、評判を小耳に挟《はさ》んだらしく、次第に年輩の人や主婦なども加わるようになった。フクと夏江は、茶を運ぶと一同の後でじっと談話に聞き入った。人々を前にして物怖《ものお》じせず、しかも少年から老人まで、年齢も関心も違う人々に、なべて興味を持たせるように話す、透の話術は堂に入ったもので、おそらくセツルメントで、いろいろな階層の人たちと付き合った経験が役立っているのだと思われた。

九月になって、透は大賀郷尋常小学校に臨時教員として通い出した。勇のお古の警防団員の制服を着、戦闘帽をかぶり、ズック鞄《かばん》を肩かけた姿で、自転車に乗って出掛けるのだ。それまで、菊池さんとか透さんと話し掛けてきた人々が、急に菊池先生と尊敬をこめて呼ぶようになった。

残暑はきびしく、どうかすると三十度を越える炎暑の日が続いたが、朝晩の風はひんやりとして、秋の訪れが感じられた。とくに際立ったのは、椎《しい》と椿《つばき》の防風林の下草に鳴く虫の声だった。内地の淋《さび》しげな虫の声と違い、耳の底を引っ搔《か》くような力強い鳴き声は全くの南国調であった。南国と言えば、コスモスや萩《はぎ》などの控え目な間色のそばに、グラジオラスやハイビスカスの極彩色がひろがり、楓《かえで》や栗《くり》などの落葉木を隠すように椰子《やし》や棕梠《しゅろ》が生い茂っていた。

九月半ばのある日、夕方になっても透が戻らず、何か急な会合でもあったかと、家族が先に夕食をとっているところに、制服の巡査が二人来て、「お宅の息子さんは、治安維持法違反の疑いで勾留《こうりゅう》となった」と告げ、二階の透と夏江の部屋を捜索してノートや書物を押収した。夏江の下着まで開いて調べる徹底したやり方だった。夏江はどのような疑いが掛けられたのか質問したが、巡査たちは答えず、「しばらく署で取り調べることになったから、洗面用具一式を届けろ」と言い置いて去った。すぐに夏江は必要な物を風呂敷《ふろしき》に包んで警察署に向った。

警察署は村役場のそばで、村の中央に位置し、玉石垣《たまいしがき》に囲まれた立派な建物だった。夏江が菊池透の妻だと告げると応対に出た若い巡査は、にわかにきびしい面持《おもも》ちとなった。「維持法違反というのですが、主人は何を疑われたのでしょうか。まだ島に来て四箇月にもなりませんのですが」夏江は臆《おく》する色もなく言った。「何も言えない」「いつまで勾留されているんでしょうか」「……………」「主人は何もしていません。すぐ帰して下さい」「取調べが終了すればすぐ帰す」「では、すぐ釈放になるということですか」「そうではない」「主人は名誉の負傷で療養中の身です。すぐ釈放していただかないと病状が悪くなります……」押し問答をしていると、奥から眉毛《まゆげ》の濃い三十年輩の猪首《いくび》の男が出て来た。ワイシャツ姿でネクタイを締めている。見覚えがあった。いつだったか千畳敷の磯《いそ》で釣をしていた男の一人だ。目付きはいやに鋭いが丁寧な物腰だった。

「奥さんですか。御苦労さまです。御主人はちょっとした嫌疑《けんぎ》がかけられてるんです。なに大したことではありませんから、すぐ帰れると思います。ところで、御主人の嫌疑を晴らすために、是非奥さんのご協力をお願いしたいのです。すこしお話をうかがえませんでしょうか」

男は有無を言わせずの気魄《きはく》で夏江を圧倒すると、椅子《いす》に坐らせた。脇《わき》で巡査が罫紙《けいし》を開いてペンをとる。取調べのお膳立《ぜんだ》てだ。

「これは正式の取調べですか」

「まあ参考人の調書です。御主人を救うために、固くならずに話して下さい。あとで、お話しになったところをお読みしますので、そのとき間違いを訂正もできます。まず、お聞きしたいのは、御主人が、以前、検挙された過去があるのをご存知かどうかです」

「いいえ」と夏江は答えた。落ち着いてきっぱりと言ったつもりが、すこし震え声になった。それを見透したように男が訊《たず》ねた。

「御主人は以前つまり昭和八年から十一年、柳島の帝大セツルメントにセツラーとして出入りしていましたが、そのほぼ同じ時期、奥さんもセツルメントにいましたね。むろん当時、奥さんは菊池透という学生をご存知だったでしょうね」

「顔を見掛けたことはありますが、ほとんど話したことはありません」

「顔見知りで名前は知ってたのに話したことはない……変ですね。将来結婚する間柄《あいだがら》になったというのに、話したこともなかったのですか」

「セツルメントには大勢の人々が出入りしていますし、わたしは託児所で保姆《ほぼ》の手伝いをしていて、彼は法律相談所に所属していましたから、おたがい、行き来はありませんでした」

「彼が法律相談所にいたことは知ってたんですね」

「あとで聞いたのです。この三月、彼から結婚の申し込みを受けてから昔の思い出話として聞きました」

「あなたがセツルメントにいたとき、伊川憲次という人に会いましたか」相手は唐突に訊問《じんもん》内容を変えた。

「そんな名前の人知りません」夏江は明瞭《めいりょう》に言った。セツルメントで見掛けた長髪の髭面《ひげづら》の、『資本論入門』の著者の顔が目の前に浮遊し、そのむこうに眉毛の濃い顔を見た。

「その道では有名な人物ですがね。セツラーなら誰でも知ってるはずだが。名前を聞いたこともありませんか」

「はい」

「伊川憲次がセツルメントに潜伏していたころ、何人かのセツラーが検挙された事件は知ってますね」

「その伊川という人を知らないので、何のことかわかりません」

「変ですね。伊川事件のとき、あなたがセツルメントにいたと、菊池透さんは述べているんです」

「さっぱり心当りがありません。何かの間違いですわ。その、伊川事件とやらで、今回、主人は調べられているのですか」

眉毛の男は答えず、質問を一変させた。

「ウィリアムズという牧師を知ってますか」

「はい、神田のカトリック教会の司祭さまです。あのう、カトリックでは牧師と言わず、神父と言います」

「御主人と神父の関係は」

「神父さまは、主人が学生時代の英語の先生で、主人に授洗された方だと聞いています」

「親しい仲ですか」

「それは存じません。わたしが神父さまにお会いしたのは、結婚式のときが最初ですから」

「結婚式は五月二十日でしたね。その前に、菊池透さんから、ウィリアムズ神父について何か聞きませんでしたか」

「いいえ。名前を聞いたこともありません」

「そうですか。ま、今日はこれだけです。ご苦労さまでした」

眉毛の男は警官に罫紙の速記を読ませた。

「以上の文章でよろしければ、ここに住所氏名を書いて拇印《ぼいん》を押して下さい」

夏江はもう一度読み返してから、言われた通りにした。不意打ちをくらってつい正式の調書を取られてしまったと、いまいましく思ったが、反面、透へのいわれ無い嫌疑を幾分でも晴らしたのだと自分を慰めた。

一同は大広間で車座になって待っていた。勇は焼酎を飲んでいる。

「どうだった」と勝子が上がり框《かまち》に飛んできた。

「よくわからないの、何の疑いなのやら、さっぱり」

「まあお坐《すわ》り」と亀子が顎《あご》で自分の前を指した。「大分遅かっただね。何を聞かれた」

「大したことは……セツルメントのこととか神父のこととかでした」

「やっぱり」亀子は勇に意味ありげに目まぜした。「古傷に触るんだね。で、あんた何て答えたの」

「セツルメントで検挙された事実を知ってるかと訊ねられましたが、知らないと答えました」

「嘘《うそ》を言ったのかね」

「えっ。透さんが検挙されたことなんか、わたし、全然存じませんわ」

「透は何も言わなかったのか」と勇はコップを離すと充血した目を光らせた。「透にはそういう過去があるのよ。しかしな、今回透が引っ張られたこたあ、隣近所に内緒だぞ。夏江も、みんなも、警察のケの字も言わんよう注意しろや」

「はい」夏江はみんなと一緒に合点した。

「神父てのは誰のことだね」と亀子が尋ねた。

「ウィリアムズ神父です。でも、わたし、結婚式のとき初めてお会いしただけで、何も知らないと答えました」

「あの人だ」と勝子が言った。「ほら、あにさが洗礼を受けたあと、島に来た、日本語のうまい人」

「神父さまがここに見えたの」と夏江が尋ねた。

「そう、西洋人なんて珍しいから、子供らが大騒ぎでついて回った」

「あいつのせいだ」と勇が酒気をしきりと発散させながら言った。「あいつと知り合ってから、透は道を誤った。耶蘇《やそ》になったとたん、二度も挙げられた。帝大出の法学士だってのに就職もできねえ。耶蘇なんて疫病神《やくびょうがみ》よ」

「とうさ、やめて」と勝子が叫んだ。「夏江さんの前ですよ」

「あのアメリカ人は」と亀子が勝子を睨《にら》んだ。「披露宴《ひろうえん》でも見当はずれを言って、夏江さんの叔父さんだかに叩《たた》かれてたよ。あの人の悪い影響で透がおかしくなったのは、間違いないよ」

「アメ公さ。蔣介石《しょうかいせき》の後押しする敵性国家の人間さ」と勇。

「このごろ、透は人を集めて二階でこそこそやってたようだが、何をやっていたんだね」と亀子。

「聖書研究会です」

「そいつだ」と勇が手を打った。「そいつが怪しまれたのよ。聖書なんてえ反戦思想を宣伝した容疑、こいつだな」

夏江は舅姑《きゆうこ》の攻撃に為《な》すすべもなく頭を垂れていた。二人は、透がいるときなら、決して口にしない言葉を平気で吐いていた。助け船をフクに求めたかったが、こちらは人ごとのようにそっぽを向いていた。

二日、三日経《た》っても透は帰されなかった。警察署に行けば、また体の良い口実で訊問される怖《おそ》れがあり夏江は家に留《とど》まっていた。しかし、すでに風聞は人々を駆け巡っているらしく、店に来た客が、「透さん、どうかしたのかい」と尋ねたり、井戸端会議の主婦たちが夏江を見て意味ありげに頷き合ったりした。

四日目は、生暖い風の吹く暗い日であった。緊急回覧板で台風が来襲すると知らされたので、一家総出で茅葺《かやぶき》屋根にロープを掛け、雨戸に大竹を打ちつけ、硝子窓《ガラスまど》に帆布を被《かぶ》せなどして備えた。宵《よい》の口から吹き降りが断続し、夜半には完全な嵐《あらし》となった。さいわい、二年前の台風とは風向きが違って防風林に風雨がはばまれ、数箇所の雨漏りだけですんだが、外の物音が物凄《ものすご》く、なかなか寝付かれない。風の唸《うな》りに加えて、何か大きな物が倒れたような地響きがした。誰かが戸を叩くので夏江が出てみると、目《め》潰《つぶ》しの雨の中に折れた枝が踊り狂っていた。今ごろ透はどうしているかと思う。留置場が倒壊しやしないか。不自由な体で逃げ遅れたのではないか。それともこの暴風雨を利用した拷問《ごうもん》でも受けているのではないか。夏江は眠れなくなり、明け方までまんじりともしなかった。すこしうとうとすると、もう朝だった。風音は弱まっているが半鐘が鳴っていた。警防団の伝令が来て、切通しで崖崩《がけくず》れがおき、何人かが土砂流に呑《の》み込まれたという。勇が出掛け、小半時もすると帰り、現場は手のつけられぬ惨状だと言った。二軒が埋れ、一軒は弾みで路上に飛び出して倒れ、七、八人が行方不明だという。

勇がそう話しているとき、泥《どろ》まみれの男が格子戸《こうしど》を開けて入ってきた。透だった。足元が覚束《おぼつか》なく、一度土間にへたり込んだが、すぐ立ち上り、「ただいま」と存外に元気な声で言った。疲れ切っている様子なので、話はあとにしてと、風呂場で水を浴びさせたあと、二階に寝かした。まるで殴り倒されたように眠ってしまった。その胸や腕や脚に刻印された沢山の青痣《あおあざ》は拷問のすさまじさを示していた。夏江は完皮液《かんぺーき》と完皮膏《かんぷこう》で治療を始めた。擦《す》り傷に絆創膏《ばんそうこう》を貼《は》り、開いた傷に繃帯《ほうたい》をした。とくに重い傷は右腕の断端で、縫合された皮膚が一部剝《は》がれて肉の中に白い骨が露出していた。これは自分の手に負えないと見た夏江は、亀子に事情を告げ、医者を呼びに出掛けた。しかし、件《くだん》の老医は、嵐による怪我人《けがにん》の続出で手一杯ですぐの往診は不可能だった。思いあぐねた夏江は、器材を借りて自分で縫う決心をした。「しかし、本当に自分でできるのかね」と老医は危ぶんだ。「大丈夫です。父のやるのを何度か見たことがあるんです」と夏江は答えた。老医は、消毒と麻酔のやり方、針と縫合糸とコッヘル鉗子《かんし》の使い方を教え、器材一式を貸してくれた。

勝子とフクに助けを頼み、大鍋《おおなべ》に重曹《じゅうそう》を入れた湯を沸かして鉗子、絹糸、針を十分間煮沸消毒した。繃帯、ガーゼは御飯蒸しで四十五分蒸気消毒した。それから透を起した。彼は自分の体中に塗りたくられた白い薬や繃帯に驚いたが、腕の断端の破れを夏江が自分で手術するのだと聞き、すぐさま、「よし頼むよ」と頭を下げた。傷口をヨーチンで消毒したとき激痛が走り、彼は肩を震わせて呻《うめ》いた。夏江はアンプルを切って長い注射針でトロパコカイン液を吸い、思い切って傷の中央に突き立てた。血管内に注入しないように、ピストンを引いては血液の逆流がないのを確かめ、薬液を注射した。しばらく待って針の先で痛みの消失を確かめ、大急ぎで手を洗い、アルコールで手指を丹念に消毒してから、コッヘルと針で縫い始めた。針穴から絹糸が脱《ぬ》けたり、針を落したり、せっかく縫った糸がゆるんでしまったり、失敗の繰り返しだが、ともかく傷口を閉じることのみを考えてじわじわと縫い進み、最後の皮膚を蓋《ふた》のように被せると、これは父から教わった〝外科結び〟できっちりと結んだ。再び縫合箇所をヨーチンで消毒し、リバノール湿布をあてて繃帯をした。

「終りよ」と言うと夏江の全身から汗がどっと吹き出した。「やったわ」と勝子が言った。

「夏江さん、お医者さまの素質があるわ」フクが夏江の汗を拭《ぬぐ》ってくれた。

「化膿《かのう》するかも知れないから、まだ気が抜けないわ。あなた、とにかく安静に寝てらして下さい」と、夏江は喘《あえ》ぎ喘ぎ言った。それから、「痛かったでしょうね、ご免なさいね」と付け加えた。老医が往診に来てくれたのは翌日午後で、傷口を調べたあと、「上出来だよ。これなら多分大丈夫だろう」と言った。

しかし傷口は膿《う》んでしまったのだ。ほかの打ち身や擦過傷《さつかしょう》が治ったあとも、赤く脹《ふく》れた患部から黄色い膿《うみ》が出、三十八度から九度近くの熱が出た。注射器で膿を吸い出す、額を冷やす、粥《かゆ》を作る、体を拭ってやる……夏江は懸命に看病した。縫合手術を独力でしたと聞いてから、亀子は夏江のすることに口出しをやめてしまったので、思うままの看病ができた。九月の下旬になって、ようやく腫《は》れが引き、傷口がふさがってきた。丁度術後十日目、老医師は抜糸をしてくれた。

透は小学校を首になった。治安維持法で検挙された過去を隠していたのを詰《なじ》り、聖戦反対の平和思想を宣伝するようなキリスト教の狂信者に陛下の赤子《せきし》である子供たちをまかせておけぬと言うのが、校長の告げた馘首《かくしゅ》の理由であった。

元気になった透は、日曜の聖書研究会を再開しようと夏江とフクに連絡をとらせた。一部の人は迷惑げだったが、大部分の人々は透の回復を喜び、つぎの日曜日にはかならず行くと答えてくれた。が、当日になると、誰一人姿を見せなかった。

透は夏江に言った。

「東京へ帰ろうか」

「そうね。そうするより仕方がないようだわね。あなたの健康のためには島のほうがよいのだけれど」

「ぼくは、博物館で働きたい。きみの手助けをしたい。未整理の標本を整理し、展示を立派にしたい」

「それはありがたいけれど、あなた、古里を離れてもいいの」

「離れるんじゃない、石もて追われるんだ」透は寂しげに呟《つぶや》いた。

神湊《かみなと》の桟橋《さんばし》で手を振っている人々が小さくなった。両親と妹と兄嫁は荒磯の波に融《と》けてもう見分けられない。擂鉢《すりばち》を伏せた形の八丈富士が全容を現わしてきた。陽《ひ》に洗われた、なだらかな緑の斜面を牧場の柵《さく》が区切っている。島が遠ざかっていく。島、古里、故郷、own country, Vaterland……。

何度あの島を去り、何度あの島に帰ってきたことか。最初は一中の受験のためだった。父との猛烈な対立、拳固《げんこ》の雨、鼻血に痣、苦痛のさなかに、父を憎みながら、父を見返してやりたくて受験勉強をし、上京した。合格して帰ってきたときの父の喜びよう、一転して息子を認め、お前だけは漁師にならんでええと言った。小学校を出て漁師になった宏兄がおれをどう思っていたかわからない。おとなしく従順な兄は父の言う通りだった。おれの学資を出すのに、父と兄は相当苦しい遣《や》り繰りをしたらしいが、二人とも何も言わなかった。一高生になってからおれは家庭教師と魚市場の小使をして自分で学資を稼《かせ》ぎ出した。父と兄は、やはり何も言わなかった。しかし、洗礼を受けて、ジョーさんと一緒に島に遊んだとき、父は、西洋出来のバタ臭い宗教なんかに入りやがって家風に合わねえと、ぶつくさ言いだした。父も母も兄も妹も、ジョーさんには親切で精一杯の歓待はしたが、どこか薄気味悪がり、父ときたらジョーさんの入った風呂桶《ふろおけ》を、穢《けが》らわしいとばかり、徹底的に洗ったものだった。キリスト教への罵倒《ばとう》が始まったのは、おれが、滝川事件に続いて、ジョーさんのスパイ容疑で二度目に検挙されたときだった。帰郷したおれに、父は、耶蘇みてえな赤になるために大学に入りやがったのか、と言った。叱責《しっせき》、論争、怒声……昔のように手は出さなかったが父はおれを殴るかのように拳《こぶし》でおどした。キリスト教徒の夏江とおれが結婚し、しかも式を教会で挙げるのに、父は当初大反対だった。父が賛成したのは夏江の父が、自分と同じく日本海大海戦で闘ったと知ったためだった。時田利平は聯合《れんごう》艦隊の第二戦隊巡洋艦八雲《やくも》の大軍医、父は第一戦隊戦闘艦朝日の二等水兵であった。そして、教会での結婚式にわざわざ上京してくれた。それは束《つか》の間《ま》の和解に過ぎず、今度の勾留《こうりゅう》で、またぞろ父の耶蘇嫌《ぎら》いは火に油を注いだようになった。

あの島がわが故郷だ。あのちっぽけな島に、おれは生れた。人類発生以来二百万年（あるいは三百万年か）、何億兆無数の媾合《こうごう》の末に、父と母とが一夜媾合しただけでおれが生れた。地球という遊星の上の何億兆無数の土地のなかで、一点のようなあの島に偶然生れてしまった。その不可思議な事実に震撼《しんかん》したのは、ジョーさんと一緒に八丈富士に登ったときだった。かつて熔岩《ようがん》の噴き出た火口の壁は、千畳敷と同じ黒い岩で、ジョーさんは笑いながら、きみの顔が黒いのは、この火と岩から生れたからだと言った。大賀郷の村は谷間にあり、その向うに三原山、台子山、白雲山がそそり立ち、それで終り、まことにあっけなく、ちっぽけな島ではあった。あとは海また海、そして風と空であった。ジョーさんと並んで横になり、風声に耳を澄ました。草がなびき葉が唱《うた》っている。そのとき、抗《あらが》いがたい力で、神はある、神がそこにいると感じた。感じたというより、身も心も貫く震撼としか言いようのない体験だった。すでに、神を想《おも》い、神を信じ、洗礼まで受けた自分が、今になって神に震撼されるとはと恥かしく、ジョーさんを見ると、緑色の瞳《ひとみ》を宝石のように輝かせて微笑していた。火が静かに燃えているかのような微笑だった。モーセが神の山ホレブで芝の中の火を見、神より語られたのを、シナイ山の煙と火の中より十戒を授けられたのを、おれは連想していた。おれはジョーさんに言った。「ぼくが何を想ってるかわかる」すると彼は、火のように揺らめく微笑のさなかで美しい英語を言った。「I AM THAT I AM.」我は有《あり》て在《あ》る者なり。まことにその通りなのだ。神はあるのであって、そのほかのいかなる形容も説明もいらない。

神の山、八丈富士が、今北側の翳《かげ》りを見せて遠くに去っていく、霊峰富士が遠くに遠くに去っていくように。いいや、去っていくのはこの自分であった。退去させられた、追放された菊池透。そして今、石もて追われる如《ごと》く、おれは去っていく。預言者の敬はれざるは唯其《ただその》故郷《ふるさと》、其家に於《おい》てのみ。故郷とあるのは the Authorized Version では own country だ。

A prophet is not without honour, save in his own country, and in his own house. ルター訳では Vaterland つまり祖国となっている。キリストは、おのが故郷で容《い》れられなかった。そして、自分の祖国イスラエルで容れられず、ついに国民の手により、もっとも憎むべき非国民として十字架につけられた。あの件《くだ》りは、故郷と祖国と両義にとるべきである。そして、このおれも、故郷で容れられぬように、わが祖国にも容れられなかった。

戦争を心の底から憎んでいるおれが兵隊にさせられた。徴兵検査では尻《しり》の穴をのぞかれ、陰嚢《いんのう》陰茎をにぎられ、甲種合格という名誉を与えられた。それは国にとっては、名誉なので、「よし、甲種合格。よかったな、立派な皇軍の兵士になるんだぞ」と祝福された。二等兵の軍服を着せられたおれは、帝大出というので古年兵から目の敵にされ、柱にのぼらせられて、蟬《せみ》の鳴き声を命じられ、営庭をくたばるまで走らされ、革の上靴でひっぱたかれ、星一つ上の兵隊の一言一句を〝天皇陛下の御命令〟と思わせられた。

丁度おれが兵隊として満洲のチチハルの、歩兵第三聯隊に派遣されたときに、支那事変となり、天津《てんしん》に応急派兵になった。おれは速射砲中隊所属兵として、万里の長城を突破して張《ちょう》家《か》口《こう》を攻撃、速射砲を撃って数えきれぬ敵兵を殺させられた。正確に言えば、そうなので、おれは自分の意志で殺したのではなかった。けれども、やはり、このおれが殺したのは間違いない、射程距離を計算し、照準を合わす技術におれは優れていて、着弾点に倒れ伏す敵兵の姿を何度も確認したのだから。張家口、天鎮、陽高、大同という地名を、おれは血と殺戮《さつりく》の場としてしか思い出せない。大同の近く、雲崗《うんこう》の石窟《せっくつ》を見たとき、おれはこのように素晴しい石仏を作った国の人々を打ち殺してきた自分の手が血まみれなのに気が付いた。

兵隊とは肉体の苦痛そのものであった。凍《い》て付く草原を匍匐《ほふく》前進しているうち、手は凍えて銃に貼り付き、膝《ひざ》は破れて骨を痛める。速射砲の車輪を背負って泥んこ道を行くと、ずずぶと沈むのを踏ん張って歩き、どこまでも歩き続ける。海拉爾《ハイラル》より将軍廟《びょう》まで二百キロの行軍、完全武装に弾薬糧秣《りょうまつ》二十キロを背負い、速射砲を曳《ひ》いて歩くとき、重力の締め付け物凄く、重い重い、十キロも歩くと、みんなは私物品を棄《す》て始め、石鹼《せっけん》、安全カミソリ、家族よりの手紙の束を捨て、聖書があんなに重く感じられたのは初めてだった、日射病で倒れる兵、遅れていく落伍者《らくごしゃ》、それを馬上の将校が叱咤《しった》した、自分は安楽に馬にゆられて叱咤した。そして戦場に着いたとたん、砲弾の雨、破片の雨、鋸《のこぎり》みたいなやつが回転しつつ、無数に襲い掛り、目の前で兵隊の首が飛ばされた。鉄兜《てつかぶと》をかぶった首が驚いたような表情で飛んで行った、そしておれの右腕もざっくり切り取られた。陸軍病院で目覚めたときの激痛、そいつは二、三週間休みなくおれの体に取り付いていた。まこと、兵隊とは肉体の苦痛そのものであった。

突然逮捕されて留置場に監禁された。おのが祖国の属吏、警官の暴行暴言の数々、殴られ突かれ叩かれ投げ飛ばされ縛られ吊《つる》され、宙吊りして木刀で叩きのめされ、逆さ吊りで鼻血を吹き出させられ、させられの連続で、おれは唸り呻き悲鳴をあげ喘ぎ、苦痛に耐えねばならず、耐え切れなければ気を失った。祖国の属吏は、自分たちの祖国のためにおれを責め、非国民としての自白を強要したのだ。一度、二度、三度、おれは自白せず、四度目の今回も自白しなかった。二階でおこなった聖書研究会とは反戦平和主義の陰謀ではないか、誰の指令によってかかる陰謀を企てたか、研究会に来た人間の名を言え、およそ莫迦《ばか》げた質問に答えさせるため、おれを素裸にして数人が竹刀《しない》で襲い掛り、とくに右腕の切れた端や腹の傷跡を突いたり叩いたりし、おれは血まみれで転げ回った。わが祖国の属吏どもは、国民の一人である菊池透を、何が何でも反国家主義者、非国民に仕立てあげたがった。なぜなのか。なぜにそうするのか。おれには理由はわからない。ただ一つ、わかるのは、おれがキリスト者だという事実のために迫害されることだ。いや間違った。そうではなくて、それを迫害と思わねば、おれには耐えきれなかったのだ。

脅迫、暴力、拷問、それに耐えるのは何かのためという目的がなくてはならぬ。最初は自分のためだと考えた。が、この弱い、無力でちっぽけな自分に耐えて守るだけの根拠は見出《みいだ》せなかった。祖国の一員である自分は祖国に反逆できぬ道理ではないか。あるとき、それは神のためだと思った。キリスト者として守るべきは神への全一の帰依《きえ》、信ずることしかない。人もし我に従ひ来《きた》らんと思はば、おのれを捨て、日々おのが十字架を負ひて我に従へ。

Take up his cross daily, and follow me.

いかなる拷問の苦痛も、受難の道行きのキリストの苦痛に及ばない。人間として受けうる最高の苦痛がそこに集約されているのは何という神秘だろう。鞭打《むちう》ち、茨《いばら》の冠、十字架への釘打《くぎう》ち。釘が手首と足背を貫いたときの痛みにまさる苦痛はあるまい。しかも衣を剝がれたイエズスは赤裸で性器すらあらわにされ、女たちの混じる群衆の前にさらされ、嘲弄《ちょうろう》と軽蔑《けいべつ》と好奇の視線を浴びた。おのが十字架を負ひて、とはおれのような凡人には、従おうとしても従えぬ行為ではないか。せめて自分にできることは、理不尽な拷問に耐えるだけであった、無辜《むこ》の人イエズスに、百分の一、万分の一、従うことであった。暗黒の取調べ室で、おれは祈った。おのれに罪がなければないほど苦しめたまえ。おのれの苦しみに理由がなければないほど苦しみを倍加させたまえ。こうして神のために、神に支えられて、おれは耐えた。耐え切った。

ところが兵隊としてのおれには、耐えるための目標がなかった。おれは、祖国公認の殺人集団にいて、人を殺して回った。罪を犯しながら、人は神に祈ることはできない。兵隊の苦痛とは、だから罪を犯し、それを許されぬ、二重の苦痛ではあった。

「ここにいらしたの」と夏江が言った。「中々降りてらっしゃらないから心配になってよ。おや、八丈島はあんなに小さくなった。何だかずんずん沈没して行くみたい」

「気分はどうだ」と透は尋ねた。

「最初、酔いの始まる胸騒ぎみたいのがあって、用心して横になっていたら、何ともないの。海も静かだし。で、あなたを探しに出てみると、あなたったら島を食い入るように見てらっしゃるでしょう。あんまり真剣なので、わたし怖いくらいだったわ」

「島に別れを告げていたんだ。わが古里よ、さらばと」

「案外にセンチメンタル」

「センチメンタル……そう、男の感傷さ、涙の別れだ」

「でも、涙は流れていませんことよ」

「乾いてしまったのだ。乾いて地の塩になった」

「舐《な》めてあげたい。さぞ味が濃くて、元気になるでしょうね」夏江は細い舌をチロチロさせて、舐める真似《まね》をした。とたんに船が傾き、よろめいて男の左腕にすがった。すぐ離れはしたが、両手の感触が腕に残り、女を抱きしめたい衝動が起ってきた。

「東京に帰ったら……」透は言葉を切ったまま、今まさに薄れて消えようとしている島を見詰めた。

「東京に帰ったら、どうなるの」

「島よりもっと辛《つら》い生活が待っているかも知れない。あそこの特高は、歴戦の猛者《もさ》揃《ぞろ》いだからね。きみ、ぼくと結婚したのを後悔しない」

「どうしてそんなことを……」夏江は細い目で睨《にら》んだ。細いだけに睨むと鋭い刃物のようになる。

「ご免、そう言おうとしたんじゃなかった。ぼくはきみにお願いしようと思ったんだ。これからも、ぼくの身には島で起ったような災厄《さいやく》が降りかかるだろう。その時、ぼくを救《たす》けてほしい」

「もちろんよ」と夏江は今度は、大きく頷《うなず》き、にっと頬笑《ほほえ》んだ。

「ありがとう」透は深々と頭《こうべ》を垂れた。

「こちらこそ」と夏江も丁寧なお辞儀をした。頭をあげた二人は、ともに真剣そのものの顔付きであった。

「出発のごたごたで言いそびれたけれど」と夏江は懐《ふところ》から封書を取り出した。「これ、けさ届いたの。史郎にいさんが結婚するんですって。相手は……塚原薫さん。九月二十九日、日曜日午後一時、水交社ですって。やっと日取りが決ったのね。あの気儘《きまま》なにいさんが所帯を持つ……何だかおかしいわ」

11

史郎はさすがおれの息子、器械体操で鍛えぬいた骨っ節は、五つ紋や仙台平《せんだいひら》をぴったりと着こなし、父親の遺伝であるギョロ目があたりを睥睨《へいげい》し、なかなかの押し出しである。もっとも、押し出しの割りに内容のともなわぬのは困ったもので、古河電工なる大会社にいながら所詮《しょせん》勤め人の安月給、それに麻雀《マージャン》、競馬、玉突き、酒と女と、遊び人の財布の紐《ひも》はゆるく、何かというと脛《すね》を齧《かじ》りに来やがる。父親の意に反して医者にならず、気楽な勤め人を勝手にえらび、おれがいとと結婚するや家出同然に家を飛び出して独り下宿し、反骨で意地っ張りに見えて、金がなくなると父親に無心にくる。そのように物事に徹底せぬところが、おれから見るとかわゆくもあり、つい金を都合してやるのだが、癪《しゃく》に障ることに息子は親父《おやじ》のそんな心根を見抜いて、ちゃっかり利用している。ま、三十にして立たずの息子だが、散々父親をやきもきさせた末に、三十の尻括《しりく》くりとして結婚する結末とはなった。今までにも縁談は降るほどにあったが、本人は所帯など辛気くさきことは真っ平と乗ってこず、縁と月日の末を待てとばかりにずるずると月日を送るうち本人は三十歳、親のほうも六十の半ばに来て先は短かく、もどかしくなって勧めた見合いが、これは拍子抜け、わずか五分間で双方合意となった。

面《おもて》を伏せて、つつましやかにしているが、薫は決して美人ではなく、角隠しの下に巴旦杏《はたんきょう》のような目蓋《まぶた》が飛び出し、顎《あご》が結びをくっつけたように長い。蓼《たで》食う虫もすきずきとは言え、えりにえって、史郎の風采《ふうさい》でこんな女をと思いつつ、親には薦《すす》めた弱味もあり、本人が好きなら好きでよし、まずはめでたしと考えることにしたが、今見れば何とも息子には気の毒な気もして、さっきから落ち着かぬ。が、今さら引き返しもできず、おれはこれで満足である、満足すべきであると決着をつけよう。これで、子供三人をすべてに身を固めさせた、親としての義務はすべて果した……いや、そうではない、まだ五郎がいる、あの傴僂に嫁を探してやらねばならぬ。人生後始末が尾を引く。

五郎にくらべると一番幸せを多くつかんだのは初江だ。小暮悠次はもうすぐ不惑、でっぷりとした体付きとベッコウ縁の度の強い眼鏡が、財閥系保険会社の役付らしい貫禄《かんろく》である。もっとも、あの肥満が糖尿病と眼底出血の持病をもたらしたので、適度の運動と食餌《しょくじ》療法が必須《ひっす》だが、本人はあまりその心構えがなく、最近また一段と肥《ふと》ってきてしまい、気掛りではある。

初江も三十を過ぎて年増《としま》になった。四人の子持ちは何と言っても手柄《てがら》である。おれに孫を持つ、愛《め》でるという楽しみをあたえてくれた。史郎に子供ができればこちらは内孫、初江の外孫とは感じがまるで違うものだと友人の唐山竜斎《からやまりゅうさい》は言うのだが、おれには、初江の四人の子が内孫のような気がしてならぬ。

初江の結婚披露宴《ひろうえん》が行なわれたのは昭和三年五月二十六日、帝国ホテルだった。もう十二年前になる。菊江がまだ健在で、割烹《かっぽう》見習、長唄稽古《ながうたけいこ》、裁縫実習などの花嫁修業一切を熱心に指図し、当日は髪結いから着付までの面倒を見た。長女とは恵まれたものだ。それに悠次を見込んだのは、娘本人よりも母親のほうで、先方にこちらにないもの、武士の血筋とか帝国大学とか山の手の家屋敷とかを見付け、おれに強く推輓《すいばん》したものだった。おれは、むしろ、士族、官立大学、山の手などの三つ揃えに反撥《はんぱつ》を覚えたのを、たってのことと言い張ったのは菊江で、おれはお前がそれほど言うならばと折れたのだ。

初江の場合には母親がいたのに、夏江のときには母親がいなかった。娘の相手を見る眼力が、父親のおれには欠けていたせいだろう、相手を見誤った。昭和十一年五月二十八日の帝国ホテルの宴席で、新郎の中林松男が、夏江に釣《つ》り合わぬと気付いた。ホテルも料理も媒酌人《ばいしゃくにん》も、何もかも一流であったのに、新郎のみがその場にそぐわず、酔って食器を落し、むしゃむしゃと四周に咀嚼音《そしゃくおん》を発散し、下品であった。宴が果てたとき、媒酌人の元巡洋艦八雲艦長松本少将は、「今日の新郎は行儀作法がなっとらんな。海軍の士官であったら怒鳴りつけるところであった」と洩《も》らした。中林を医師として評価していたおれは、女遊びや飲酒癖など、多少の素行の悪さには目を瞑《つむ》るつもりだったが、やはり女親のこまやかな観察が必要だったと、後悔は先に立たずであった。

そして夏江の再婚が丁度四年後、今年の五月二十日だった。前もって言ってくれれば、何の心配もなしに予約できたものを、三月末偶然出会ったおり、つまり結婚式のふた月前に急に知らせるものだから、若い士官の会合を別な部屋に移させて強引に一室を獲得したのだった。菊池透という漁師の倅《せがれ》、帝大出、傷痍《しょうい》軍人を、おれは今のところ気に入っている。夏江は今度こそ良縁をえたと信じたい……。

利平は、菊池透が、左手だけで食事をする様子をじっと観察した。夏江が手助けしようとしたのを断り、ナイフを肉の上に垂直に立てて器用に切り進んでいる。この節は肉料理など極端な品薄で、帝国ホテルの宴会をあきらめたのは、魚料理しかないからだった。その点水交社は、海軍の艦船が海外から運び込むため食料品が豊富で、肉のほか熱帯の果物、チョコレート、砂糖など、巷《ちまた》には姿を消した貴重品が揃っていた。菊池透は、肉を切り終え、素早くフォークに持ち替えると、食べ始めた。そんな夫に夏江がにっこりと頷いた。どうやら、あの二人は仲が好さそうだ。娘の、あんなに、自然で裏のない微笑を、利平は久し振りに見た。おれもあんなふうに笑えればいいが、と思い、かえっておのれの顔が硬く強張《こわば》るのを覚えた。いとと上野《うえの》平吉《へいきち》とは、どうやら懇《ねんご》ろな間柄らしいのだ。

利平が予定を変えて武蔵《むさし》新田《しにった》から帰ったとき、平吉がいとの部屋に上り込み、二人で睦《むつ》まやかに酒を（しかも利平取って置きの〝関娘〟を）酌《く》み交わしていたのは、四月初めの出来事だった。その後、それとなく注意していると、二人は利平の目を避けるようにして頷き合ったり、会釈《えしやく》したりし、利平が近付くとわざとそ知らぬ顔で離れたりしていたけれども、何かの証拠になるような尻尾《しつぽ》はとんと摑《つか》めなかった。平吉の素行について何やかやと報告してくれる久米《くめ》薬剤師にしてからが、いととの関係については全く言及せず、この全く何も言わぬことが利平には、かえって示し合せた隠しだてに思えるのだけれども、当方からあからさまに訊《たず》ねるわけにもいかず、的をわざとはずしたように、あの看護婦、この女事務員との関係を取沙汰《とりざた》する古狐《ふるぎつね》の話を、興味ありげに聞かねばならなかった。子飼いの古い職員は何人もいるが、院長と職員の別は厳然としてあるように取り扱ってきたため、何かの折、院長に率直に情報をもたらしてくれる者は、久米薬剤師を除くと、誰もおらず、利平はやきもきするばかりだった。

職員たちの統轄《とうかつ》は下手で人望もないし、院内のこまかい差配には手抜きが多く、その都度利平は大目玉を食らわしているのだが、平吉は、完皮液《かんぺーき》や完皮膏《かんぷこう》の工場を増設して増大する軍需に応《こた》え、方々の百貨店に利平の発明品の特設販売コーナーをもうけ、昔倒産した〝時田式レントゲン撮影機〟の製造工場を蒲田《かまた》に再建して利益をあげるなど、ともかく金儲《かねもう》けについて目端《めはし》が利《き》く男ではあった。ところで、大変な収入が病院に入ってくる事実を利平は認めながら、その理財のカラクリの詳細について、何度報告を受けても充分には理解ができず、結局、いとに監査を命じ、したがっていとと平吉が事務長室で顔付き合せて相談するのを黙認せざるをえなかった。そして、平吉がいとと結託して病院を乗っ取ろうとしているという疑惑に悩まされ、不安でよく眠れぬ夜が続くのだった。

カルモチン、ルミナールなどの各種睡眠薬の常用に加えて、寝酒に清酒や焼酎《しょうちゅう》を飲み、それでも眠れず、仕方なしにモルヒネを用い始めたのが、この夏、暑さで寝苦しい夜が続いたときであった。モルヒネを一筒〇・一グラム打っただけで、疑心暗鬼は風に吹き払われたように去り、不安も心配も後悔も消えてしまい、浮世の汚辱とは完全に別な、悦楽の世界に、ふわふわと漂い始める。この悦楽が忘れられず、翌日にはまた一筒打つ、さらに一筒、このごろでは一夜に五筒（弱ったことに〇・五グラムの大量だ）まで量があがってしまった。重症患者用のモルヒネを流用するためには、久米薬剤師を籠絡《ろうらく》せねばならず、長期勤続者として給料を引き上げてやったり、到来物の石鹼《せっけん》、タオル、菓子のたぐいを気前よく与えたり、何かと気を遣った。そして、毎晩の注射をいとには、坐骨《ざこつ》神経痛が悪化し、耐えきれぬ疼痛《とうつう》を鎮《しず》めるためと説明していた。

　モルヒネの連用が進めば、いかなる中毒症状が発現するかを、むろん利平は知悉《ちしつ》していた。が、悦楽への誘惑には勝てない。彼にできたのは、一夜五筒以上は打たない、まして日中は用いない、週一日土曜日だけは睡眠薬だけで我慢する〝休麻薬日〟を守るなどの三箇条を、自分に強制することであった。このひと月、小さな砦《とりで》を死守するように何とか三箇条を守ってきた。つい、きのうの土曜日も、モルヒネをやめた。禁断症状として、欠伸《あくび》、くしゃみ、動悸《どうき》、発汗などの不快を覚え、抑えきれぬ力で襲い掛ってくる注射への欲望を、菊池透の土産の芋焼酎をがぶ飲みして振り切り、さて、朝は猛烈な宿酔《ふつかよい》となり、アスピリン二グラムを飲み、どうにか披露宴に顔を出したのだった。

　この祝宴には、風間振一郎からフランス産の葡萄酒《ぶどうしゅ》を一〇ダース回してもらった。と言っても贈与ではなく、しっかりと法外な代金を要求された。現今、フランス産の葡萄酒は稀少《きしょう》価値を持ち、これぐらいの値段は出すべきだとずけずけ言われ、平吉事務長に相談したところ即座に、「買いましょう。大時田病院の院長のなさる最後の結婚式ですから」と金を出してくれた。〝最後の〟……そう、一応、子供三人の最後の結婚ではある。むろん、五郎はまだだが。

　利平は今さらに気がついた。事務長として功罪相半ばする平吉を傭《やと》い続けている心の裏には、彼に対する後ろめたさが隠れていることを。先々妻サイが四歳の平吉と二歳のトシを連れて、去って行ったときのわびしい光景がまざまざと思い出された。あの頃《ころ》、明治三十八年の離婚は、まだ三行半《みくだりはん》の風習に近く、夫の側からの一方的な通告でおこなわれた。「出て行け」「出て行きます」それで終りだった。あのとき、平吉との親子の縁を切ってしまったのだが、サイへの強い嫌悪《けんお》に反して、二人の子供には憐憫《れんびん》を覚えたのも確かである。しかし、その後の菊江との結婚、開業と猛烈な多忙にまぎれ、とくに初江を頭につぎつぎ子供が生れてからは、以前に別れた子のことなど、とんと忘れてしまった。去年の秋、医療器具商として平吉が突如として現れたとき、四十年近くのあいだ意識の片隅《かたすみ》にも存在しなかった息子が、誰かのいたずらによって、唐突に不自然に出現させられた感じがした。おれは平吉などに会いたくもなかったし、この男はおれにとって余計者であった。できればどこかへ去ってほしい男は、しかし、まぎれもなく息子であり、事務長として傭う際に提出させた戸籍謄本《とうほん》によっても確認できた。そうして、平吉への嫌悪や拒絶の念にもかかわらず、彼を事務長に迎えたのは、やはり、かつてこの息子を捨てたおのれの行為への後ろめたさがあったからである。

いや違う。「違うぞ」と利平は独りごちた。そして、隣のいとが驚いてこちらを見、人々がふと話しやめて振り向いたのに、咳払《せきばら》いをしてごまかした。

「どうかなさいまして」といとが尋ねた。「ウーム、ちょっと考えごとをしちょった」「びっくりしますわ」といとは苦笑いして、風間藤江《ふじえ》に、「このごろ、独り言が多いんですよ」と言った。「宅も多うござんすよ」と藤江が笑った。「やっぱり、殿方はお年になりますと独り言が増えますんでしょうね」

違うぞ、と利平は、もう一度心の中で強く、前の自分の想念を否定した。平吉を事務長として利平に推薦したのはいとであった。病院事務に不向きな自分が理財に詳しい平吉と交替したいと、もっともらしく言いながら、すでに平吉と下相談をしたうえで、何かを企《たく》らんでいたふしが見えるではないか。そうとも、そうに違いない。とすればいとと平吉との仲は一本の線で結び合され、すべては明々快々となる。「そうだ」と頷いたとたん、また独り言を口走ってしまったと気付いた。藤江といとは、自分たちの話を利平に咎《とが》められたのかと勘違いして、首をすくめた。

史郎はすっかり澄ましこんでいるけれど本心では何を考えているやら。散々放蕩《ほうとう》して、性病の跡まであそこに持つ男が、家庭を作り、一人の女だけで満足していられるのかしら。もっとも、お見合いのとき、あそこを薫に見せてしまったそうで、「驚いたもんだよ、あの女、顔をそむけようともせず、へいっちゃらだった。おれは遊び人だから今後とも遊び回るぞと脅《おど》かしても、はい、辛抱いたします、て言いやがんの、ありゃつええ女だ、こっちはたじたじだぜ」とぼやきとも自慢とも取れる口調だった。薫というひと、気心のさっぱり知れない女、父上の塚原教授に英語の手ほどきを受け、小学校時代から英国人の家庭教師がつき、英国人一家に出入りして子供たちと英語で付き合っていたそうで、日本語より英語ができるというけれど、何しろ何を言っても、はい、さようでございます、はい、はいという類《たぐい》の返事ばかりで、暖簾《のれん》に腕押し、日本語がよく話せないのか、しんからおとなしいのか、それとも鈍感なのか。あんまり従順すぎて張り合いがなく、反射的に、はい、はい言っているだけみたいで、こっちは莫迦《ばか》にされている気もする。

ともかく史郎ちゃんは、これで人生の中盤に来たわね。結婚は青春の終り、苦労の始まり。女はお産と子育て、男は日々の労働で年を取っていく。そして夫婦のあいだには波風が絶えない。「お袋を見ろよ。結婚なんて、苦労の連続だ。おれはまっぴらご免だよ。女郎買いが気楽でいい」なんて言っていた人が、とうとう年貢《ねんぐ》の収め時、要するに史郎ちゃん、年を取ったのよ。今日の晴れの日を一番お喜びになるのはおかあさまだったはず。お亡《な》くなりになってもう四年余り、そのあいだに目まぐるしい出来事がおきた。おとうさまの再婚、夏江の結婚・離婚・再婚、央子の誕生、なみやの妊娠……おかあさまがお知りになったら、びっくり仰天なさるわ。

晋助には学生服がよく似合う。いまどき珍しい純毛の紺サージだ。もう二十三、ひげの剃《そ》り跡が青く、坊主頭《ぼうずあたま》が青く、青々とした学生だ。あれで背広を着ると大人に変化《へんげ》する。二十五、六、それ以上に見える。すらりと背が高い。このテーブルを囲む男たちのなかで抜きん出て高い。あの人に、わたしの視線は吸い寄せられ、ついには吸いこまれてしまうので、なるべく見ないようにしてはいるけれども、見てしまう。こんな欲望、ずっと抑えてきたのに、最近悠次の浮気、夏江の結婚、そして史郎の見合いと結婚と、男女の睦事が重なって、わたしにも小さな火が点《とも》ってしまったみたい。さいわい晋助は気がつかず、隣の透との話に熱中している。

透と夏江。五月二十日に結婚、翌日八丈島に立った。四箇月間島にいて、二人ともすっかり瘦《や》せこけてしまった。透は、戦傷の後遺症でずっと寝込んでしまったそうだから仕方がないけれど、夏江には何があったのかしら。元々細い子が針金みたいにやつれて、まだ若いのに目尻《めじり》に烏《からす》の足跡なんか作って、三つ四つ急に老《ふ》けてしまった。「どうしたの、夏っちゃん、すっかりしぼんじゃって」「そんなに目立つ」「目立つわよ。何かひどい病気でもしたみたい」「病気はしなかったのよ。うんと働いたからでしょう。南の島には体を使うお仕事が一杯あるのよ」妹は事もなげに笑っていたが、何かがあの島であったらしい。夏江は襦袢《じゅばん》の重ね着でごまかしていたけれど、透は気の毒なくらい背広がだぶだぶ、せめて貸衣裳《かしいしょう》でも借りる才覚を働かせればいいのに。でも、二人とも外見に反して元気よく、明るく、よく喋《しゃべ》り、屈託がない。夫婦のあいだで、あんなに心置きなく話し合えるのは、わたしのように夫と話すとき、いつも緊張して身構えている者から見ると羨《うらやま》しい。わたしが夫と話すとき、それは相談ごと、口争い、むこうの命令、こちらの報告、いずれにしても屈託がある。

敬助はテーブルの向う側に並ぶ男たちの注目の的になっている。陸軍大尉《たいい》の軍服は、モーニングや紋付のなかで異彩を放ち、しかも敬助の歯切れのよい談論が周囲の男たちを引きつけている。「近衛《このえ》首相は……」「ヒトラーの電撃作戦」「……結局、蔣介石《しょうかいせき》はですなあ……」時局談だ。風間振一郎、悠次、それに風間姉妹の夫たちが、敬助のお説を拝聴している。ところで、敬助は夏江を全く見ない。一寸見《ちょっとみ》すらしない。あんなに夏江にお熱をあげ、結婚申し込みまでした人が、夏江と透の仲にまるで無関心でいる。さっきもロビーで、わたしが

「菊池透さん。夏っちゃんの御主人よ」と紹介したのに、だんまりで頭を下げただけ、お祝いの言葉一つ述べなかった。でも、昔の恋人をあんな風に冷やかに、無視するところに、むしろ男の関心が表現されているのかも知れない。

松子の夫、大河内秀雄《おおこうちひでお》は、風間振一郎代議士の秘書だ。史郎と慶応の幼稚舎からの同級生で、柔道五段の熊《くま》のような巨漢である。振一郎のそばに、いつも用心棒のようにはべっている。大河内にくらべると、中肉中背の敬助でもまるで小粒に見えるが、どうして威厳では敬助が上だ。敬助が何か一言言うと、大河内は背中を丸め、目をしょぼつかせ、小鼻に汗を光らせて、卑屈な応答をしている。もっとも体に似付かわしく声が野太く、「大尉殿の御意見は……」「ははあ、そうですか、さすが帝国陸軍ですな」という大音声《だいおんじょう》と唐突な破顔一笑であたりを圧している。

梅子の夫、速水正蔵《はやみずしょうぞう》は三十五、六、建築家だ。落合《おちあい》の風間邸造営に際して、某建築家の助手として出入りして振一郎の目にとまり、以来風間家の御抱えとなって、噂《うわさ》によれば邸宅の下を縦横に掘り抜いて〝東洋一〟の大防空壕《ぼうくうごう》を作ったという。細身でのっぽ、眼鏡の中で、しきりと目をしばたたく。ぎゅっと絞るように瞑って、それを何度も繰り返す。まるで目の中のゴミを絞り出すような具合だ。

速水の隣で、敬助に頷《うなず》いて賛意を表している男が野本武太郎《のもとたけたろう》、桜子《さくらこ》の夫で、造船会社の社長をしている。今年の春、桜子は突然結婚したが、相手が二十七歳も年上の老人だったのでみんなは唖然《あぜん》とした。もっとも野本は五十男とは思えぬくらい若々しく、最近、脳天が薄くなってきた三十九歳の悠次と比較すると、髪は黒々と豊かで三十代半ばとも見えた。これは誰も口にしないけれど、みんなをさらに驚かしたのは、野本の醜さである。口が莫迦に大きく、笑うと出歯が鼻先まで突き出すよう、そして目は極端に小さく、笑うと点になってしまうようだ。風間の四姉妹のなかで、美人と言えば百合子と桜子だが、百合子がどこか冷たい感じで、取り澄ましているのに、桜子は末っ子のやんちゃがあり、あけすけに明るい。その桜子と醜い野本との取り合せが、みんなを驚かしたのである。もっとも当の桜子は、人々の思惑《おもわく》などどこ吹く風で、自分が自由になる金の泉を掘り当てたような気らしく、前にも増して派手な暮し振りだった。これも噂によれば、小型船舶を作っているため軍需景気で巨利を得ている野本は若い新妻を猫可愛《ねこかわい》がりしていて、その要求は何でもかなえ、新居に西大久保の旧脇礼助邸を借りたのも、桜子の希望にそったのだという。

風間振一郎は、日満支石炭聯盟《れんめい》代表理事と石炭鉱業聯合会常務理事とを兼ね、代議士としてすでに三期を勤め、この三月には聖戦貫徹議員連盟の世話人として政党解党運動をおこし、七月にはみずからの属する政友会を解散させ、今や新党結成の首謀者として、また近衛首相の新体制運動の推進者として、時の人であると、これは悠次の解説であった。その時の人も娘四人が片付き、それぞれに地位や財力のある婿《むこ》をえて安泰とあらば、何となく権勢を鼻に掛ける素振りもあり、第一ピカピカに剃《そ》りあげた頭の下に、大きな紋を誇示する羽織の乳《ち》には、直径一寸はあろうと思われる太い絹紐《きぬひも》を縫いつけて、太鼓腹の上でこれ見よがしに結んでいる。その隣にいる藤江は、夫の大袈裟《おおげさ》な着物を引き立てるように、尋常な黒留袖《くろとめそで》を着て、おのれの役割に満足したような、にこやかな微笑をたたえている。

風間振一郎夫妻のほうが、まるで新郎の両親であるかのようにちやほやされているのに、利平といとは、テーブルの端に置き忘れられたように寂しげに坐《すわ》っていた。

どうしたのかしら、おとうさま、眉根《まゆね》に皺《しわ》を寄せて考えこんでおられる。何か心配事があるらしい。それとも気に障る出来事があって不機嫌《ふきげん》なのかしら。右手の甲で髭《ひげ》をしごく、あれは不機嫌のほうの徴候だ。きっと看護婦に雷を落としたか、手術の失敗か……おとうさまに限って手術の失敗などありえないと信じたいが、あの手の震えようは尋常ではない。さっきグラスを取ったとき、中の葡萄酒が危く飛び出しそうになった。フォークが皿にカチカチ当る。あんなに震えていたら手術などできないのでは……おとうさま、老《ふ》けこんだ。肌《はだ》がぱさぱさに乾いて頬《ほお》の染《し》みも、白毛《しらが》もめっきり増えた。年を取っても好々爺《こうこうや》になれず、目付きは険しく、しかもきょろついている。史郎ちゃんのおめでたい席なのだから、せめてしかめ面《つら》をやめて、上辺だけでもにこにこなさればよいのに、それができない。多分忙しすぎて、心に余裕がないのだ。あれは追い詰められ、そこから必死に脱《ぬ》け出そうとする顔だ。

初江は夏江に言った。

「おとうさま、どうかしてらっしゃらない」

「おねえさんも気がついてたのね」と夏江は父と反対側の目を眇《すが》めた。「そう、おかしい。何だか蟻地獄《ありじごく》の底にずり落ちていく人みたい。絶望の表情」

「大袈裟ねえ。まさかそこまでは」と初江は大きく手を振った。

「大袈裟じゃないわ。そのものずばり、あれは絶望の表情よ。わたしにはわかるの」

「夏っちゃんでも絶望することあるの」

「ありますことよ。これでも離婚経験者でございますからね」夏江はチラと菊池透を見た。

「ご免なさい。話がおかしくなっちゃったわ」初江はあわてた。

「夏江」と松子がむっちりした胸で身を乗り出した。「八丈島ってどんな所」

「景色の美しい所よ」

「そんなこと知ってるわよ。どんなふうに美しいか聞いてるの」

「言葉で言うのむつかしい……」

「山は青き海に浮き」といきなり菊池透が言った。「風に南の香り流れ、天深くして星満つ。そんなところです」

「まあロマンチック」と松子が口をポカンと開いた。「それ、菊池さんのお創《つく》りになった詩ですの」

「いいえ。よく人がそんなふうに言うのです」

「でもあなた詩人だわ。夏江は詩人のご主人を持ったのね。それで、そのロマンチック島で、お二人で何をしてらしたの」

　夏江が何か言おうとしたのより早く、透が言った。

「泳いだり、山登りをしたり、ねそべって星を見たりしてました。空気はよく、風光絶佳《ぜつか》、人情厚く濃《こま》やか、魚料理は天下一品……」

「それじゃ、この世の楽園じゃないの。うらやましいわ」

「そんな楽園を去って、東京にお帰りになった理由は」と梅子が尋ねた。双子は体質が似るのか、やはり最近ころころに肥《ふと》っている。

「禁断の木の実を食べたからです」

「まあ面白い」と梅子は松子と一緒に笑い出した。

「それでは追放におなりになったの」

「そうです」と透も笑いながら言った。「東京で働かなくてはいけないと気が付いたんです。で、帰ってきました」

「男は、額に汗して食物をえんと苦しみ」と晋助が言った。「女は苦しみて子を生む、ですか」

「それでは、夏江」と松子が心を弾ませた。「あなた、おめでたなの」

「いいえ」と夏江は赤くなり、「全然、そのけもありませんわよ」と晋助を睨《にら》んだ。

「すみません」と晋助はあやまった。「ぼく、追放された人類がえた苦しみを言っただけなんです。ところで菊池さん、人類は楽園から追放されて、死と出産と労働の三重苦をあたえられましたが」

「もう一つあります。羞恥心《しゅうちしん》です」と透が言った。

「では四重苦ですか……ともかく人間は苦しみをえて、かえって幸福になったと言えませんか」

「お説の通りです。この四つは神の恵みとも言えます」

「たとえば、死がなかったら、人生はのっぺらぼうで退屈そのものでしょうからね。『ガリヴァー旅行記』に出てくる不死の人間は悲惨そのものです」

「ラグナグ国のストラルドブラグ人でしたね」

「そうです。老人のあらゆる醜さを持つ肉体に加えて、頑固《がんこ》で、気難しやで、好奇心がなく、したがって友人もなく、人々に嫌《きら》われながら、決して死ぬことができないとは、悲惨の極です」

「死は恵みだなどと言うと、おにいさんがお喜びになりそうですな」と透は、すこし皮肉な目付きで敬助を一瞥《いちべつ》した。敬助は、テーブルの向う側で何かを熱心に論じている。「陛下の行幸は」とか「観兵式」「紀元二千六百年」などが断片的に聞えてくるだけだ。

「軍人は死を喜びとすべしが兄貴の持論です」と晋助が言った。

「義は山嶽《さんがく》よりも重く、死は鴻毛《こうもう》よりも軽しと覚悟せよ、です。ぼくは軍隊で軍人勅諭を暗記させられました。歩三ですから、ずっと脇大尉殿と御一緒しました」

「そうですってね」と晋助は頷いた。

「おにいさんのほうはぼくを御存知なかったでしょうけど、ぼくは第五中隊長脇大尉殿をよく存じ上げていました」

「いやいや、兄貴のほうも菊池さんをよく覚えていますよ。大変優秀な兵士でおられたそうですね」

「冗談でしょう。ぼくは大学出で、キリスト者でブラックリストに載ってたんです」

「いいえ、兄貴はそうは言ってませんでしたよ。単に帝大出の法学士として知っていたそうです。ねえ、にいさん」と晋助は敬助に呼び掛けた。

「えっ、何の話だ」敬助は自分の話の腰を折られて、幾分不愉快げな顔を向けた。

「満洲の聯隊で菊池さんを知ってたんでしょう」

「やあ」と敬助は透に会釈《えしやく》しながら言った。「それは同じ部隊にいればお顔はお見掛けしていたが」

「大学出のキリスト者としてブラックリストに載っていた」

「いやいや、そんなことはない。陛下の（と背筋を伸ばす）赤子《せきし》は平等だ。学歴や信仰で差別することは絶対ない。それに菊池さんはノモンハンの勇士だ。海拉爾《ハイラル》の第一陸軍病院に速射砲中隊の人々が入院していてね、お見舞い申し上げた。そのとき、菊池さんにもお会いした」

おや、と訝《いぶか》しがるように透は目を吊《つ》り上げた。それから面《おもて》を伏せて、何かを思い出す体になった。それを敬助は目敏《めざと》く認め、周囲への効果を意識して、重々しく、しかし声高に言った。

「菊池さんは重傷で意識を失なっておられた。全身繃帯《ほうたい》で、それにも血が滲《にじ》んで、壮絶だった。御国のために身命を賭《と》して戦い、今、生死の境をさまよっておられる勇士の姿だった」

あたりの人々は敬助の声に耳を傾けていた。敬助が発語に力をこめるたび、大河内がいちいち頷いた。

「そうでしたか」と透がしんみりと言った。「お見舞い下さったとは少しも知りませんでした。ぼくが意識を回復したのは、入院してから一週間ぐらい経《た》ってからでしたから。ただ今、遅ればせながらお礼を申し上げます」

「素晴しい感動。戦場の英雄同士の再会」と松子が素頓狂《すっとんきょう》な声をあげた。

「あの」と初江が敬助に言った。「戦地の病院ってどんなですの。それは大変なんでしょうねえ」

「それは大変です。負傷兵で病室は満員、溢《あふ》れた人たちが担架のまま通路に並べられていて、それをまたいで行くと、負傷兵が、『痛い』『気をつけろ』と怒鳴る。呻《うめ》き声や咳《せき》やひきつったような会話がそれに混じる。血と汗と消毒薬の臭《にお》いで息が詰る……」

「ノモンハンは空前の激戦だったらしいね」と悠次が口を挿《はさ》んだ。「負傷の数もすごかったらしいじゃないか」

「戦争に負傷兵はつきものです。ノモンハンだけではないです。ノモンハンでわが関東軍はソ聯蒙古《もうこ》聯合軍に潰滅《かいめつ》的打撃をあたえました。それでも皇軍側に多数の名誉の戦傷者を出した。しかし、これは戦闘の常です」

「ところで敬助君」と振一郎が言った。「さっきの話の続きだけど、この秋は紀元二千六百年記念の大行事が目白押しだねえ。陸軍の観兵式には、きみ、出るの」

「はい。参加させていただきます」

「それはおめでとう。名誉なことだねえ。歩三の中隊長としてか」

「いえ、陸大生としてです」

「天保銭組《てんぽうせんぐみ》は全軍の要《かなめ》だからすごいな。海軍は観艦式……」

「エヘン、その観艦式には、おれが出る」とそれまで黙りこくっていた利平が、咳払いとともに口を開いた。大分酔いが回っていて、上半身が揺れている。振一郎が、ちょっと疑わしげに、「ホホウ」と首を傾《かし》げたのに、利平は向きになって言った。「ええ、本当じゃ」

「本当だろうとも。名誉なことだと喜んでるよ」

「日本海大海戦の凱旋《がいせん》将士は今回特別乗艦を許された。おれは陸奥《むつ》じゃ」

「それでは御召艦《おめしかん》じゃないか」

「いや御召艦は比叡《ひえい》じゃ」そんな初歩的なことも知らんのかと言いたげに利平は振一郎を睨《ね》め付けた。こちらは、やんわりと微笑で受けた。

「おめでたい。名誉な臣民がこれで二人出た」

「陛下は帝大にも行幸なさるのよ」と美津が出番を待っていたように言った。「晋助が光栄にあずかります」

「これはすごい」と振一郎が言った。「帝国大学行幸までは、ぼくも知らなかった。それはいつ、晋助君」

「十月八日です」晋助は無理に舞台に押しだされたように、いまいましげに言った。

「待てよ」と振一郎は懐《ふところ》から手帳を取り出した。「十月八日本郷の帝大。十月十一日横浜沖の観艦式。十月二十一日代々木の観兵式。この節一番お忙しい御方は聖上であらせられるな。観艦式では海軍大元帥《だいげんすい》、観兵式では陸軍大元帥、海と陸の最高の軍人をお勤めなさるうえに、学問の府まで統《す》べられる。聖上が帝大にお出ましになるのは珍しいな。おそらく、即位されてから初めてじゃないか」

「大正七年、皇太子殿下の時に、一度行幸になっています」と悠次が物知り顔に言った。

「さて」と振一郎は言った。「十一月となると、十日には宮城外苑《がいえん》で、紀元二千六百年祝賀の大式典がおこなわれ、天皇皇后両陛下が臨御になる。まあ、おれみたいな者も参列の光栄に浴するが……」

「わたしも参列します」と美津が言った。

「そうでしたね」と振一郎が取り入るように言った。「元政友会総務、元内閣書記官長故脇礼助《れいすけ》夫人としてですね。どうです、このテーブルにいる五人までが近々玉顔を拝する光栄にあずかるってのは未曾有《みぞう》の慶事じゃないですか。まさに一族繁栄の秋《とき》ですな」

「宮城前の大式典は大変なものらしいな」と利平が言った。

「それは大変だ」と振一郎が言った。「まさに皇国二千六百年の歴史の中で最大の祝賀式典だろうな。わざわざ杉皮葺《すぎかわぶき》総檜造《ひのきづくり》の寝殿を建て、天皇皇后両陛下を始め奉《たてまつ》り、御皇族方全員、近衛首相以下の全大臣、外国の大使公使、陸軍と海軍の軍楽隊、そして全国よりえらばれた主だった国民五万人余があの大広場を埋め尽す。それは、観艦式や観兵式とは違って、今年一回こっきりの盛事だ。二度とは見られんよ」振一郎は、段々に自己の式典参列を自慢する口振りになった。そして正直な利平は、次第にうらやましげな表情になった。悠太が何かを買ってほしいとき示す目付きにそっくりだ。

「式典への招待状はどういう基準で発送されるのかな」と利平は尋ねた。

「身分のある者、皇国に功労ある者、重要な団体の長、日清日露今次事変の勇士と遺族……まあ、えらばれた人々だ」

「おれは日露戦争従軍記章と金鵄勲章《きんしくんしょう》功五級を持ち、医学博士、芝区医師会副会長、時田病院院長じゃ。つまりえらばれた人物じゃ」

「そのくらいでは……」振一郎は頭を強く振った。

「そのくらいとは何じゃ。あんたが出られるのに、おれが出られん。おれは皇国に対する功労では、あんたに引けをとらん。誰か、有力なツテを紹介せい。長年の誼《よし》みじゃ、そのくらいしてもよかろう」

「しかしなあ……」

「水くさいぞ。あんた自身が有力者じゃから、おれを推挙する義務がある。おのれで及ばずとあらば誰かに頼めばいい」

利平は酔眼をギョロギョロさせて、しきりと杯を重ねている。すでに声が大きすぎ、招客たちが迷惑がる素振りを示している。酔うとくどくなり、相客を悩ますのは昔からだが、老来その傾向がひどくなった。初江が何とかしてやめさせようと思っていると、ボーイが皿を片付けだしたのを潮に、振一郎は、利平をあきらめ、晋助に話し掛けた。

「晋助君は来年大学卒業だね。就職は決ったの」

「いいえ、いまどき、仏文出など傭《やと》う所はありません」

「じゃ、困っているのかね」

「困ってるんですよ」と美津が言った。「兄のほうは心配ないんだが、弟のほうはすっかり時流に遅れてしまってね。何かよい勤め口ないですか」

「フランスは完敗し、パリは占領され、栄光は地に落ちた。三国同盟で盟友となったドイツにくらべて、その凋落《ちょうらく》ぶりは目も当てられんです。今の若い人は競ってドイツ語を勉強し始め、ドイツ語塾はどこも満杯の盛況ですな。フランス語など役に立たんと転科希望の学生も多いと聞きます。が、物は考えよう。皇軍は北部仏印に進駐を開始した。あそこは石炭、鉄鉱石、燐灰石《りんかいせき》の宝庫でね、ぼくは彼《か》の地に石炭鉱業会社を設立して御国のお役に立てたいと思ってる。すると通訳が必要になる。どうだ晋助君、ぼくんとこへ来んか」

「ぼくのフランス語などまるで役に立ちませんよ。会話はからっきし駄目《だめ》だし」

「最初は文章が読めれば結構。なに会話なんぞ現地のフランス人と付き合っているうち物にできる。ぼくの英語会話はロンドン駐在中、自然に覚えたもんだ」

「いいお話じゃないの、晋助」美津は敬助に同意を求めるように目くばせした。「あんた、フランス留学が夢だった。そのフランスがつい目と鼻のところにあるんじゃないの」

「風間先生のお手伝いをさせていただけ」と敬助が口添えした。「国策会社となれば種々の特権がある。黙っていれば、お前はどうせ兵隊にとられちまうんだ」

「特権とは何さ。たとえば兵役免除の特権……」と晋助が尋ねた。

「いや、そこまでは言わんが、しかし……」敬助は言葉を濁した。

「どうだ晋助君」と振一郎が葡萄酒《ぶどうしゅ》の瓶《びん》を差し出し、晋助の杯に注いだ。「決心ついたかね」

「ぼく、気がすすまんです。このお話はお断りします」

「ええっ」振一郎は気色ばんだ。「これだけ言っても、か」

「はい」

「なぜ」

「仏印進駐が弱い者いじめみたいだからです。フランス本国が敗れたのにつけこんで、その植民地をかすめ取る」

「違う、違う、違う」振一郎は、一語ごとに頭を右に左に向けた。「皇国の目的は仏印をフランス人の手から解放するにある。あそこは元々独立した安南王国だったのをナポレオン三世に侵略されたのだ。安南は安南人に返す、これが本当の目的だ」

「そうだよ、晋助」と敬助も拳《こぶし》でテーブルを軽く打って、深く頷《うなず》いた。

「とにかく、ぼくはいやなんです」晋助は学生服の上で坊主頭《ぼうずあたま》をきっぱり横に振った。

「理窟《りくつ》にならんな」と敬助が言った。

「すみませんね、風間さん、あとでよく説得しますから」と美津が頭を下げ、「晋助はまだ世間が見えてないんで、考えが甘いんです」と言った。
「晋助君、ま、ようく考えときなさい」と振一郎が、恩恵をほどこす者の鷹揚《おうよう》さを見せて頰《ほ》笑《え》み、敬助と美津に頷いた。

12

市電を降りて、正門に向って歩きながら、何となく奇妙な感じにとらえられた晋助は、ふと煉瓦《れんが》塀《べい》に目を止めた。煉瓦の上に矢形に突き出していた鉄柵《てつさく》が消えていた。いつのまにか供出され、弾丸か大砲に化けたらしい。毎日見慣れて変哲もなく思っていたものが、意外にも変化してしまったことに、このごろ気がつく。卒業が近くなって、いよいよこの大学ともお別れかという思いが知覚を鋭敏にするらしい。

途中で路上の防空演習に出遭って、電車が立往生したため朝の最初の講義「中世フランス文学」はほとんど終りに近かった。渡《わたり》講師のラブレーの講読は、浮世ばなれした途方もない物語が面白く、とくにあけすけな性の描写に人気があって、他科の学生も大勢聴きにくる。が、今日は残念ながら割愛せざるをえない。そのつぎの二時間は、文学部共通の教練の時間だった。どうも出る気がしない。晋助は迷った。この教練の時間は、出席率が悪いと不合格となり、幹部候補生の資格がえられないため、将来をおもんぱかる連中は真面目《まじめ》に出ている。帝大出身者は、〝幹候〟でも甲種で、一年半ぐらいで少尉《しょうい》に任官できる。学生の入営と召集が必至のこのごろ、誰しも将校になりたいのは人情であり、配属将校はそこを狙《ねら》って教練を強制してくるのだった。それだからこそ、なおさら教練に出たくないという天《あま》の邪鬼《じゃく》な連中も結構いて晋助もその一人だった。二等兵だろうが少尉だろうが、要するに兵隊になりたくない人たちだった。むろん、壮丁検査で乙種合格の身、兵隊にならないわけにはいかないが、軍隊の中で上に立っても仕方がないという気持もある。軍隊生活は兵隊より将校のほうが楽だが、死の危険は将校のほうがむしろ大きいかも知れぬ。それに、これは晋助だけがひそかに思っていることだが、将校のなかで幹候出身者は一番貶《おとし》められている存在である。兄は日頃から口癖のように言っている。「軍の楨幹《ていかん》は将校だ。将校の中核は陸幼出だ。中学出《デーさん》は一段と劣る。そして最低は幹候出だ」つまり幼年学校から士官学校へと一貫教育を受けた者を上、中学から士官学校へ進んだ者を中、大学生から幹部候補生となった者を下とする差別の感覚を、兄は厳として主張している。そして戦時中においては、自分のような陸幼出身者が男の中の男として国を動かしているという矜恃《きょうじ》を、固くいだいている。ともかく晋助は、多くの学友たちのように無邪気に幹候を目指す気にはなれないのだった。

陽光を撥《は》ねている銀杏《いちょう》のアーケードをくぐり、文学部の飴色《あめいろ》の建物を横目にして、図書館前に出た。楠《くすのき》の大樹が方図もなく枝葉をひろげている下に石のベンチがある。晋助はベンチに掛け、帽子を脱ぐと、それを枕《まくら》にごろりと横になった。無数の葉が、気味悪く、密に重なり合い、そよいでいる。一枚一枚同じ構造の葉脈を丹念に備えながら、一つとして同じ動きをせず、おのがむきむきに震えている。するとー枚がするすると落ちてきた。運の悪いやつ、戦死だと思った。いつか嵐《あらし》のあと、この楠のまわりは落葉で一杯だった。激戦のあとの死屍《しし》累々《るいるい》だった。すこし風の勢いがつのり、太い枝が身を揺すった。葉が数枚ちぎれて飛んだ。雲が出たのか急にあたりが暗くなった。影の中にいて肌寒い。

来年卒業すれば、いやおう無しに兵隊にならねばならぬ。大学出は二十五歳まで徴集延期が認められているが、現在二十三歳の晋助は再来年の一月には二等兵にならねばならぬ。兵隊になれば、かならず戦地に狩り出される。菊池透のように重傷を負うか、戦死者となる。事変勃発《ぼっぱつ》以来、大学の先輩がつぎつぎに英霊となった。赤襷《あかだすき》を掛け、日の丸と万歳に盛大に送られて出征した者が、白い小さな箱となってしめやかに帰ってきた。二十五、六で自分の命が断ち切られ、それから先を考えることができない。二十五、六で死ぬ自分の一生とは何であったか、何であろうか。

高校生のときはまだ夢があった。片っ端から詩や小説を読み、文学のひろびろとして変化に富んだ国をたのしみ、想の溢れ出すままに詩や小説を書き散らし、おのれには詩人か小説家としての天稟《てんぴん》があると信じた。が、大学に入ってからは、急速におのれの夢は色褪《いろあ》せていった。フランス文学をより深く知るにつれ、それまでおのれの書いた文章が幼稚で無価値であることを悟った。そして、フランス文学の研究そのものも、三年の学生生活ぐらいではほんのとば口に立つだけだとも認識しえた。マルセル・プルーストの小説を卒論のテーマにえらび、ここ一年ばかり、彼の長大克明な小説に読み耽《ふけ》ってきたが、それは、おのれの無力無能を自覚させられる日々であった。

時間が無い。二十三歳にして晩年の嘆きをかこつ自分に愛想が尽きる。二十五、六ですべてを完結させるためにはランボオやラディゲなみの天才が必要なのだが、自分にはそんなものはない。入営までのあと一年で自分は何もできはしない。もし軍隊がなかったら、もし戦争がなかったら……ロシアの小説家が描いた死刑囚の想念が思い出される。もし処刑されなかったらどうだろう。もし命を取り留めたらどうだろう。それは無限だ。しかもその無限の時がすっかりおれの物になる。

軍隊に行かないですむ方法は、今のところ風間振一郎の提供した地位につくことだけだ。仏印へ行って通訳をする。軍人と国策会社の下働きをしてフランス人と交渉する。そこで行うのは戦闘ではなくて、安全な炭鉱業務らしい。そんな地位をにべもなく断ってしまったのを悔いる気持がすこしある。が、満座の中で、さもさも恩着せがましく風間振一郎が誘い、それにあらかじめ示し合せたように兄と母とが同調した、ああいうやり方が気に入らなかったのだ。帰宅してから兄に散々責められた。風間先生の大事業は、東亜共栄のため、つまり日本と安南国と、両方の繁栄のためだ、お前もいい加減時代遅れの文学趣味なんぞから目を覚し、東亜の未来をになう使命感を持て、云々《うんぬん》だった。仏印の炭鉱で軍人の命令のままに動き回る、多分強圧と威嚇《いかく》をフランス人に加え、悪辣《あくらつ》な手段で現地人を搾取《さくしゅ》することが、〃大事業〃なのだろうが、おれは真っ平だ。いやだ。

「脇、どうした、教練に出んのか」と声を掛けられた。同じ仏文の義江だった。ゲートルを巻いた姿である。同じ服装の者たちが十数人、グラウンドの方へ向って歩いていく。

「ぼくはさぼる」晋助はゆっくり身を起し、わざとのように欠伸《あくび》をした。

「いいのか」義江は心配そうに言った。「最近みんなの出席率が低下したんで、配属将校《ゾル》のやつ、大分monter à la tête（頭にきてる）だ。せめて返事だけして脱《ぬ》け出せよ」

「いいんだ」と晋助はきっぱり言った。その瞬間、心の中で仏印行きをきっぱりと断る決心をした。

「そうそう、今度の天ちゃんの来学について、行事の詳細が伝達されたよ。午前八時学生全員は〝御殿《ごてん》〟下《した》に集合、学帽制服着用のこととある。天ちゃんとの御対面は十時ごろらしいから、二時間も整列して待たされる勘定だ。さっきみんなで賭《か》けたんだがな、天ちゃんがどんな服装で現れるかだ。フロックコートかモーニングか軍服か。軍服とすれば陸軍か海軍か。きみも一つ加わらんか」

「いくらだ」

「一人五十銭」

「大金だな。今、金がない」

「金はあとでもいい。いけねえ、遅くなった」義江は小走りに去っていく。小作りな体に頭が大きく、子供のような後姿だ。あの大きな頭蓋骨《ずがいこつ》には緻密《ちみつ》な脳が詰っているらしく、フランス語の実力は晋助などの及ぶところではない。しかし運動神経は無いし、体力も劣り、重く長い三八式歩兵銃をかつぐ教練では、いつもゾルの叱責《しっせき》の矢面《やおもて》に立たされる。およそ兵隊には不向きな男が、幹候から少尉になり、屈強の兵隊を指揮する未来を想像すると何やらこっけいだ。大体軍隊という組織は本質的にこっけいなのだ。

さて、暇になった二時間をどうやって過そうか。鞄《かばん》の中に入れてあるプルーストを読みに図書館へ行くか。晋助は自分独りが広場に取り残されているのに気付いた。秋めいた爽《さわ》やかな日だ。本を読むなら池のほとりにしようと思い立った。

きのうの雨で土が湿って滑る。叢《くさむら》の虫の声が淋《さび》しい。崩れた石がそのまま道の真中に放置されて苔《こけ》むしている。去年の枯葉が腐って酸《す》い匂《にお》いを漂わしている。青黒い水面は経木《きょうぎ》、紙《かみ》屑《くず》、折れ枝で汚れっぱなしだ。どうやら何年間も全く手入れされていないらしい。陽《ひ》が雲間から顔を出し、あたりの荒涼とした有様を、かえって無慚《むざん》に照らしだした。

柳の先が水に吸い込まれて、青味泥《あおみどろ》のように泳いでいる。鈴懸《すずかけ》の太い幹は、黒い洞穴《ほらあな》をぬるぬると光らせていた。か細い虫の声がふと絶え、どこかで犬の遠吠《とおぼ》えがした。電車の地鳴りがかすかに伝わって、ここが都会の一部であることを知らせるが、そしてグラウンドの方角から配属将校の癇走《かんばし》った号令が聞えて時代を感じさせるが、この人っ子一人いない打ち捨てられた一角には、完全な孤独と静寂があった。

本を開くときの、あの活字の連なりが呼び起こす、独特の香りと陶酔と別世界への誘いが、今も彼の胸をときめかせた。一人の作者が営々とした努力で組み立てた言語の、堅固で——つまり、もう過ぎ去ることも朽ちることもない、精密で——一点一画も狂いのない、奥深い——無限に続く森、迷路、庭園、河、大地のような、構築物のなかに彼は喜びを持って踏み入った。女が去ったとき、女はかえって生き生きと感じられてくる、という逆説の描写が、彼自身の過去の体験と呼応し、小説の主人公が彼自身であり、時には彼が作者で小説の主人公を創《つく》り出していると錯覚しながら、一行一行が脹《ふく》れあがり、彼を包んでいく快感に身をまかせていた。ふと、ある一節が天啓のように、彼の心を震わせた。

Qu'une maladie, un duel, un cheval emporté, nous fassent voir la mort de près, nous aurions jouir richement de la vie, de la volupté, de pays inconnus dont nous allons être privés. Et une fois le danger passé, ce que nous retrouvons, c'est la même vie morne où rien de tous cela n'existait pour nous.

(病気、決闘、暴れ馬が死を間近に感じさせたとき、失われるであろう生命、悦楽、未知の国が豊かに楽しまれる。が、ひとたび危険が去ると、ふたたび現れるのは、そういった豊かな楽しみなど何も無い、前と同じ平板な人生である。)

どこかで同じような文章を読んだ。そう、さっきも思い出していたドストエフスキーの描いた死刑囚がそうであった。死が近い。神父が十字架を手にして回って歩いている。いよいよ残り五分間で、それ以上の命は自分には残されていないとなる。するとこの五分間が、はてしもなく長い時間であり豊かな財産のように思われた。いまだかつて経験されたことのないような多くの人生を、この五分間に経験できるように思った。そして、最後の瞬間に思う――にもかかわらず、もし処刑されなかったら、時間は無限だ、と。

戦争が人生を豊かにする。危険が今の一刻一刻を凝縮させて、楽しませる。もしも戦争がなかったら、人生は無限になるが、しかしla vie morneだ。つまりは平板な人生となるだけだ。そして、戦争が不可避であるならば、せめて、今を、生きねばならぬ。心の沼地の底に、深く沈んで朽ちていた過去の時間が、ぽっかりと浮びあがり、見る見る新鮮な美しい火として復活してくるような思いに、晋助はとらわれた。火、青春、愛、女、夢想、忘れていた時間がにわかに生き生きと動き出してきた。彼は本を閉じて立ち、鈴懸の幹を撫《な》でた。こうしてはおれぬ。何かをしなくてはならぬ。なにを……わからない。ともかく、こうしてはおれぬ。彼は坂を登り始めた。

皮肉にも〝山上御殿〟と呼ばれる貧相な木造家屋のむこう側が広いグラウンドであった。いま、しなびた乳房のような弾薬盒《だんやくごう》をつけ、なくもがなの牛蒡剣《ごぼうけん》をぶらぶらさせ、鉄錆《てつさ》びた明治時代の鉄砲を肩にした、外人部隊さながらの学生たちが行進していた。おいっちにおいっちに、お世辞にも勇壮活潑《かっぱつ》とは申しかねる一団。足も不揃《ふぞろ》い、体格も学生服もゲートルも不揃い、だらだらと、右に、左に、回れ右、おいっちにおいっちに。何のためかと言うと、ただただ死ぬためだ。一人一人の学生が死という文字を額に刻印され、あと一年か二年の短い人生を、おいっちにおいっちにと行進している。

配属将校の老大佐の視線を掻《か》い潜《くぐ》り、剣道場の横に逃れた。ここらあたりは医学部の領域で、医学生には特権として教練が課せられていなかったから、晋助はにわかに落ち着き払って、いかにも医学生らしい足取りとなった。

付属病院の端に来た。几帳面《きちょうめん》に四角い赤煉瓦の建物が、漠《ばく》としてひろがる大病院の入口の一里塚《づか》のように建っている。白衣の医師や学生が忙しげに往来するこころあたり、グラウンドからまる見えで、Lの襟章《えりしょう》をつけた学生服では気がひけ、赤煉瓦にぴったり沿って進んだ。車寄せがあり、〝神経科〟の古ぼけた木札がさがっていた。晋助は鉄格子《てつごうし》のはまった窓を見渡した。西大久保の坂上にある精神病院の窓にも鉄格子がはまっていた。が、こちらはあれよりも太く頑丈《がんじょう》で、しかも例外なく刺《とげ》のような鉄錆を吹いていた。暗い廊下には患者らしい黒い影がうごめいている。と、中から数人の医学生が白衣をひるがえして、颯爽《さっそう》と出てきた。そう、彼らを颯爽と見たのは文学部学生の僻目《ひがめ》かも知れぬ。医学という科学を勉強し、戦時も平時もお構いなしに有用性を主張できる彼らと、戦争には何の役にも立たぬ仏文科の学生とでは、歩きかたからしてだんちなのだ。思わず後じさりする晋助に、おいと声を掛けたのは、角張った顔の医学生だった。一高生のとき寮で同室になってからずっと付き合っている村瀬芳雄だった。

「何だ、ぼくを訪ねてきたのか」

「まあそうだ」と晋助はとっさに答えた。

村瀬が目くばせすると、医学生たちは去って行った。晋助は、村瀬の、頰《ほお》のこけて顴骨《けんこつ》の目立つあたりを眺《なが》め、「実はな、教練をさぼって逃避行の最中だ。医学部なるサンクチュアリに逃げてきたってわけさ」と笑った。

「あれがそうか」と村瀬はグラウンドを指差した。

「そうだ。教練のない医学生には、ぼくの気持はわからんさ」

「はっは」と村瀬は笑って受けた。「教練はないが、そのかわり、どっさり実習をやらされる。そして、果てはゾルに取られて軍医になる。同じようなもんさ。ところで、暇そうだから面白い物を見せてやる」

村瀬は、玄関の中に晋助を誘った。廊下の左右にベンチがあり、電車内そっくりに人々が坐《すわ》っていた。精神科の患者だと思うと何やら異様に見えるが、ごくありきたりの風体だ。いや、明らかにそれらしい女がいた。モンペ姿で解いた髪をゆらしながら独り言を言っている。

村瀬は勝手知った様子で、患者たちの前をどしどし通り、廊下の端で、ひょいとドアを押して外に出た。木造の粗末な建物に新しい木札がさがり、「脳研究室」とあった。守衛らしい鬚面《ひげづら》の男に手で合図してかまわず入って行く。奥のドアを開くと、テーブルの上の硝子瓶《ガラスびん》の中に、白いものが、薄気味悪く浮いていた。皺《しわ》くちゃの丸い塊は脳のようだった。同じような瓶が、ざっと数十個ある。晋助はおそるおそる尋ねた。

「これ、人間の……」

「そうだ、人間の脳髄のホルマリン漬《づ》けだ」

「どうも、こういうのはぼくの趣味じゃないな」晋助は後じさりすると、ドアから逃げ出しそうにした。

「待てよ。心を落ち着けてよく見ろ。脳というのは人間の臓器の中で最も弱く、最も複雑で、最も美しい。ここに並べてあるのはな、ケッシュツ人脳だ」

「ケッシュツ……」

「そう傑出した人間のだ。きみに興味があるのを見せよう。これが夏目漱石だ」

「えっ、あの漱石か」

「そうだよ。大きいだろう。見事だろう。重いんだ。千四百二十五グラムある」

なるほど、「夏目金之助、大正五年十二月十日、死因胃《い》潰瘍《かいよう》、長与又郎採取」とある。

「これが岩野泡鳴《ほうめい》、千四百二十グラム」と村瀬は言った。「それが浜口雄幸《おさち》、千四百九十二グラム。あの角にあるのが桂太郎、この人のは重いんだ、いくらだっけ、そう、千六百グラム。漱石より重いや」

「へえ……」晋助は、ひとわたり見て回った。帝大医学部教授のが多い。脳の形は一つ一つ違うが、どこがどう違うかを言葉に表現できず、それがもどかしかった。また漱石に戻ってきた。淡灰色の、不思議な形をしている。入り組んだ皺が一筆書きの模様のようで見ていて飽きない。一つ一つが山と谷にも思える。山は緑深く、谷は清冽《せいれつ》、詩が生れて、画《え》が出来る。池があって、大きな木が、幾本となく水の底に映って、そのまた底に青い空が見える。

「どうだ美しくなったか」と村瀬が言うと、詩も画も、池の中の大木も消えて、ただ薄気味の悪いものが目の前にあった。

「やれやれ」と晋助は苦笑した。「この漱石をどうするんだ」

「天覧に供するんだ」と村瀬は言った。

「来週、天皇が来るだろう。この精神科の内村祐之《ゆうし》教授は、内村鑑三《かんぞう》の息子なんだが、〝傑出人の脳髄〟という展示をして、説明するんだそうだ。ぼくら学生は、天眼をけがさないよう、標本保存瓶の清掃を命じられたってわけさ」

「ええ、こんなとこへ、勝手に入っていいのかい」

「誰もいけないとは言わんから、いいだろう」村瀬は愉快そうに言った。こんな奥の院に自由に出入りできる自分を誇るふうでもある。「まあ、ほんと言うと、まだ仕事は半分も進んでない。硝子を磨《みが》き、濁った保存液を取り替え、それから展示会場の図書館まで運ばにゃならんのだ」

「なるほど。しかし、この漱石の脳はすごい。感激した」

「そうだろう、なあ」と村瀬も横に並んで瓶を覗《のぞ》き込んだ。「まず全体が大きい。大脳回、この皺の丸みが雄大だ。そして左側が大だ。この左右非対称性が、脳の左右両半球の協同機能に拮抗《きつこう》的な色彩をあたえ、飛躍をする、つまり天才的なひらめきを賦与《ふよ》する。そして見ろ、このあたり、左の前頭葉の発達してること、ここらは言語中枢《ちゆうすう》だ……」

村瀬は夢中になって論じ立てた。しかし晋助は頭がくらくらしてきた。さっきからこの部屋に籠《こも》っている、鼻の底をつんと突くような臭気に閉口したのと、友人の理詰めの話に飽いたせいらしい。彼は相手の言葉をさえぎった。

「おい村瀬、ちょっと散歩せんか。秋思深き外に出て、花野をたのしまん」

「文学部は呑気《のんき》だな」村瀬は腕時計を見た。「講義はないのか」

「朝あったが寝坊して聴きそびれた。午後はない」

「ぼくは二時半に内科の講義がある」

「まだ三時間も先じゃないか。よし行こう」

村瀬は白衣を脱いで学帽をかぶった。MとLの襟章の学生は、脳研究室の裏手から、病棟の並ぶあいだを、ゆっくりと縫って行った。晋助には初めての場所で物珍しい。洋館風の木造の建物の、薄青いペンキの剝《は》げたのに、蔦《つた》がからんで、英国あたりの古い修道院を思わせる。看護婦たちは、もし黒衣を着ていれば、修道女に見立てられたろう。外科の大きな病棟の裏手が皮膚科と眼科だった。坂の下り口で、大勢の赤ん坊の泣き声がした。育嬰《いくえい》室であった。そこは活気があり、医師や看護婦まで、くるくると動いていた。坂を下ったところにある大きな楠を道が巻いて門に出た。この池之端《いけのはた》門を出れば、下谷茅町《したやかやちょう》の低い町並みである。ラジオの経済市況や三味線が洩《も》れ、猫《ねこ》が寝そべっていた。

不意に池が開けた。枝垂《しだ》れ柳のシルエットを並べたむこうに広々と輝いている。背を見せて浮ぶボートに波が寄せる。点々と散らばっているのは水鳥だ。ボート屋は戸が閉って人影がない。岸には誰もいない。

蓮《はす》池に来た。水の上に高く持ち上った葉は虫に喰《く》われて穴だらけだ。折れた葉は水に漬って朽ちている。染井吉野の黄葉が朽ちた葉を飾るように、派手に揺らいだ。

八角の弁天堂が青空に抜きん出ている。秋の雲は遥《はる》かな高みに貼《は》り付いて、うっすらと白い。

弁天堂を回ってみたが、ここも人っ子ひとりいなかった。線香の火が消えている。御手洗《みたらし》の水だけが動いていた。

この辺には、以前、平日でも露店が並び、結構の人出があったものだった。それが、このさびれようはどうだ。いや、老婆《ろうば》がいた。孫娘らしい女の子と日溜《ひだま》りにしゃがんでいる。鳩《はと》が数羽まわりに集っていた。いずれの鳩も痩《や》せて元気がなく、女の子に触られても、鈍く逃げるばかりだった。

「鳩も腹を空《す》かしている」と村瀬が言った。「ぼくらも腹を空かしている。いつも空かしている。屋台店でもあれば何か食べよう」

二人は探し回った。セルロイドの面や木独楽《きごま》を売る店が一つ鳥居の脇《わき》にあった。

「ちえっ、なさけないね」と村瀬は鳥居をさすりながら言った。「ええ、弁天様よ。何も無いではないか、おでん、焼きそば、たこ焼、お好み焼、べっこう飴《あめ》、カルメラ……」

「懐かしいね。ああいうものが、この世から消えて何年にもなる」

「紀元は二千六百年、ああ一億は腹が減る……おい、どこかで食事にしよう」

「と言って、茶店も閉っているぞ」

「あるのは、〝贅沢品《ぜいたくひん》は敵だ〟だけか」と村瀬は国民精神総動員本部の立看板を睨《にら》んだ。「仕方がない。敵になろう。精養軒へ行こう」

「あんな高いところか。ぼくは金がない」

「まかせとけ。親父《おやじ》から送金があったばかりなんだ」村瀬の父は金沢で病院を経営していて仕送りも多い。父がおらず、つましい生活を強《し》いられている晋助から見ると、うらやましい境遇だ。そして気前のよい村瀬は、ときどき豪勢な酒食をおごってくれる。

石段を登って上野の森に入った。黄ばみ初めた木々は、まだ濃く厚い覆《おお》いとなって、道は暗い。どこかで野獣の吠えるような陰気な叫びがした。動物園の方角からだ。本当にそうだったらしい。脇道に入ると、入念に木を組み合せた洋館が、いかにも選ばれた人たちの館《やかた》という具合に、胸を張っていた。晋助は、心臆《おく》し、学生服の肘《ひじ》が破れてるのや、石のベンチに寝そべったときついた背中の泥が気になった。気がつくと、村瀬の服は上等のサージで、新品同様に手入れも行きとどいていた。

村瀬はドアの内側に立つ、制服の老人に会釈《えしやく》した。するとドアを開いてくれた。物慣れた態度で奥の食堂へ行き、テラスのテーブルに坐った。弁天堂も、蓮池も、上野の街も一望できる。帝大病院の巨大な建物が、むかいの丘を占領していた。

「何にする」と村瀬が尋ねた。メニューを見て晋助はたまげた。二円から三円の一品料理ばかりだ。学生食堂が十八銭だった。教授連が行く正門前の「鉢ノ木」でも、こんなに高くはない。

「まかせる」

「じゃあ、特別ランチ」と村瀬はボーイに注文した。

昼食時で客が大勢入っている。陸海の軍人のグループが目立つ。年輩の男女がほとんどで、学生は自分ら二人だけだった。隅《すみ》っこに若い娘連れの中年夫婦がいる。むかい側は若い陸軍将校と父親らしい紳士だった。どうやらお見合いの席らしい。娘は、時節柄《がら》地味な着物だったが、なかなかの美人である。村瀬は無遠慮に娘を見て、溜息《ためいき》をついた。

「いいなあ」

「いいね」と晋助も目を細めた。

「どうした、きみの恋人。名前も覚えてるぞ。風間桜子」

「よく覚えてるね」

「一度、葉山で会っただけだがね、美人の名前は忘れない。会った日まで覚えてるぞ。昭和十一年八月十一日。もう四年も経《た》つ」

「彼女は結婚したよ、今年の春」

「残念だなあ、そいつは。ぼくは待ってたんだ、移り気なきみが彼女に飽いて、ぼくに譲ってくれることを」

「彼女はぼくの恋人じゃなかったよ」

「本当か……しまったな、遅れを取った」

「彼女は、今、ぼくんちの隣に住んでいる。ぼくの親父の旧宅を借りてるんだ。夫というのが実業家で大金持だ」

「若夫婦であの豪邸に住んでるのか。大したもんだな」

「そう、時流に乗ってる人間は大した威勢だ」晋助は、桜子の夫の野本武太郎が五十がらみの人物であることは黙っていた。〝若夫婦〟と思わせ、友人をからかいたい気持である。

隣に越してきてから桜子は、よく脇家に遊びに来るようになった。庭づたいにふらりと入ってくる。もっとも母の美津がいるときは、縁先で社交辞令を並べたてて早々に退散する。たまたま晋助一人だと、上って、ながながと話し込む。最初のうちは、思い出やら誰彼の噂《うわさ》など当り障りのない話柄《わへい》であったのが、夫の陰口を聞くようになってから、ちょっと鬱陶《うっとう》しいような気味も出てきた。とくに、夫との房事を平気で口にしては、妙に潤《うる》んだ目付きで擦《す》り寄ってきたりすると、以前女学生のころの幼い媚態《びたい》と違い、人妻の肉の持つ迫力があって、たじたじとなるのだった。

そしてこの夏、晋助は美津とはるやと逗子《ずし》の別荘に滞在して、葉山の風間邸に来ていた桜子と出会う機会が増えた。風間邸には、百合子、松子、梅子の姉妹も来ていて、賑《にぎ》やかな夕べの宴や花火大会を催すたびに美津と晋助は招かれた。彼が逗子の渚《なぎさ》で泳いでいると、沖のほうから泳いできた桜子に呼ばれて驚かされたことがあった。沖には野本造船所有のぽんぽん蒸気があって、葉山から乗ってきたという。彼はそのまま船に乗って、海岸沿いに南下し、城ヶ島のあたりまで行き、夕方逗子に戻ってきた。突然姿を消した晋助を、てっきり溺《おぼ》れたものと思った美津は、人を頼んで大騒ぎで捜索をしていたところで、むろん小言の雨を頂戴《ちょうだい》したものだった。船を運転していたのは野本家の書生の工藤で、西大久保の野本邸の玄関番をしていたから晋助とも顔見知りであった。桜子は、「彼は口が固いから大丈夫よ」と言っては、大胆に身を寄せ、肩を抱いてやると柔かくなって倒れ掛った。が、晋助も書生への遠慮があって、それ以上の手出しはしなかった。晋助が応じないと見た桜子は、今度は溢《あふ》れるように喋《しゃべ》り始めた。逗子に戻ったときは声がすっかり嗄《か》れてしまったほどだ。

「どうしてきみは彼女に振られたんだ」と村瀬が尋ねた。

「振るも振られるもないさ」と晋助は目をしばたたいた。顔一杯に降る陽光が、パチパチと水玉のように弾《はじ》けた。「彼女とのあいだには最初から何もなかったんだ」

「そうかな。ぼくは艶事《つやごと》についてはいささか直観力があると自負していたが」

晋助はすこし解説する必要を覚えた。

「風間家の四姉妹というのは、何となく男を追う振りをするんだ。女だけで育った彼女たちの、無意識にやるゲームなんだ。長姉の百合子は冷たい人で通っているが、やっぱりその傾向があるし、末の桜子となると、もう、あけすけでね」

料理が運ばれた。分厚い鮭《さけ》のフライに盛り沢山なサラダで、学生食堂ではお目に掛れない御馳走《ごちそう》だ。もっとも、この八月から食堂での米飯は禁止されていたので、乾パンのように固く小さいフランスパンがついていただけだった。笑い声がおこった。陸軍の将校たちが豪傑笑いをしている。剃《そ》りあげたような坊主頭《ぼうずあたま》が光るなかに、褐色《かっしょく》髪の西洋人がいた。

「ドイツ人だな」と村瀬が言った。「ドイツ語を話している」

「三国同盟の盟主という顔付きで傲然《ごうぜん》と構えていやがる」と晋助は憎々しげに言った。

「バスに乗り遅れるなと、みんながドイツに靡《なび》く最近の風潮は、仏文科の学生にはやりきれんだろうな」

「まあそうだ」と晋助は正直に言った。「やりきれん。それにも増してやりきれんのは、猫も杓子《しやくし》も軍事国家ドイツに目を向けて、フランスを軽んじることさ。去年までは仏文と独文の入学者数は十人対十人で同数だった。ところが今年は、仏文九人に対して独文は十八人の倍増ぶりだった。来年は、仏文なんて誰も入らず、独文に数十人が殺到するだろうさ」

「医学部でも同じだね。大体教授陣はドイツ留学組で占められているから、ドイツ礼賛《らいさん》の空気が強い。ドイツ医学以外は医学でないと、学生に講義する教授もいる。パリのエッフェル塔にハーケンクロイツの旗が翻《ひるが》える写真を教授室に飾っている人もいる」

「流行さ」と晋助は吐き捨てるように言った。「老いも若きも流行を追っている。いやな時代だ。しかし、フランスは亡《ほろ》びたわけではない。たとえばフランス文学の栄光は亡びやしない」

「いいぞ」と村瀬が言った。「そういうふうに、向きになるきみは、きみらしくていい」

「向きにはなっても、実は空《むな》しいのだ」晋助は顔を曇らせた。不意に何もかも空しいという気持が襲ってきた。自分のしていることは流行遅れであるだけではなく、空しいのだと思う。残された短い余生では、何をやっても中途半端で終ってしまう。プルーストについての卒業論文に、どんな意義が見出《みいだ》せるのか。暗い広大な森を、大急ぎで走り抜けてみて、さて、森について何が言えるのか。

　晋助が硬い顔で黙り込んだので、村瀬も黙々として食べた。ドイツ語が明瞭《めいりよう》に聞えた。ドイツ人と佐官級の将校たちの通訳をしている少尉《しようい》の顔に見覚えがあった。二年ほど前に独文科を卒業した先輩である。

外へ出ると二時過ぎだった。講義に間に合せようと先を急ぐ村瀬に合せて、晋助は大股《おおまた》に足を運んだ。が、無縁坂を登り始めたとき、自分は大学に帰っても仕方がないと気付いた。友と別れて、御徒町《おかちまち》の駅まで歩き、省線で新宿に帰った。

自宅の真向いの、脇の貸し家の前にトラックが停《とま》り、男たちが藁筵《わらむしろ》にくるんだ荷物をつぎつぎに運び出していた。家の中で男たちを指揮しているのは時田史郎らしい。忘れていた、今日は時田の新婚夫婦が越してくる日であった。晋助は、ちょっと覗いただけで、見付かるのを恐れ、赤間石の門柱の陰に隠れるようにして足を早めた。時田史郎は、遊び人でさばけていて面白い人だとは思うが、文学芸術となるとさっぱり興味を示さず、異質な世界に住んでいる気がして、あまり近付きになりたくない。下手に出会って心にもない話題を口にしたり、まして引越しの手伝いなど頼まれたりすると辛気くさい。

自室への階段を登ろうとするとはるやが顔を出した。「お袋は」と晋助が尋ねるのを見越して、「奥さまは吉野さんにお出掛けでございます」と報告した。吉野さんとは、外交官の吉野市蔵のことである。彼は、仏領印度支那《インドシナ》、アメリカ、ドイツ、フランスなどを巡《まわ》ってきた外交官で、書記官時代に脇礼助邸に繁々《しげしげ》と訪ねてきた。小柄で色白で口髭《くちひげ》をたくわえた彼を晋助も覚えている。世界の情勢に詳しく、各国の人情話や一口話で人々を笑わす吉野市蔵は、社交界の人気者だった。しかし美津は、彼を礼助の秘書なみに見なしていて、「吉野さん、今度、フランスに行ったら、××の香水を買ってきてね」と平気で頼み、陰では、「あの吉野が」と呼び捨てにしていた。今は大使の身分となった吉野市蔵が、この三月に西大久保に居を構えてからは、美津は礼助の息の掛った人間が身近に来たと喜び、まるで自分の家のようにして吉野邸に出入りしていた。

「それから」とはるやは続けた。「小暮の奥さまが来られて、お向いの時田さまのお引越しをお手伝いしているから、坊っちゃんがお帰りになったらいらしてほしいとおっしゃいました」

「いらしてほしい……手伝えってことかな」

「さあ」〝存じませぬ〟と言うようにはるやはあらぬ方を見詰めていた。晋助は、どうもこの古くからいる女中が、自分と初江の仲を知っている気がしてならない。以前、二階の部屋で晋助と初江が密会したとき、美津に対しては気付かれぬように用心したが、はるやに対しては無頓着《むとんじやく》であった気味があり、二人が身を寄せ合っている現場を見られた可能性がある。もっともはるやは、それを美津に告げるようなことは、まず絶対にしない。桜子が、美津の留守をねらっては晋助に接近してくることも、はるやはよく知っていて女主人には黙っていた。だから、この夏、逗子の海岸から桜子が晋助を船で連れ出したときも、そこに男女の関係があったとは美津は露思い到《いた》らず、桜子のほんのいたずら心に晋助が乗ったという、〝子供じみた軽率な行為〟だけを責めたのである。

「はるや、行って、手伝っておやりよ」と晋助はからかった。

「いやでございます。家具には持ち主の恥が出るものでございましょう。知りもしない方のお引越しなんぞお手伝いしたら、失礼にあたります」

「しかし、時田家は脇家とよく知り合った仲だよ。手伝わないほうが失礼にあたる」

「それなら坊っちゃん、御自身でお手伝いなさいませ。わたしのような非力な婆《ばあ》さんが行っても足手まといだけですから」

「仕方がない。ちょっと行ってやるか」と晋助は渋面を作った。初江に会いたい気持をこれで隠蔽《いんぺい》できたと思う。思うそばから、やっぱり企《たくら》みをはるやに見抜かれた気もする。

晋助は学生服をコール天の不断着に着換え、日本手拭《てぬぐい》をポケットに押し込むと下駄《げた》を履いた。向いの家の、荷物でふたがれた玄関を避け、庭に回る。姉《あね》さん被《かぶ》りの初江がすぐに縁先に出てきた。

「晋助さん、来てくれたのね。男手が足りなくて困っていたの。ありがたいわ」

晋助は史郎と薫に挨拶《あいさつ》し、初江に向って頭を振った。

「卒論の追い込みなんですよ。とっても暇がない」

「その顔、暇がない顔じゃや、まるでないわ。いいから、重い物運ぶの手伝って。不精な運送屋でね、みんな玄関口に積みあげるだけなの。でも無理もないのよ、みんなよぼよぼの爺《じい》さんなんだもの」

「やれやれ、義を見てせざるは、だ」晋助は日本手拭で坊主頭を掩《おお》った。

「なあんだ」と初江がにっこりした。「ちゃんと用意してるんじゃないの。やっぱり晋助さん、親切ね」

「そうだろう」と照れて見せ、初江の耳元にささやいた。「あなたのそばにいたいためです」

「ま……」初江は首をすくめ、心持ち赤くなった。手拭を食《は》み出た髪が、抜き衣紋《えもん》となった首筋の、むっちりとした肌《はだ》を飾って、なまめかしい。晋助はにわかに声を張り上げた。

「時田さん、桐簞笥《きりだんす》をまず運びましょう。どこにしますか」

「薫、どこにしようか」と史郎が妻に尋ねた。

その薫は廊下の端で本を書棚《しょだな》に並べていて、それに熱中しているのか振り向きもしない。

「薫」と史郎が声を尖《とが》らせた。「本はあとにして、簞笥を片付けなさい」

「はい」と薫は書棚から手を引っ込めて、振り向いた。長い顔の上のほうで、蛙《かえる》の目のように飛び出た目がまたたいている。

「簞笥の置き場所だよ」と史郎が言った。

「どこにいたしましょうか」

「なんだ、まだ場所を決めてなかったのか。部屋の見取図で研究しておけと言ったろう」

「そうですね。そうでしたわ。あらあら」薫は、桐簞笥のまわりを子供がふざけているように、二回巡って、目が回ったのかよろけた。

「お納戸《なんど》がよろしいんじゃない」と初江が失笑した。「たしか、四畳半のむこうにお納戸があったようですけど」

「お納戸でございますね、はいはい」と薫は喜んで頷《うなず》いた。

晋助が納戸の引戸を開いてみると、埃《ほこり》だらけだった。前の住人が置き忘れた、毀《こわ》れた木屑《きくず》や紙箱が片隅に積んである。

「まったく」と初江が、ぼんやりと箪笥のそばに立つ薫を横目で見ながら、晋助にそっと言った。「あの人おかしいわよ。お引越しするのだったら、まず家中の掃除をするのが常識じゃない。それを何もしてないの。だから運送屋が来てから大急ぎで、叩《はた》きと箒《ほうき》を使う始末なの。このお納戸も、さっきあの人に、綺麗《きれい》にしておきなさいって、言っといたのに、何もしてないわ」

「仕方がない。まず掃除だ」晋助は快活に言うと、ガラクタを庭に捨て、ざっと掃き出すと、雑巾《ぞうきん》掛けをした。史郎と二人で桐箪笥を運ぶ。つぎつぎと重そうな物を運ぶ。もう薫に相談するのはやめて、適当に家具調度を運び入れた。力を使ったので体が火照《ほて》り、血の循環がよくなって気持がよい。玄関口の荷物の山が部屋部屋に散らばった。

史郎は、自分の趣味である写真の現像器具や引き伸ばし機を机の上に整理し始めた。初江は長火鉢《ながひばち》や卓袱台《ちゃぶだい》を茶の間らしく配置した。さて薫はと見ると、また本箱に向っている。洋書が多い。なかなかの蔵書家で、原書のシェイクスピア全集やディケンズ全集、エヴリマンズ・ライブラリーの数十冊に、沢山のイギリスの現代小説がある。晋助はちょっと感心して覗《のぞ》き込んだ。

「これ全部読んだんですか」

「はい、おおむねは」

「へえ」晋助は赤い表紙の分厚い本を手に取って開いてみた。なるほど、鉛筆でアンダーラインが引かれたり、欄外に感想らしいものが書き入れてある。

「あきまへん」と薫が本をもぎ取った。「恥かしゅうございますわ」

「いや、どうもすみません」晋助は恐縮した。自分も本を読みながら感想を書きこむ習慣があるので、彼女の羞恥《しゅうち》がよくわかった。

「ぼくは仏文科で、多少フランス語の本を読みますが、とってもこんなには」晋助は率直に頭を下げた。

「こんなに……と言わはりますと」

「沢山という意味です。大変な本の数ですもの」

「いいえ。ただもう読み飛ばすだけですねん。退屈しのぎやから」

初江はそばに来て、二人の間に顔を突っ込み、本の山に眉《まゆ》をひそめた。

「まあ薫さん、大変ね。これだけの本を置いたら普通の家は床が抜けますわ。それは脇家のお店《たな》だから大丈夫でしょうけど。あの、わたし、子供をほったらかしにして来たもんで。これで失礼します」

薫がぼんやりしているので、史郎が礼を言った。

「ねえさん、ありがとう。大いに助かった」

「お二人とも夕食にいらっしゃい。うちの人が六時に帰るから、六時半」

「ぼくも御馳走になってよろしいですかな」と晋助が言った。

「だって、あなたは……」

「毎晩はるやの作る食事には飽いているので、今日のお手伝いの御褒美《ごほうび》として馳走にあずかる権利がある」

「まあいいわ。いらっしゃい」と初江が折れた。

「いや冗談ですよ、叔母さん。それより、ちょっと遊びに行っていいですか。オッコちゃんのヴァイオリンを久し振りに聴きたくなった」

「あなた卒論でお忙しいんじゃなかったこと」

「それは殺人的に忙しいんです。だから息抜きが必要なんです。音楽を聴かなきゃ、卒論が書けない」

「妙ちきりんな理窟《りくつ》ね」初江はいいとも悪いとも言わずに外に出た。

初江の跡を晋助は追い、大通りへ下っていく坂道の途中で追い付いた。高い石塀《いしべい》の中からピアノが響いていた。モーツァルトのソナタ、B FLAT MAJOR、今年の六月に発表された文部省改正の呼び方によれば変ロ長調だった。すこしたどたどしいが、充分に美しい。モーツァルトが秋の光となって流れ、きらめく葉は音符のように踊る。二人は立ち停《どま》って聞き耳を立てた。

「ここのお嬢さんは、たしか富士先生のお弟子さんよ。悠太とおない年ぐらいかしら」

「知ってる。先生のお嬢さんの千束《ちづか》ちゃんの友達で、たしか同じ学校だったと思う」

「ピアノっていいわね。わたしは三味線しか弾けないけど」

「三味線だって立派な音楽だ。一度初江さんのを聴かせてほしいな」

「わたしには才能がないの。夏江のほうが遥《はる》かに上手なの。才能って不思議ね。わたしなんかいくら努力しても駄目《だめ》なのに……オッコを見ていると、この子はたしかに才能があると思う。ヴァイオリン、ぐんぐんうまくなるんですもの」

「その才能を聴きたいんでついてきた」

晋助は初江の手にそっと触った。初江は手を引っ込めた。

「駄目よ。誰かに見られるわ」

「誰かに見られなければいいの」

「悪い人」

女は坂道を小走りに行き、帯の下で尻《しり》の丸みをぷりぷりさせた。晋助は後ろから女を羽交い締めにして押し倒したい衝動に襲われた。が、女の足は意外に軽快で速かった。三十二歳の熟《う》れた裸女がイタリア絵画の妖精《ようせい》のように走る幻を見た。大通りの角で甲高い喚声があがり、十人ほどの子供たちが竹や木の棒を手にチャンバラごっこを始めた。中に駿次と研三がいた。駿次は丹下左膳《たんげさぜん》を気取り、隻眼隻手《せきがんせきしゅ》でたくみに飛びあがり、右に左に飛び抜けた。

「あぶないわ。目を突っつかないのよ」と初江ははらはらした。子供たちは横丁を曲り消えた。

「まったく男の子は乱暴だわ。駿次ときたら、この前は三好清海入道《みよしせいかいにゅうどう》の鉄棒だと言って物干《ものほし》竿《ざお》を鋸《のこぎり》で切っちゃったの」

小暮家の門前に来た。石段をあがった先の引戸をあけて悠太と友達三人が出て来た。四人で協同して、ボール紙や竹ヒゴや雑誌を山積みにした紙箱をそろそろと運んでいる。友達三人はあわてて初江に頭を下げた。

「おかあさん、まきちゃんちへ行ってくる」

「御飯には帰るのよ」

「はあい」

「あの子は今、模型飛行機に熱中。この夏休みにはあの四人でドイツの……何とかシュミットという飛行機を作って、先生に大層褒《ほ》められたんだって。ほら一人、足の悪い子がいるでしょう。あれが吉野牧人君、吉野大使の御令息よ」

「不思議な巡り合せだな。母は吉野大使と昔からの知合いで、今も吉野邸に行っている」

「おねえさまが……世の中狭いわねえ」

青バスが木炭の煙を吹き、ぜいぜい息を切らして坂を登り、市電が大通りを横切り、荷馬車が蹄鉄《ていてつ》の音高く行き、子供たちがまた走って来る。さっきまでの奥まった場所と違い、ここ大通りには都会の活力が溢れている。ヴァイオリンの音、その音色は十六分の一の小型ヴァイオリン、すなわち央子ので、またしてもモーツァルト、まったくの大天才、世界中の子供たちがモーツァルトで音楽を習い始め、ついにはモーツァルトの演奏で一生を終える。三のポジション、難しい指使い、おれが苦しんだ箇所を、難なく、当り前のように弾いてしまった。

「まあ、おあがりなさいな」と初江は言った。「お帰りなさいませ」と出てきた女中はときやだった。数年前までいた人でよく知っている。しかし肥《ふと》ってしまい、空気を注入した黒風船のよう、それに田舎で苦労した悲しみが髪の白さに粉を吹き出している。こちらを覚えていて、「これはこれは、脇の晋助さま」と懐《なつ》かしげにお辞儀をした。

「あなた、ヴァイオリン聴きたいんでしょう。いらっしゃい」と初江は晋助を二階に誘った。応接間からだと隣の間の演奏が筒抜けで、「ね」と言うように頷くと初江は下におりた。あがってきたときは、すっかりおめかしして別人のようで、艶《つや》やかな髪が江戸小紋に映え、香水の香りをただよわせていた。テーブルの上にさりげなく置かれた女の両手を、つかもうとすれば、つかめるのに、そこに透明な隔壁があるようで手が出ない。さっき、何気なく女の手をにぎった感触が晋助の指をむずむずさせている。と、一曲が終った。可愛《かわい》らしい咳《せき》があって、楽譜を繰っている。ヴァイオリンの弦をはじいて調律をしている。弾き始めた。出だしをしくじって、また弾き始めた。今度はうまくいって、続く。この春に習い出して、半年ほどで、もうこんなに弾ける。このモーツァルトのソナタ、ケッヘル八番を、おれなど三年目にやっと弾けた、しかも、もっと拙劣な演奏だったのに、オッコは難なく、ほら、今の複雑な指使いも、まるで当り前のように弾いてしまった。ひょっとするとオッコは天才かも知れぬ。ミッシャ・エルマン、ジャック・チボー、ヨーゼフ・シゲティ、フリッツ・クライスラー、カール・フレッシュ、ブロニスラフ・フーバーマン、アードルフ・ブッシュ、ヤッシャ・ハイフェッツ……なぜかヴァイオリンの巨匠たちはみんな外国の男性だが、日本の女性の巨匠だって存在していい。巨匠たちの残した神童物語、ハイフェッツは三歳で四分の一サイズの楽器を一週間でマスターし、五歳のときコンサートを開いた、フーバーマンは六歳で習い始め三年後にはコンサートを開いた……オッコの神童物語もあっていい。香水の香り、おれは香水の種類を知らないが、これはまぎれもなく初江の香り、彼女が、おれの官能をそそったとき、この香りがした。

晋助は心の中で初江と会話を交した。

〈オッコはぼくの子だよ。あの顔付き、肌の色、一つことに夢中になる性癖、みんなぼくの遺伝だ〉

〈それは言わないの。言っては何もかもお仕舞いよ。悠次も、自分の子だと思ってるんだから、それでいいの〉

〈ぼくはもうすぐ兵隊に取られる。ほぼ確実な死がぼくの生命を二十何歳で断ち切る〉

〈不吉なことを……あなたが死んだら、わたしも死んじゃうわ〉

〈まあ聞けよ。もうすぐ死ぬぼくが、この世に残す、たった一つの生命、それがオッコだ。ぼくはオッコが自分の子でないことに耐えられない。ぼくは告白し、オッコが自分の子である事実を、みんなに認めさせたうえで死にたい〉

〈みんなって、誰よ〉

〈まず、きみの夫、オッコの兄たち、母、そして彼らの親戚《しんせき》知人〉

〈駄目よ。絶対に駄目。そんな告白はオッコを不幸にするわ。子供を不幸のどん底へ蹴落《けおと》して、自分だけ幸せな死をえらぶなんて卑怯《ひきょう》よ〉

〈ぼくをオッコの父として認めるんだね〉

〈認めないわ。そんなこと言ってないわ。あなたは告白して死ぬ。わたしは告白されて苦しんで生きていく。この格差を問題にしてるの〉

「ぼくが何を考えてるかわかるかい」と晋助は言った。

初江は頰笑《ほほえ》んで頷いた。「大体は……薫さんのことでしょう」

「えっ」晋助はピシャリと引っぱたかれた気がした。

「おかしな人。あんな人だと、史郎ちゃん、不幸になるわ」

「ぼくがそんなことを考えてたと思うの」

「晋助さん、薫さんにひどく関心を持ったでしょう」

ヴァイオリンの音が不意にやんだ。ドアが開いて央子の御河童頭《おかっぱあたま》が飛びこんできた。晋助を見て、びっくりしてのけぞったが、また母の膝《ひざ》にすがりついた。

「おかあさん、お八つ、お腹空《なかす》いちゃった」

「お八つまだだったの。ときやは気が利《き》かないねえ」初江は立った。

母の腰にまつわりつく央子に晋助は言った。

「オッコちゃん、うまくなったね」

央子は、大人ってみんな同じことを言うという目付きで晋助を睨《にら》むと、出て行った。

13

十月八日　火曜日

朝日がカーテンを薔薇《ばら》の花園のように輝かし、晋助は目を覚ました。ドアを叩《たた》いている。美津の声だった。

「晋助、きょうは陛下がお見えになる日だろう。早く出掛けなきゃ駄目よ」

頭が重かった。咽喉《のど》がヒリヒリと痛み、返事をしようとすると、立て続けに咳が出た。きのうから風邪気味だったのが、ひどくなったらしい。さむけがぞくっと胸に走った。

「きょうは休むよ」

「何をお言いだい」美津は押し入ってきた。掛蒲団《かけぶとん》を剝《は》ぐ。晋助は海老《えび》のように縮かまった。

「風邪なんだ。熱もある」

美津は晋助の額に手をあてた。すぐ下にいくと体温計を持ってきた。計ると三十七度六分だった。

「大した熱じゃない」と美津は言った。「アスピリンを飲めばすぐ下がるよ。学生服にアイロン掛けといたからね。すぐ着替えなさい」

「しょうがねえな」晋助は渋々と起きた。咳が盛んに出て、青い痰《たん》が飛び出した。鼻を何回もかむ。大学に行くのは気が進まず、このまま寝ていたい。が、反面好奇心もあった。天皇の姿を一度この目で見てもいいと思う。友人たちとやった賭《かけ》の結果も確かめたい。彼は海軍大元帥《だいげんすい》の軍服に賭けた。義江はモーニングに賭けている。全体としてモーニングとフロックコートが三分の二、海軍大元帥が二人、陸軍大元帥が四人で、もし晋助が勝つと儲《もう》けが大きい。賭のことを思うと急に元気が出た。母の揃《そろ》えてくれた正装用の学生服を着、はるやが磨《みが》いてくれた靴《くつ》を履いた。

　本郷の大学まで通うのに市電を利用していた。新田裏《しんでんうら》から万世橋《まんせいばし》行きに乗り、松住町で乗り換えて帝大正門前で降りるのがお定まりの行程であった。約一時間かかる。電車は牛込《うしごめ》の起伏のある街を抜けて、堀端を通る。なかなか景色のよい路線なのだが、晋助は窓外に目をやることはほとんどなく、日課と決めている岩波文庫を読むのだった。往復で星二つ、つまり一日二百ページの読書ができるわけだ。今日、持ってきたのは、トーマス・マンの『魔の山』㈣であった。去年の夏㈠が出てから読みふけり、発刊を待ちこがれつつ読んでいる。この㈣は八月に出たばかりだ。フランス語の本なら何とか読んでしまうが、ドイツ語となると苦手で、翻訳のほうをよしとする。これは物凄《ものすご》い小説だと思う。この奥深さ、この重層、この複雑な構造、この考え抜かれた思想（とくにゼテンブリーニとナフタの対話）は、かなわないと思う。読む快感とともに絶望が彼を襲う。文学をこのように熟成させるだけの時間が自分には残されていないという絶望である。

　電車が赤門前に来たときから、大勢の警官が大学の塀の前に点々と立ち、ものものしい警戒ぶりとなった。正門を制服の守衛と警官が固めていて、職員と学生に身分証明書の提示をもとめていた。正門から伸びる銀杏《いちょう》並木にも大勢の警官が立ち並んでいる。落葉一つ無いまでに掃き清められた路《みち》の様子に晋助は驚かされた。数日前の、人手不足から荒れ果て伸び放題だった柊《ひいらぎ》の植込みは、サイコロ形に綺麗《きれい》に刈り込まれ、廃墟《はいきょ》の趣きだった池のほとりの木々も手入れのよい庭木のように丸形に切られている。

学生たちは続々とグラウンドに流れ込んでいた。しかし、定刻の八時になったとき集った者は三分の二ぐらいで、やっと九時近くにほぼ全員、一万人の学生が集結した。配属将校の号令下、学部別に集まり縦隊を作るのが大変だ。何度かやり直しをさせられているうちに、形を成してきた。天皇の服装を見定めるため、なるべく前のほうへ行こうと思っていた晋助は、義江とまごまごしているうち中央部分に押されて行った。「これじゃ見えねえぞ」と義江が言った。「なあに、ぼくは目がいい。ちゃんと見届けてやるぞ」と晋助は笑った。

日が高くなって、病院の建物の上から陽光が注ぎ始めた。晋助は、アスピリンのせいか、しきりと汗をかき、咳をした。風邪をひいている者が多いらしく、あちらこちらで咳が飛んだ。

「静粛」と配属将校の号令が鋭く発せられた。学生たちは石を投げ込まれ、波紋がひろがる感じで沈黙していき、ついにしんとした。エンジンの遠鳴りが空に漂い、十数台の車の音と聞き分けられた。正門の方角だ。九時三十七分。

「首相と文相が来てるらしい」としたり顔に言う者があった。近衛《このえ》文麿《ふみまろ》首相、橋田邦彦文相の、新聞の写真で見た顔が、うやうやしく最敬礼している姿が思い浮べられた。総長の平賀譲は海軍中将だから多分軍服で、海軍式に腕を立てた挙手の礼をしているだろう。そのあとに、フロックコートを着た教授連が、各自、これ以上は下げられぬ、ぎりぎりまで頭を下げて最敬礼をしている様子が想像された。それは何だか滑稽《こっけい》な情景だった。晋助は、今の日本で、もっとも滑稽な情景を作り出す人が天皇だと思った。行幸、観艦式、観兵式、みんな滑稽な出来事としか思えない。

晋助のいる場所から森の端に時計台が見え、その前の広場がちょっと窺《うかが》えた。黒い人々、多分教授連が群れている。時計台の下の安田講堂に入場するらしく、列を作っている。

「陛下はな、大講堂で教授たちに列立拝謁《れつりつはいえつ》を仰付《おおせつ》けられる」としたり顔が言った。

「学生とは大違いだな」と誰かが言った。

「おれたちのは、何拝謁と言うのだ」

「拝謁てな高級なもんじゃねえな。まあ、集団御一瞥《ごいちべつ》てとこか」

「しっ」と怖い顔で振り向いたのは、何とかと言う右翼団体に属する学生だった。晋助は、そいつに返礼するように思い切り大きく咳をし、痰が気管に入ったらしく猛烈に咳込み、義江に背中をさすってもらった。

「来たぞ」と誰かがささやいたとき、「気をつけ」の号令がかかった。

先導しているのは穂積重遠《ほづみしげとお》法学部長だ。その後ろを歩いて来る小肥りの軍人が天皇だ。服の色は紺、すなわち海軍大元帥の出《い》で立ちだった。晋助は義江の腕を肘《ひじ》で突いた。「勝ったぞ」とささやく。「しっ」と右翼団体が目を剝《む》いた。

「天皇陛下……」と聞き取りにくい嗄《しわが》れ声がした。前のほうの学生が「万歳」をする。晋助たちもあわてて真似《まね》をした。二回目はやや揃《そろ》って手をあげ、三回目にやっと一斉《いっせい》に手をあげた。

「脱帽、最敬礼」これはよく透《とお》る号令だった。配属将校の掛けたものだ。最初の万歳は、平賀総長だったらしい。天皇は海軍式の答礼をすると台から降りた。天皇の〝集団御一瞥〟は三分間だった。三分間のために二時間待ったわけだ。

天皇が工学部付属総合試験所に入り、理学部、工学部、農学部、地震研究所、航空研究所、天文台の研究業績の展示を見ているあいだ、学生たちはなるべく速《すみ》やかに帰宅するようにと指示されていた。

「つまり、学生など、下賤《げせん》のやからは、うるさく目障りだというわけさ」「とにかく休講で儲けた。帰ろう」

学生たちは、大通りに面した正門や赤門を避けて、裏側の龍岡門《たつおかもん》や池之端門から帰り始めた。警官と守衛が協同して学生たちを誘導している。羊の群をおどす番犬たちだ。

晋助は仏文科英文科の友人たちと、グラウンド端の芝生の上で、賭金の清算をした。十六対二で晋助ともう一人の圧勝である。五十銭が八倍の四円になった。天皇陛下万歳、聖恩に感泣を催します。

「しかし、どうして」と義江が大きな頭を振り振り、悔しそうに言った。「海軍軍装だとわかったね」

「単純な連想さ。平賀総長は海軍中将だ。その上に立とうとすれば、海軍大元帥がいい」晋助はにやりとした。

「しかしな、今回の行幸は、未曾有《みぞう》の非常時にあたり、教育の刷新と科学振興のためだろう。それが海軍大元帥では矛盾しないか」

「矛盾しないさ。現今の教育も科学も軍事に役立つためだからな」

「そういうもんか……おい、待て、逃げるな」と義江は追ってきた。晋助は医学生の塊のなかに村瀬を見付けて近付いた。

「何だか、ひどく嬉《うれ》しそうだな」と村瀬は晋助をまぶしげに見た。

「ちょっといいことがあった。今日はおごってやるぞ」

「どういう風の吹き回しだ」

「きみの、傑出人の脳髄はどうした」

「図書館に展示してある。ぼくが磨きあげた、ピッカピッカの硝子瓶《ガラスびん》の中で漱石も泡鳴も首相たちとともに天覧の栄に供せられる。いやまあ、脳研究室から図書館まで標本を運ぶのが大変だった」

後ろにいた義江を村瀬に紹介すると、晋助は二人に、これから映画館へ繰り出そうと言った。咽喉の痛みは相変らずだったが、何だか風邪なんか吹き飛ばしてしまいそうに、元気になっていた。

「いいか、まず銀座の全線座で、ダニエル・ダリュウの『不良青年』を見よう」

「今日は火曜日だぞ」と義江が言った。八月末の文部省通達で、学生の映画観覧は土曜休日に限るとされ、警官などの目に止まると危いのだった。

「大丈夫。本日帝都の警官はここ本郷に集っていて、銀座の監視は手薄だ」

「行こう」と村瀬が言った。「よし、行きましょう」と義江も応じた。

晋助は、今日中に四円全部を使ってしまおうと心に決めていた。

十月十一日　金曜日

海軍軍医少監の礼服を着、功五級金鵄勲章《きんしくんしょう》、日露戦争従軍記章などをずらり左胸に佩用《はいよう》した時田利平は、午前六時に東京駅から京浜線電車に乗り込んだ。見回すところ、日露戦争当時の礼服がほとんどだ。陸奥《むつ》にて陪観を許されたるものは、日本海大海戦の参加者で、海軍省より送られてきた〝陪観列車券〟を用いて定刻に乗車したのだと知れる。

横浜に着くと海風が強く、利平はよろめかぬよう両脚を踏んばって歩いた。陸奥の乗船者は一群となって迎えの水雷艇に乗った。朝靄《あさもや》の中に大艦隊の影が見えてきた。晴れ渡った、一点雲のない空である。やがて靄が引けば大艦隊の全容が明らかになるだろう。利平は胸を高鳴らせた。

観艦式といえば、明治三十八年十月二十三日の日露戦争凱旋《がいせん》観艦式をまるできのうのことのように覚えている。指折り数えれば、あれから、もう三十五年が経《た》ったのである。あの日も晴れていた。そして朝靄がかかっていた。

利平は巡洋艦八雲《やくも》の軍医として司令塔の端に立ち、連合艦隊を見渡したことを、まざまざと思い出した。今でも、その名とともに艦影を思い浮べられる。第一艦隊、三笠、朝日、富士、敷島、春日《かすが》、日進……第二艦隊、出雲《いずも》、吾妻《あずま》、浅間、常磐《ときわ》、八雲……あのときの日本艦船百七十余隻《せき》、それに英国の戦艦六隻、駆逐艦六隻、米国戦艦一隻が加わった。それだけの大艦船がすべて満艦飾で無際限に降りそそぐ陽光のなかに浮いていた。美しかった。本当に美しかった。

午前十一時、明治天皇陛下と皇太子殿下が、軍艦浅間に御乗艦になり、われらの艦列前をお通りになり、利平は生れて初めて大帝の玉顔を間近に拝したのだった。士官たちと並んで登舷礼《とうげんれい》式をおこないながら彼は目頭《めがしら》を熱くし、神に等しい御方をひたすらに拝した。あとで、皇太子殿下のほうは全く見てもいず、記憶より欠落していることに気付いたのだった。

午後一時より、浅間にて東郷平八郎司令長官をはじめ各司令官、各艦艇長に拝謁を賜わり、三時に御還幸せられた。その夜、七時から各艦いっせいにイルミネーションをおこない、十時消灯、それより十一時まで探海灯を空に放って、盛んな光の交叉《こうさ》乱舞をおこなった。

その夜の光景が、なつかしく、忘れられず、昨夜、利平はいとを連れて、横浜港に見物に来たのだった。午後七時、沖の全艦船消灯するや、探海灯を放出し、これはこれは、星空に数十条の光芒《こうぼう》は灰紫色の線となって交叉し、素晴しい光景であった。もっとも話の種にと連れて来てやったいとは夜風を寒がって早く帰りたがり、利平の機嫌《きげん》を損じはしたが。

陸奥に乗艦した。さすがに大きい。利平は二・二六事件のさなか、永山光蔵の病室から御《お》台場《だいば》の方向に進んでくる大艦隊の先頭にあった戦艦が長門か陸奥であったのを思い出し、今こうして自分が乗っているのが陸奥であるからには、あのとき見たのも陸奥であったと思うことにした。そのほうが、人への自慢話を効果的にするではないか。

案内に立った一等兵曹《へいそう》は、利平ら日本海大海戦の凱旋将士に対して最大級の敬意を払い、四〇センチの主砲や砲塔の中、外舷のバルジという魚雷防御《ぼうぎょ》装置の具合、兵員の居室や食堂などを見せた。人々は帝国海軍最大最強の戦艦の威容に感嘆したが、利平はひときわ派手に「へえ」「えらいもんじゃ」を連発し、一等兵曹をびっくりさせた。

八時になると登舷礼式のための整列が始められた。利平たちは前部艦橋に列立する士官たちの後ろの、見晴し最高の場所をあたえられた。前の筋肉たくましい士官に負けぬよう、強い海風にもよろけぬよう、利平は両脚をうんと踏ん張ったが、大元帥陛下がお通りになるときは直立不動にならねばならぬと気付き、今度は風に抗した、気をつけの姿勢を何度も練習した。

九時三分、突如副砲が轟《とどろ》いた。一発目で利平は仰天して肩をびくっとさせたが、二発目は、もうしゃんとして動かざること巌《いわお》の如《ごと》しであった。海軍士官ともあろうもの轟音《ごうおん》に驚くなど恥じゃ。数を数える。附近の艦艇からも、いや全艦がこぞって砲を放つので、数をつかみにくい。しかし、どうやら聴き通した。二十一発である。完全無欠の皇礼砲だ。大元帥陛下が御召艇に乗られて、御召艦に向われたのだ。利平は、緊張に体を震わした。

西方に御召艦比叡《ひえい》が望まれた。二七五〇〇トン。この陸奥の三三八〇〇トンより小さいが、れっきとした戦艦で堂々たる二本煙突が気品をかもしだし、列艦を閲《けみ》するに相応《ふさわ》しい。大元帥陛下が御召艇より御召艦に乗り移られた瞬間、天皇旗が掲揚されるはずだ。〝錦《にしき》の御旗《みはた》〟を見ようと目を皿のようにしているうち、潮風が目の中にゴミを運んできた。利平はあわてて白手袋で瞼《まぶた》をこするが、ゴミは取れない。ままよ、涙で流し出せ。日露戦争凱旋と紀元二千六百年記念と、二つの世紀の大観艦式に日本最大の戦艦上より参加できる身の誉れ、男子の本懐これに過ぐるものなし、感涙にむせべ。すると本心から感激が満ち潮の如くせりあがり、涙となって溢《あふ》れ出、ゴミを押し流した。「ムウウ……」と泣く利平を、前に立つ兵学校出たてらしい少尉《しょうい》が一瞥し、感じ入った面《おも》持ちになった。そうじゃ、老兵の至誠に感じ入ったじゃろう。かすかな『君が代』の奏楽が聞えてきて、利平の感涙を一層もっともらしくしてくれた。

潮風は冷たい。胃洗滌《いせんじょう》で胃を空にし、茶を節し、メリヤスの股《もも》引《ひ》きを二枚重ねてきたのに尿意をもよおしてきた。士官たちが大挙して並んだので、案内の一等兵曹は遠くに隔たってしまい、便所のありかを尋ねるわけにもいかぬ。最近小用が近いのは前立腺《ぜんりつせん》肥大のためと診断はついている。つまりは、老化と寒気が諸悪の根源だ。腹巻に白金懐炉《はっきんかいろ》を入れてくるべきだった。えい、もう仕方がない。一等兵曹に頼もう、と利平が決心したとき、またもや副砲が轟いた。殷々《いんいん》たる砲声が、あたりの各艦よりも、全身全霊でもって発射された。お、御召艦比叡が動きだした。供奉艦《ぐぶかん》は先導が重巡洋艦高雄《たかお》九八五〇トン、後衛が重巡洋艦加古七一〇〇トンと同古鷹《ふるたか》七一〇〇トン。いや、最高至高の威容じゃ。二十一発の皇礼砲、最高の海軍軍人、大元帥陛下のお出ましじゃ。

全艦船は西から東に五列に並んでいる。南端の列外に潜水母艦、特殊艦、それに特別参加を許された高等商船学校練習船大成丸、中央気象台観測船凌風丸《りようふうまる》。第一列に戦艦長門《ながと》をはじめ駆逐艦、第二列に戦艦陸奥をはじめ巡洋艦、駆逐艦。そして、御召艦は第一列と第二列のあいだを西から東に白波を切って、ゆっくりと進んできた。

「気をつけ」の号令がかかり、『君が代』の吹奏が始まった。万国旗で満艦飾の比叡の前艦橋の中央に、利平は仰ぎ見た、大元帥陛下を。すみずみまで第一等の軍人、海軍大元帥の軍服に大勲位、功一級金鵄勲章、ああおのれの功五級などはすっ飛んでしまう、大きな勲章に胸を輝かされ、黄金の軍刀を腰にされた、昭和の大帝を。利平は、今生の限りの光栄を眼底に焼きつけようと目を凝らし、高松宮殿下や及川古志郎海相の前に出て、陛下に対し奉《たてまつ》り御説明をする山本五十六《いそろく》観艦式指揮官の小柄《こがら》な姿を認めた。見たぞ、見たのじゃ、世紀の一瞬を。万歳の三唱を利平は、謡《うたい》で鍛えた大音声《だいおんじょう》でやってのけた。

いつのまにか御召艦の左舷に飛行隊が飛んできた。えらいもんじゃ、何百機あるかわからん。最近の海軍は航空機時代じゃと言う。利平は、にわか勉強で海軍航空隊の機種を調べてきたのだが、実際の編隊を見るとどれが攻撃機やら爆撃機やら水上偵察《ていさつ》機やら、皆目見分けられなかった。孫の悠太なら即座に弁別して見せるのに……彼にわかったのは、おびただしい飛行隊が、決して御召艦の頭上は通らず、うやうやしく脇《わき》を通過し、陛下のところで、機首を下げて空中敬礼をすることだった。

御召艦は東に抜け、今度は第三、第四列のあいだを西進していき、やがて元の位置に投錨《とうびょう》した。陛下が御座所に入りたまい、司令官以上の参列者に拝謁をたまわるころ、人々の緊張が解け、列が乱れ、利平はやっと人心地つき、ふたたび尿意を感じだした。おやおや、すこしばかり漏らしてしまった。さいわい股引き二枚で、ズボンまでは透らぬが気持が悪い。彼は、一等兵曹に歩みより、「カワヤはどこじゃ」と威張り返った口調で尋ね、それから、「大したもんですな。あのあんなでっかい飛行機が軽々と空を飛ぶんですからなあ」と、いかにも時代遅れの感想をわざと述べたてて、若い一等兵曹の自尊心をくすぐった。

きょうという日に目撃した一切の事柄を日記に正確に書き込むべく、腕時計を時報に合せてきたのに、時計など見る余裕はほとんどなく、一等兵曹の誘導で人々が食堂に移動し始めたとき、初めて今が零時四十分だと気がついた始末であった。

十月二十一日　月曜日

海軍の皇礼砲は二十一発だが陸軍の皇礼砲は百一発である。それは海軍のように耳を聾《ろう》する轟音ではなくて、原野を渡る快い律動をもち、おおどかな喇叭《らっぱ》用の式典曲『君が代』によく合う。わが陸軍の総帥、陸軍大元帥陛下が、今ぞ着御された。小豆色に菊の御紋章あざやかな御料車より降り立ちたまえる陛下は、金無垢《きんむく》かと拝される御軍服に、大勲位と功一級金鵄勲章を佩されて、秋晴れの代々木練兵場に御英姿を赫々《かっかく》と輝かされた。

脇敬助は、当初陸軍大学学生としてこの紀元二千六百年記念大観兵式に列するものと予想していたが、原隊の歩兵第三聯隊《れんたい》の中隊長として参加するよう命ぜられ、今満洲に主力を派遣した留守部隊の指揮官として兵たちの最右翼に立っていた。全三線に堵列《とれつ》する将士のなかで、歩三は第一線に整列している関係上、今しも着御の陛下の御動静を逐一拝することができ、このまたとない機会に、何とか陛下の御目の片隅《かたすみ》にでも、おのが姿をお映し申しあげんものと、背骨を一直線に伸ばして、突っ立っていた。

晴れ舞台のために軍服も軍帽も長靴《ちょうか》も指揮刀も新調した。大尉の襟章《えりしょう》は金と赤とのコントラストを強くしたものを特注し、軍帽の前を規定より一センチは長く作らせ、長靴は当番兵にこれ以上は無理というほど、鏡さながらに磨《みが》かせた。わけても彼の自慢は指揮刀で、鞘《さや》を銀鍍金《ぎんめつき》で光らせていた。もっとも、こういう美装は、着る人間の気質とチグハグだと空虚で嫌《いや》みなものになることも敬助は心得ていて、日常の起挙動作を、満洲から帰国してからは、極端に端正にしていて、軍装も歩き方も話し方も、何か俳優のような型に作りあげていた。

留守部隊のため軍服装備の員数がすくないのを利用し、被服係から全兵隊に新品の軍衣袴や巻脚絆《まききゃはん》を支給させ、ほかの部隊よりも格段に見映えのする部隊としたので、彼自身の美装も飛び抜けて派手には見えぬはずだった。

代々木原頭にずらりと並ぶ五万の将士のなかで、わが歩三部隊こそは中心にあって目立ち、陛下の御目にとまるものと敬助は確信していた。

大元帥陛下は、今、道筋両側に整列する宮様方をはじめ、近衛文麿首相、東条英機陸相以下各閣僚、外国大公使、外国武官の列立奉迎に御会釈《えしゃく》をたまいつつ便殿《びんでん》に入御《じゅぎょ》あらせられた。

青空に消え残る淡い半月が西に落ちた。八時五十五分、いよいよ陛下は、われら陸の精鋭を臠《みそなわ》す。第一番は陸士歩兵隊の「捧《ささ》げ銃《つつ》！」と『君が代』の喇叭吹奏だ。

大元帥陛下は白馬白雪を召され、御胸一杯の勲章を煌《きら》めかされ、いかにも燦然《さんぜん》とした御英姿で、しずしずと繰り出したまう。赤地に金の菊花の映える天皇旗を先頭に、侍従武官の御先導で朝香宮鳩彦《あさかのみややすひこ》大将と侍従武官長を御後ろに随《したが》えさせられ、皇族、侍従武官、皇族付武官、東条英機陸相、杉山元《はじめ》参謀総長、山田乙三《おとぞう》教育総監以下陸軍諸将星を随えさせられて、今や、わが歩三のほうに近付きたまう。

「ササゲー」と敬助は指揮刀を顔前にかまえ、「ツツー」と右に払った。銃を一斉《いっせい》に捧げ持つ兵隊たちの呼吸、ザッという音。目を見開き、陛下を仰ぎ見奉る。臣脇敬助、ここにあり。陛下も御記憶のはずの脇礼助の長子、陸軍歩兵大尉、陸大生、北支とノモンハンの勇士、帝国陸軍の楨幹《ていかん》でございます。「捧げ銃」の〝号令調声〟を十二分にしたうえ、けさは生卵を飲んできたのだが、無念残念、緊張の度が過ぎて声がすこし嗄れてしまった。

そのほとんどが近在の農民や漁民出身で、名も身分もなき兵隊どもの前を、最高位の陸軍軍人陛下が、畏《おそ》れ多くも、同じ空気を吸いたまい、同じ光を浴びたまい、しずしずと居を移させたまう。第一線が終って、第二線から号令と吹奏がおこった。第三線が終れば分列式に移る。その手順に抜かりがないかと敬助は今一度思い返し、万事好調と頰《ほお》の内側で頰笑んだ。

空は手を染むように青く、風は陛下の香りを含んで爽《さわ》やかであるのに、敬助の脳裏《のうり》に不快な影がよぎった。きのう晋助とかわした議論が陰影を作っている。晋助は風間振一郎の提供した仏印の石炭鉱業会社の通訳のポストを断ると言い、敬助は極力、〝わが弟のためを思って〟翻意を促したのに、彼は聞く耳を持たなかった。挙げ句の果てには、支那事変から仏印進駐までの皇軍の戦跡と武勲を否定するような言辞を口走った。兄は怒った。「お前、陛下の軍隊を何と思ってる。大陸に散った兵士たちは陛下の御為《おんため》に命を捧げた。お前の今の言葉は護国の英霊を誹謗《ひぼう》することになるんだぞ」「とにかく、ぼくには、陛下の統帥なさる軍隊が、他国を武力で屈伏させてきたのが、いやなんだ、納得できんのだ」「現実ばなれした理想論だ。世界は武力で動いている。強い者が弱い者を屈伏させているのが現実だ。それに、お前は仏印北部進駐が弱い者いじめだと言うが、仏印はもともと安南人の国だ。それをお前の好きなフランスが武力で侵略した。皇軍はそのフランス人を武力で制圧し、安南国の独立を助けようとしている。それが、どうして弱い者いじめだ。否《いな》、絶対に違う。これは正義の戦だ」「……」弟は黙った。あとは兄が何を言おうと黙ったきりだった。

不快な影がよぎったのは、弟が皇軍を誹謗したためよりも、兄が弟を説得できないためであった。世界は物凄《ものすご》い力で新しい時代に突入している。その事実を、なぜ弟は理解しようとしないのか。イギリスとアメリカの植民地になろうとした中華民国を救うために支那事変はおきた。青い目の列強は、なおもアジアに植民地を所有している。仏領印度支那、蘭領東印度、イギリスのマレー半島と印度、アメリカの比島。悲しいかな大日本帝国と中華民国とタイ国をのぞけば、アジアはすべて列強の植民地となっている。奴隷《どれい》の生活を強《し》いられているアジアの民を白人支配より解放する、そのためには彼ら白人どもを上まわる武力を備えるのが、子供でも考えつく理《ことわり》ではないか。アジアの民を解放し、東亜新秩序を打ち立て八紘一宇《はっこういちう》の楽園を創成するこの大事業の先頭に立ちたまうのが大元帥陛下だ。こんな自明の道理さえわきまえぬ弟は、もはや日本人ではない。敗戦国フランスの思想にかぶれた非国民だ。

　まあよい、と敬助は寛大な微笑を、生真面目《きまじめ》な顔付きの裏側に、また浮べた。あいつも、大学を出て、徴兵延期が解かれ、入営すれば、軍人勅諭の精神を叩《たた》き込まれるだろう。我国の軍隊は世々天皇の統率し給《たま》ふ所にぞある。兵馬の大権は朕《ちん》が統《す》ぶる所なれば、朕は汝等《なんぢ》軍人の大元帥なるぞ。下級のものは上官の命を承ること実はタダチニ朕が命を承る義なりと心得よ。思えば、この軍人勅諭を、幼年学校に入った年、十六歳のときより毎朝奉読し、拳々服膺《けんけんふくよう》してきた。隊付将校となってからは初年兵教育の第一の指針を勅諭とし、勅諭全文を暗記させることに専念した。地方人として、ふわふわした生活を送ってきた壮丁の性根をまずは勅諭で入れ替えてやった。小学校を出ただけの純心な青年ほど、教育効果があがる。ところが、大学出はむつかしい。晋助など、軍人勅諭を信奉するためには、あまりにも小生意気な知識を持ち過ぎている。だから、あんな非国民的思想を、事もあろうに帝国軍人である兄にぶつけてくるのだ。けれども、晋助もかならず鍛え直される。その点、わが陸軍こそは、日本臣民教育の最大にして確実無比な教育の場だ。敬助は、おのれが幾多の初年兵を教育し、一人前の兵隊に仕込んだ実績を快く思い出した。北支でノモンハンで、彼らは世界最強の兵隊として戦い、死んでくれた。そして、今、おのれの号令一下、捧げ銃の音もわずか巨人の一兵がしたように一つにまとまっていた。

『抜刀隊』の奏楽が開始された。吾《われ》は官軍我が敵は、天地容《い》れざる朝敵ぞ……敵の亡ぶるそれ迄《まで》は、進めや進め諸共《もろとも》に、玉散る剣抜きつれて、死する覚悟で進むべし……戸山学校軍楽隊の奏楽だ。始まった、大分列行進の開幕だ。敬助は、微動だにせぬ直立不動の姿勢の全身に、せいせいと赤い血液を通わせて、機を待つ。

陸軍士官学校歩兵隊、陸軍予科士官学校生徒隊、近衛第一聯隊《れんたい》……歩兵第一聯隊……。「ホチョートレ、マエエーススメエ」今度はうまく発声できた。鉄鋲《てつびょう》が土を砕き、勇壮な砂塵《さじん》を吹きあげ、ザックザック、御前へむかう。死する覚悟で進むべし。御前に来た。「カシラアー、ミギイ」陛下の御耳にとどけと叫んだ。馬上の陛下が御挙手の答礼をあそばされる。ザックザック、日本男子としてのこの感激を晋助は知らぬ。あわれなやつ。敬助は指揮刀を一杯に横に出し、胸を丸く突き出した。「ナオレ——」練兵場を一周して元の位置にもどったとき、戦車部隊二百台が地軸を揺がし始めた、重戦車、軽戦車、水陸両用車。自動車牽引《けんいん》の重砲部隊。野砲隊。高射砲隊。装甲自動車隊。近代戦の華だ。しかし、こういった機械化部隊の装備が、ソ聯陸軍にくらべると、すでに時代遅れの代物《しろもの》である事実を敬助は、ノモンハンでの実見から知っていた。皇軍は、聯隊砲、野砲、対戦車砲、重砲のすべてにおいてソ聯軍より性能が劣った。しかも彼《か》の戦車の装甲は二五ミリも厚く、わが対戦車砲は三〇〇の距離より近射しても貫通できなかった。ところが彼の対戦車砲は、八〇〇より、わが戦車に致命傷をあたえ、まるで紙のように燃え上らせた。加えて、準備弾薬数は、彼が無尽蔵だったのに、われは限られた数しか用いえなかった。敵の万雷のような集中砲火のなかで、われは沈黙し、為《な》すすべもなく死傷者の山を築いた。

機械化部隊の近代化と弾薬の備蓄こそ、皇軍の目下の急務である。おのれが参謀となれば、まず第一に具申し、皇軍の大改革にかからねばならぬ。でなければ、ソ聯、イギリス、アメリカ、これら列強に打ち勝って、八紘一宇の大業を成就《じようじゆ》させえぬ。今、皇軍の機械化部隊の威容に目を見張り、感激と賛美の記事を書くであろう浅薄な新聞記者どもを敬助は、嘲笑《あざわら》った。まったく、近頃《ちかごろ》の新聞は事実を伝えず、夢ばかり書きまくっている。ノモンハン事件の記事も嘘《うそ》ばかりだった。あの蚊の大群、川のような血潮の流れ、呻《うめ》き、苦痛、それは新聞記事にはさっぱりと抜け落ちていた。

左方、省線原宿駅方向の、杙《くい》と縄《なわ》でしつらえられた特別席に大群衆が詰めている。その数は五万か六万。兵士の数より多いくらいだ。胸につけた赤い〝陪覧章〟が風にひらめいている。あのなかには、母の美津もいるはずだ。敬助は、彼ら〝地方人〟の目に、兵の先頭に立つ将校が、どのように颯爽《さつそう》と映じているかを想《おも》い、一転、誇りで胸を脹《ふく》らませた。

彼の気持を鼓舞するように、勇ましい爆音が胸を震わせてきた。右方、渋谷方向から、一点、二点、三点と青空に現れたのは九七式戦闘機、これはノモンハンで唯一《ゆいいつ》ソ聯のイ－15やイ－16と戦って勝ちえた優秀機だ。続いて、偵察機、軽爆撃機、重爆撃機と続く。高度三〇〇の六大梯団《ていだん》で、陛下に対し奉り、機首をさげての空中敬礼をおこないつつ、去っていく……。敬助の気分はすっかり晴れた。世は航空機時代に移りつつある。その自覚が軍の上層部には乏しい。おれが、老人どもの陳套《ちんとう》な思想をこわして、やる。新しい時代、若者たちの時代が来つつある。敬助は、ようやく頬笑みを顔から染《し》み出させた。そう、この若武者は莞爾《かんじ》と頬笑んでいる。

十一月十日　日曜日

祝田橋《いわいだばし》の受付を通過すると、あたりには参列徽章《きしょう》を胸につけた参列者のみとなった。緑が地方代表でこの数がもっとも多い。そして黄が海外同胞、青が民間功労者であった。風間振一郎も脇美津も青をつけていて、晴れがましい気分であった。

振一郎は、この十一月二日に制定されたばかりのカーキ色の国民服に戦闘帽、美津は白いローブモンタントで、こうして並んで歩むと、まことにチグハグなカップルだったが、それでも夫婦のように見えるらしく、振一郎に挨拶《あいさつ》する誰彼が異口同音「奥さまですか」と尋ねてきた。モーニング、五つ紋、黒留袖《くろとめそで》が大勢を占めるなかにあって、二人の服装は異色であり、すこぶる目立った。たまに、台湾服や朝鮮服の人がいて、人々を振り向かせると、振一郎は不快を眉宇《びう》にみなぎらせて、睨《にら》みつけた。

「前のほうの席を確保してあります」振一郎は美津を誘っていった。大政翼賛会の人たちが居並ぶなかを構わず前に出る。そこは式殿のほぼ真ん中、しかも前から五、六十列目で、殿内の様子がよく見て取れた。仰げば中央四曲一双の金屏風《きんびょうぶ》を背にした二組の御卓と御椅子《いす》は左が玉座、右が御座であろう。御卓には青地錦《あおじにしき》のテーブル掛、御椅子には紫のビロードが拝される。「まあ、こんなよい場所を」と美津は恐縮したが、振一郎は、自分の権勢からして当然の位置だと言うように、鷹揚《おうよう》に頷《うなず》いた。

「大きなものですね」と美津は式殿を見渡したが視野より食《は》み出す感じで、何がどうなっているのか見定められなかった。

「巨大でしょう。杉皮葺《すぎかわぶき》の寝殿造りですよ。藤原時代以来貴人の住宅形式だったものですな。間口が百七十一尺、高さが四十三尺もあります」

振一郎は隣のモーニングと話し始めた。美津は、あらためて式殿を見た。新しく建てられたものらしく木の香が漂い、太い柱の色が目に染む。朱の装飾旗がゆっくりと風に靡《なび》いて、銀色の槍先《やりさき》に映えている。

次第に周囲の席が人で埋まってきた。ためしに、後ろを振り返ってみて驚いた。男また男である。たしか五万人が参列すると聞いていたが、遠くの青白の幔幕《まんまく》の限りまで、大群衆である。この前の観兵式の将士が五万だったから、あれと同数の人たちが、すべて礼服で威儀を正している。大群衆が同じ一つの目的、紀元二千六百年の奉祝のために集り、同じ一つの思いで、陛下の御声を聴くのを待っている。きょうの式典はラジオで全国に放送されるが、玉音《ぎょくおん》だけは御遠慮申し上げることになっている。一億の民のなかで玉音を拝聴できるのは、ここに集う五万人の参列者だけなのだ。

紀元二千六百年について美津は正確に知っていたわけではない。ただ、今年になってから新聞が最大級の形容詞で、肇国《ちょうこく》以来未曾有《みぞう》の慶事だと書き立てるので、段々に大変な出来事だと思うようになり、とくにこの秋の奉祝行事については熱心に読んだ。めでたい、めでたいで、世間は大騒ぎだ。明治二十二年生れの彼女は、明治三十八年の日露戦争の戦捷《せんしょう》、大正四年の即位礼、昭和三年の即位礼などを知っているが、たしかにこんな風に国中が沸き立つような祝い事はかつてなかった。六合《りくごう》開都のその昔神武天皇が美豆髪麗《みずらうるわ》しく高御倉《たかみくら》に登らせ給いし紀元元年の盛儀より数えて悠久《ゆうきゅう》二千六百年、万世一系の皇祚《こうそ》を継ぎたまいし今上天皇陛下の御代は、国礎は世界無比、国体は幽玄、天壌《てんじょう》無窮の皇国で、今や大東亜共栄圏確立のために八紘一宇の精神をもって聖戦ここに四年の巨歩を踏んでいるという。何だかあんまり大袈裟《おおげさ》で有難すぎてこそばゆいのだが、自慢の秀才息子の敬助まで、その通りだと言うのだから多分本当なのだろう。それに、支那を白人の侵略から守るために満洲を独立させ、さらには支那全土から白人を追い出し、続いて大東亜の各国を独立させるという遠大な理想は、亡夫礼助の称えたアジア・モンロー主義の延長であり、日本は、まさしく礼助が熱烈に想い、予言した方向にずんずん動いているではないか。今年は全政党が解散して大政翼賛会に統一されたが、見回したところ、風間振一郎をはじめ礼助の息の掛った人たちが大勢いて、今や日本の政治の中枢《ちゅうすう》部で活躍している。こんな盛典に女の身で参列できることも亡夫の威光のおかげなのだ。

式殿のなかに人々が入り始めた。玉座、御座に向って右側に、文武の顕官と夫人たち、左側に、外国の大公使夫妻、さらに左翼に陸軍儀仗隊《ぎじょうたい》、右翼に海軍儀仗隊が整列を終った。今、亡夫が生きていれば、むろん首相か大臣で、わたしもあの殿中に登れたものを、と美津は口惜しかった。

ざわめきが、ふと足元の玉砂利に吸い込まれた。強風が渡るように帽子が脱がれる。振一郎はピカピカに剃《そ》り上げた頭を日に曝《さら》し、「陛下です」と一言美津にささやいた。宮城の奥でファンファーレが、何やら古代の森の角笛のように響いた。左手、二重橋の方角に車の音がする。儀仗隊の『君が代』吹奏、なんとこの曲は天皇陛下にぴったりなんだろう。やがて、また静まり返った。前の玉座は空のままだ。五分、七分、十二分……ふたたび『君が代』が始った。フロックコートに及び腰の大臣らしい男の御先導で皇后陛下が右側に出御《しゅつぎょ》された。黒のローブモンタントに帽子をかぶっておられる。あらら、優雅でらっしゃる。美津は自分も白ではなく黒にしたらよかったのにと残念がった。皇后陛下の御後ろには各宮妃殿下が続かれた。おや、近衛文麿首相、あの人大分肥《ふと》って貫禄がついた、の御先導にて天皇陛下、その御方だ、陸軍大元帥《だいげんすい》、初めて見る陛下も肥っておられる、ちょっと悠次に似た御体格で、玉座に着御され、御後ろの各宮殿下も入室された。

近衛首相が立御《りゅうぎょ》された両陛下の前に進み、「紀元二千六百年記念式典を開会いたします」と奏上した。「最敬礼」の号令。美津は前の紳士の尻《しり》に顔を擦《す》り付け、プンと強い樟脳《しょうのう》の匂《にお》いを嗅《か》いだ。陸海の軍楽隊が『君が代』を吹奏、五万の参列者が声を合せ、美津も合せ、幸福な思いにひたった。近衛首相が『寿詞《よごと》』を朗読した。

「臣、文麿、つつしみてまをす。伏してかえりみるに皇祖国をはじめ……」言葉がむつかしくて意味が解せない。とにかく、全身全霊で天皇陛下をうやまい忠誠を誓っていることはつかめた。総理大臣なんて、天皇陛下にとっては、吹けば飛ぶような存在に過ぎないのだ。

天皇陛下の勅語の御朗読。全員が頭《こうべ》を垂れる。甲高い、女みたいな御声だが、よく透《とお》り、大体はわかった。

「ここに、紀元二千六百年に、あたり、百リョウシュウショあい会し、これが慶祝の典をあげ、もって、肇国の精神を、コーヨーせんとするは、朕、ふかく、これをカショーす（茲ニ紀元二千六百年ニ膺リ百僚衆庶相会シ之レカ慶祝ノ典ヲ挙ケ以テ肇国ノ精神ヲ昂揚セントスルハ朕深ク焉レヲ嘉尚ス）……」

両陛下が御椅子に着御《ちゃくぎょ》。陸海軍軍楽隊の奏楽で東京音楽学校男女生徒数百名の『紀元二千六百年頌歌《しょうか》』の斉唱。「遠すめろぎの、かしこくも、はじめ給いし、オーヤマト……」

ここで一呼吸あったのち、近衛首相は正面階下に進み、両陛下立御。いよいよ、首相の発声で、「天皇陛下万歳」の三唱だ。美津は声を振りしぼったが、女の声音は男たちにはかなわない。万歳、万歳、三度目には涙が流れ自分が感激し切っていることに気付いた。

近衛文麿首相が、「テンノウヘイカア……」と叫んだ瞬間は、まさに午前十一時二十五分三十秒で、その声はラジオで日本全国に放送されるとともに、三宅坂大本営陸軍部裏庭と品川沖の儀礼艦沖島からは皇礼砲が打たれ、津々浦々のサイレンが鳴り、太鼓が鳴り、汽笛が鳴り、バスも電車も自動車も停《とま》り、全国民が両手を挙げて聖寿の万歳を三唱することになっていた。

小暮悠次は家に落ち着いておれず、今日だけは麻雀《マージャン》をやめて街の様子を見に出掛けた。そして、クライマックスの聖寿の万歳を、どこか記念になる場所で唱えようと銀座四丁目をうろついていた。初め宮城の見える位置を考えて日比谷公園に行ってみたが、公園から記念式典の幔幕までびっしり詰めた大群衆で一歩も進めず、引き返して新橋方面から銀座通りを、車道まで溢《あふ》れる人波を苦労して進んできた。百貨店には「奉祝紀元二千六百年」の垂れ幕、歩道の上には日の丸と軍艦旗、そして日の丸提灯《ちょうちん》の列。朝から酔った背広、祭りの法被《はっぴ》をまとったあんちゃん。車道を旗行列が通っていく。工員たちなのだろう、揃《そろ》いの作業服だ。学生たちのブラスバンドが行く。花電車が来た。街中が沸き返っている。ビルの窓、屋上、どこもかしこも人また人だ。みんな判で押したように笑顔を並べている。紀元二千六百年とは、かくも全国民にとって喜ばしい慶事なのだ。

サイレンが鳴った。太鼓が連打された。誰かが万歳を叫ぶ。その瞬間が来た。悠次は帽子を右手に握ると、「バンザアアイ」と両手をあげた、できるだけ派手に、忠良なる臣民小暮悠次ここにあると示すように。ビルの屋上、バス、市電、花電車、例外なく万歳だ。三唱なんてものじゃない。五唱、十唱、もうこれは歓喜の踊りだ。悠次は目の前の青年団の青年と肩を組み、片手で万歳をし続けた。

サイレンが鳴り市電は九段下をすこし神保町寄りに行った所で停った。車内で万歳の声がおこった。坐《すわ》っていた者は立って万歳をした。「おめえ、どうして、しねえんだよ」と、菊池透はとんび合羽《がっぱ》の恰幅《かっぷく》がいい中年男に肩を小突かれた。右の肩の下で木製の義肢《ぎし》がカタカタ鳴ったので、とんびは拍子抜けして「何だ、腕がねえのか」と舌打ちした。人々は万歳を繰り返し、菊池透は吊《つ》り革を左手で握ったまま、じっとしていた。するととんびがまた粘りつくような視線で透の左手を見、「左手はあんじゃねえか。左手で万歳ができねえのかよ」と詰め寄ってきた。すると人々が一斉《いっせい》に振り向き、警防団の制服の男が、「あんた、さっき、靖国神社の前でお辞儀しなかったな」と言った。

「なんだと」ととんびが一層勢い付いて、「おめえ、朝鮮か。何で変な真似《まね》しやがるんだ」と厚い体を押し付けてきた。熟柿《じゅくし》臭く、相当に酔っている。警防団のほうは、険しい目付きで、また言った。「神社に頭も下げない。天皇陛下の万歳もしねえ。非国民かスパイだぞ、こりゃ」「やっぱり朝鮮だな。ゆるせねえ」ととんびが、透の胸を摑《つか》んだ。「よせ」と透がその手を払うと、とんびは、「この野郎」と組み付いてきた。電車が動き出した勢いを利用して透が身をかわしたため、とんびは床にべったり倒れた。車掌が来て、「お客さん、車内では乱暴は困ります」と透に言った。

「ぼくは何もしてませんよ」と言い訳したとき、とんびが猛烈な勢いで起き上り、拳《こぶし》を透の顎《あご》に突き出した。透は歯をぐっと嚙《か》みしめて動かなかった。この程度の打撃は、軍隊でも警察でも馴《な》れっこだった。とんびは、「この非国民野郎」ともう一度殴り掛ったが、そのとき電車が神保町の停留所に停り、透は素早く降りると、一散に走った。さいわい、御輿《みこし》が出ていて大変な人出、人込みにまぎれて無事逃げおおせた。

街角で熱狂する人々を眺《なが》めながら、透は痛む顎を撫《な》でた。老いも若きも、大臣も小学生も、一般国民も軍人も、詩人も歌人も、全国民が、紀元二千六百年の笛に合せて踊り狂っている。困ったことにキリスト教徒までがその熱狂の渦《うず》に巻き込まれてしまった。十月十七日、青山学院で二万のキリスト教徒が集って開かれた「皇紀二千六百年奉祝全国基督《キリスト》教信徒大会」では、天皇賛美と支那事変を肯定する宣言を採択した。「神武天皇国ヲ肇《ハジ》メ給《タマ》ヒシヨリ茲《ココ》ニ二千六百年皇統連綿トシテ世々光輝ヲ宇内《ウダイ》ニ放ツ此《コノ》光栄アル歴史ヲ懐《オモ》ヒテ吾等《ワレラ》転《ウタ》タ感激ニ堪へサルモノアリ本日全国ニアル基督信徒相会シ慶《ツツシ》ンテ天皇陛下ノ万歳ヲ寿《コトホ》キ奉《タテマツ》ル……吾等基督信徒モ……進ンテ大政ヲ奉賛シ奉リ尽忠報国ノ誠ヲ至サントス……」さいわい、わがカトリックはこの宣言に賛同はしなかったが、カトリック教会の大勢が天皇賛美と事変協力と紀元二千六百年奉祝に傾いているのも事実である。

人波を掻《か》き分けて進みながら、透は限りもなく孤独であった。街頭でも教会でも戦場でも警察でもひとりぽっちだ。夏江と少数の神父以外は誰も彼を理解してくれない。痛むのは、顎ではなく心であった。近衛首相の聖寿万歳で打ち砕かれた心であった。

14

十二月初旬、北風の吹く寒い日曜日、木々の間に溜《たま》った落葉が乾いて騒ぐので始末することになり、小暮の一家は庭に出て竹の熊手《くまで》で枯葉の山を作った。ときやの発案で薩摩《さつま》芋《いも》を押し込み、火をつけて焚火《たきび》にした。やがて出来上った焼芋を子供たちは大喜びで食べた。日が傾き、寒さがつのったとき、男の子たちは芝生の上で相撲を取り、悠次は最近買った細い目の網を唐楓《とうかえで》の幹に張りめぐらして、ゴルフの練習をした。数年前、アイアンで紐《ひも》つきのボールを打つ練習をしているうち、子供の額を叩《たた》く事故をおこしてから、庭ではクラブを振るのをやめていたけれども、この新製品の網の中でなら安全と始めたのだ。

去年の夏、眼底出血をおこしてからゴルフやスキーはやめ、病気の原因となった糖尿病の治療のため食餌《しょくじ》療法を心掛けて十キロほど痩《や》せた悠次は、今年の春先からまたゴルフを再開していた。眼《め》のほうが痕跡《こんせき》を残さず治って、安心したためであったが、食事の節制がおろそかになったため肥り出したので、運動の必要を覚えたためでもあった。

三ダースほど打って、散らばったボールを拾い集めてまた打った。ウッドを使って、思い切り腰をひねって打つと、スコンという小気味よい音が凍った空気を割ったように響く。すこしく汗ばんできた。ボールが飛び込んだ網が花の形に光っては消える具合が面白い。

突如、網のむこうに赤い炎があがった。丁度焚火をしていたあたりが赤く立ち、家の羽目に燃え移ったようだ。「火事だ」と叫んだ。驚いている悠太に、「調べてみろ、どこか燃えてるぞ」と言い、つぎの瞬間、それが錯覚だったと気付いた。左の目を瞑《つむ》ってみたら炎が消えたのだ。「いかん、また病気がおこった」と叫んだとたん腰が抜けた。妻と女中に抱えられながら、ともかく安静を保つのが先決と蒲団《ふとん》に横になった。

時田利平の往診で、眼底出血の再発だと診断され、帝大付属病院の眼科に入院するまで、悠次は、自分の意思が失なわれ、岳父や妻の言いなりになっていた。とくに妻が、何くれと無く夫の病状を気遣い、三田への連絡から入院の手配まで、てきぱきと独りでやってのけたうえ、付添いとして病室に泊り込んできたのを、めざましい働きと見、そういう妻の意思に唯々諾々《いいだくだく》と従う自分は、まったくの宿六《やどろく》だと自嘲《じちょう》するのだった。

眼科の病室は、皮膚科や産婦人科に隣接した木造の平屋で、鉄筋コンクリート造り三階建ての、宏壮《こうそう》な外来病棟の裏側に打ち捨てられたように建っていた。丁度悠次の窓からは、砂利道のむこうに城砦《じょうさい》を思わせる病棟と、蟻《あり》のように立ち働く医師や看護婦がよく見え、こちらの病室は、ほとんど物音がせず静まり返っているのに、あちらは金具の触れ合いや患者の呼び出しなど、絶えず工場みたいにざわめいていた。

眼科教授は、去年最初の出血があったとき診察し、その後も外来で主治医を勤めてくれた人で、悠次の病状経過に精通していたが、それでも眼底鏡で一目覗《のぞ》いたとき、「おっ」と驚きの間投詞を洩《も》らして、悠次を極度の不安に突き落した。

「大分悪いでしょうか」

「そうですね。かなり広範囲の出血ですな」

「左側は全然見えないのです。盲になるでしょうか」

「いいえ、血液が吸収されれば大丈夫でしょう。そのためには安静第一、基礎疾患である糖尿病の治療のために食餌療法に専念が第一」と教授は言い、「肥り過ぎですな。最近、すこし不節制をしていませんか」

「はあ……すこしばかり、油断しまして」

「とにかく、わたしの処方した食餌を厳守してください」

砂袋の間に頭をはさみ、じっと動かずに寝る。タバコは禁止。間食外食は一切禁止で糖尿病食のみの摂取。苦しい入院生活が始まった。悠次がその苦しみに耐えたのは、まずは失明への恐怖のせいであったが、初江が終始そばに付き添い、食事から排泄《はいせつ》まで何くれと面倒を見てくれ、妻の手前、弱みを見せたくないと頑張《がんば》ったせいでもあった。何よりの苦痛はタバコ絶ちのための生欠伸《なまあくび》や焦燥であったが、初江が口に含ませてくれるスルメを噛《か》み、読んでくれる新聞や時代小説を聞いて、何とか乗り切り、一週間も経《た》つとむしろ頭の中が澄んできて、睡気《ねむけ》も焦《あせ》りも消えてしまった。

病気の原因は教授の言ったように最近の不節制にあったと思い当る。とくに、時田史郎が近所に越してきてからの生活が乱れ気味であった。まずは麻雀だった。

それまで麻雀と言えば、時折鵠沼《くげぬま》の佐々竜一《さざりゅういち》宅に土曜日曜泊り掛けで出向いていたものが、毎週史郎宅に招かれるようになった。そのうち、野本武太郎が大の麻雀狂とわかり、今度は野本邸の一室で卓を囲むようになった。故脇礼助が要人との密談に使ったという部屋は、ゴブラン織の壁掛に囲まれて防音が完璧《かんぺき》で、牌《パイ》の音が近所に洩《も》れる心配もなかったし、台所に近く、休憩時の酒食のもてなしにも便利であった。

飲ん兵衛の史郎は、フランス産の葡萄酒《ぶどうしゅ》やコニャックをふんだんに飲みまくり、下戸《げこ》の悠次は山積みで供されるハヴァナ葉巻を立て続けに喫《の》んだ。物資の欠乏した時代に、野本邸の贅沢《ぜいたく》は桁《けた》はずれで、ゲームが終ったあとも、二人は御馳走《ごちそう》を食べながらの雑談が楽しくてずるずると居坐った。桜子夫人は、ゲームには参加しなかったが、小宴には顔を出し、来合せていた女友達なども加わって、気の置けない話の花を咲かせた。

ある日曜日の夕方、悠次は千鳥足の史郎と野本邸を出た。目と鼻の先の時田宅へ送って行こうとすると史郎は、「いやだ。家には帰らねえぞ」と、反対方向へ歩き出した。「史郎さんよ。そいつはいけねえ。新婚早々の身だろう」と悠次は止めた。「あんな女房、女のうちに入らねえ」「まあそう言わずに帰りなさい」「いやだよ。あの女ときたら、一日中本の虫でさ、おれが帰ると読書の邪魔だってえ顔をしやがる」「どこへ行くんだよ」「吉原だよ。今から吉原へ行く。悠次さん、一緒に行こう」「ぼくはそっちの方面は不調法なんでね」「何だ、あんた、女房に満足してるのか。おめでたいよ……」結局史郎は、よろめきながら新宿の方へ坂を下って行ってしまった。

　あのとき、史郎と一緒に吉原へ行っていたらどうなったかと、あとで悠次は思い返し、ちょっと残念な気もするのだった。史郎と違って、彼は玄人《くろうと》女を買った経験がなかった。生来の小心から、花柳病への恐怖が強くて二の足を踏んでいた。が、この時代に常の男たちが、平気で出入りしていた場所への好奇心はあって、もしも病に感染する恐れがないならば、ぜひ一度遊んでみたいとは考えていたのだ。それに、春の一件以来、初江との仲が、どうもしっくりせず、このごろは夫婦仲がとんと疎遠《そえん》で、欲情をもてあましていたせいもあった。

　なみやが新宿三丁目の産婦人科医院で流産した翌日の夕方、会社の帰りに悠次が見舞うと、女はそっぽを向いて一言も喋《しゃべ》らず、大部屋でほかの患者の目もあって、立入った話もできず、封筒に用意した百円を「長い間、働いてくれた御礼だよ」と無理に押しつけて帰ってきた。しかし、悠次と入れ違いに医院を訪れた初江は、なみやから百円を突き返されて帰宅し、夫に喰《く》って掛った。

「どういうわけですか。わたしがせっかく丸く収めたのに、わたしに相談もなしに、百円なんて大金をあたえなさるとは」

「ほんの気持という意味だった……」

「お金では傷ついた心は治りません。それどころか、あの子の心をなお傷つけますわ」

「しかし、何とか、つぐないたいのだよ。つぐなわなければ、おれの気がすまない」

「そんなのあなたの勝手ですわ。お金でつぐなえるとお思いになるのが大間違い」

「じゃ、どうしたらいい」

「世の中にはつぐなえないことがあるのです。どうしようもありません」初江は啜《すす》り泣きしながら言った。「神様にしかお許しを請《こ》えません。でもあなたは神をお信じにならない」

「神か。そんな幻想に対して許しを請うても仕方がない。それより、今後のあの子の生活を心配してやるのが、せめてものつぐないだろう」

「それなら、あの子の面倒を一生見てやるべきです。それができないので、百円なんて一時金でごまかそうとなさる」

「ごまかすとは何だ。現在のおれにできる精一杯の好意を示したのが何が悪い」

「それでは、うかがいますが、今後、あの子に対して、しょっ中、精一杯の好意をお示しになるつもりですか。子供四人で家計も苦しいのに……一体、あなたがお渡し下さるお金だけで、この家の家計が成り立つとお思いですか。里の父からの援助がなければ、わたし、新しい着物一枚買えませんのよ。それなのに、あんな女に百円だなんて、ひどい」

「里の父……そんなことおれは頼んだ覚えはない。お前が勝手にやったことだ」

果しない言い争いとなり、悠次は居丈高《いたけだか》に怒鳴り散らし、初江はいつになく癇《かん》に障って泣き喚《わめ》いた。

翌朝、なみやは千葉の九十九里浜の里に帰ってしまい、午《ひる》近くに病院を訪れた初江も会えず仕舞いであった。なみやが、漁師の佐藤某と結婚したという父親の手紙が届いたのは六月の末だった。悠次は初江と相談して、結婚祝に五尺の桐簞笥《きりだんす》一棹《さお》と世間では品薄の木綿の反物二疋《ひき》を贈った。折り返し、父親から丁重な礼状が来たが、当のなみやからは何の音沙汰《おとさた》もなかった。ただ、父親の率直な喜びようから推して、なみやは親に真相を告げてはいないらしかった。

女の身が固まったと知ると悠次は安心し、すべては遠い過去になった気がした。ところで、一件以来、妻は夫の求めを嫌《いや》がる風で、無理に抱けば一応体は開いてくれたものの、まるで人形を抱いたときのような不満が残った。夫婦仲は、次第に疎遠になり、このごろでは、関係がすっかり跡絶《とだ》えてしまった。そうして、悠次は、何かの拍子に、なみやのしなやかな若い体を抱いた夢を見るのだった。

今も薄明のさなかで、悠次は、なみやのすべすべする柳腰を撫で回していた。しかし、熱い快感が下腹から前へと伝わってきたとき、ふと目覚めた。物は固く立っていたが、夢精はしていなかった。揚子江《ようすこう》のように長い罅割《ひびわ》れが見える。病室の天井だった。初江はもう起きていて、備えつけの歪《ゆが》んだ鏡で化粧をしていた。束髪を解いて肩に垂らした横顔が振り向いた。

「お目覚めね。もう朝御飯が来てますわよ」

「何時だ」

「八時十七分です。あなた、御小水は……」

「まだいい」本当は膀胱《ぼうこう》が張っていたのだが勃起《ぼっき》している前が恥かしかった。初江が濡れ手《ぬれて》拭《ぬぐい》で顔を拭ってくれた。寝たままで歯を磨《みが》き口を漱《すす》ぐ。左目の視野を調べる。さいわい血の濁りが淡くなって、灰色の霧の中にぼんやりと妻の表情が読み取れた。

「大分、見えるぞ」と声を弾ませた。

「あんまり、お動きにならないほうが……」

「そうだな」また砂袋のあいだに、ぐったりと頭を沈ませた。

朝食は塩水のような味噌汁《みそしる》に〝興亜パン〟というジャガ芋とメリケン粉混合のボロボロのパンだ。見ただけで食欲を無くし、一齧《ひとかじ》りでやめたが、瘠《や》せるためには好都合だった。

初江は掃除を始めた。と言っても、自分の寝ていた補助ベッドを悠次のベッドの下に押し込み、床頭台や窓辺のあたりを片付けるだけだった。体温、脈拍、血圧を量りに看護婦が来たあと、主治医の回診があった。まだ学生のような青年で、診察の手付もぎこちないが、悠次は神妙にしていた。

「先生、どんな具合でしょう」

「大分よろしいです」

「そろそろ起きてよろしいでしょうか」

「あと十日はなるべく安静にしていて下さい」

「十日ですか」悠次は嬉《うれ》しげに言った。入院以来すでに二十日も経っていた。あと十日ぐらいの我慢は何ともない。

「退院はいつごろになるでしょうか」

この問いへの答は、教授とよく検討したうえでと、保留された。

午後遅くになって、脇美津と晋助と悠太が見舞に来た。彼らが現れる直前まで、室内をそろそろと歩いたり、肩の凝りを初江にもんでもらっていた悠次は、急に砂袋で頭をはさんで仰向けになり、いかにも重病人でございという有様を見舞客に示した。

「それじゃ、ほんのちっとも動けないいんだね。辛《つら》いだろうね」と美津が言った。

「ああ辛いな。何で、おれだけが、こんな辛い目に会わにゃならんのか、天を呪《のろ》うな」

「焦っちゃ、病気に障るよ。悠ちゃんは、子供んときからせっかちだったからねえ」

「焦っちゃいねえんだ。しかしな、どうも左の目は盲になるらしい」

「それは大変」

「ああ、運命だ」悠次はか細い溜息《ためいき》をついてみせた。

晋助が持ってきた、山茶花《さざんか》に万両をあしらった束を初江が窓辺の花瓶《かびん》に活《い》けた。

「まあ叔父さん、元気出してください」と甥《おい》が言った。

「ありがとう。ところで晋ちゃん、仏印行きはどうした」

「あれは断りました。どうも暑い国は苦手で……」

「莫迦《ばか》だよ」と母親が言った。「兵隊になれば、どうせ南方行きかも知れないのに。いい話だったんだけどね。かわりに決まったのが、弓町のちっぽけな出版社、統制でいつ潰《つぶ》れるかも知れないっていうんだからね」

母親の愚痴から逃げるように晋助は初江と廊下に出て、立ち話を始めた。悠次は所在無い様子の悠太に言った。

「学校はどうした」

「もう冬休みだよ」

「そうだったな」

「おとうさん、目が見えなくなっちゃうの」悠太は今にも泣き出しそうな気色だ。

子供には嘘《うそ》をつけぬと、悠次は前言を取り消すことにした。

「いいや、大丈夫。随分よくなってるから」

「なあんだ」と美津が笑った。「驚かすんだから、悠ちゃんは」

晋助が顔を覗かせ、叔母さんと散歩してくると言った。悠太はすぐさま二人について行った。美津は椅子《いす》に腰掛け、弟に向って水入らずの口調となった。

「晋助には困ってるんだよ。就職とは名ばかりで、実際は喰えやしないし、もうすぐ徴兵されて二等兵だし、文科出ってのは甲斐性《かいしょう》がないねえ」

「幹候になればいい、時田の史郎みたいに。あれでも少尉《しょうい》だぜ」

「晋助にはその気もないみたいだよ。大学の教練はおさぼりで、配属将校には睨《にら》まれてるらしいし」

「仏印の件は惜しかったな」

「まったくよ。やっと風間に頼んで徴兵のがれの道を開いてやったのに、親の心子知らずさ」

「風間と言えば権力財力、ともに物凄《ものすご》いね。大政翼賛会の組織局長と石炭鉱業聯《れん》合《ごう》会常務理事と石炭統制会理事と三役を兼ね、帝国の政治とエネルギーを握っている」

「まあね。亡《な》くなった主人ほどの器量はないけど、やり手ではあるね。風間の縁戚《えんせき》であるせいで、敬助も陸軍では一目置かれているし……そうそう、この前の宮城外苑《がいえん》の式典を風間に見させてもらったよ」

「あれは見たかったな。ニュース映画ですこし見たけど」

「映画じゃわからないよ。それは大したもんだった……風間で思い出したけど、桜子がどうも晋助に気があるらしいんだよ。百合子がそう言ってたと敬助から聞いたんだけど……」

「桜子が……まさか……おれは最近野本家には足繁《あししげ》く麻雀通いしたけど、若夫人にそんな素振りは見えなかったな。たしかに派手で、コケティッシュだけど、ありゃ誰に対してもそうなんだ」

「わたしが家を留守にすると桜子が晋助を訪ねてくるんだって、はるやの報告だけど……」

「桜子が関心を持つのは金のある男だけだよ」

「そうでもないよ。この夏だって、逗子《おぼ》の海岸から晋助を蒸気船で連れ出して遊びまわったりした。あんときは、てっきり沖で溺れたと思って大騒ぎしたけど」

「ねえさん、おれの会社に電話してきて周章狼狽《ろうばい》その極だったな」

「桜子ってのは、振一郎の血筋で、思い切ったことをやらかす。だから心配なんだよ」

悠次は桜子の整った顔立ちを想《おも》った。風間の四姉妹のなかで一番の美人は百合子だが、どこか取り澄ました大理石の美を連想させるところがあったのに、桜子は目鼻立ちがはっきりして表情が豊かであった。末っ子として姉たちから子供あつかいされてきたため、子供っぽい言動が愛敬《あいきょう》として受け入れられるのをよく知っていて、舌足らずの話し方や甘えた仕種《しぐさ》をわざとしてみせる。着物を嫌い、丈の短いスカートから、すらりと形のよい両脚を出して大《おお》股《また》に動き回り、そういうところには初江やなみやに見られぬ魅力があった。

「ねえ、悠ちゃん」と美津は、唐突な風に言った。「病気のお見舞に来て、こう言っちゃ何だけど、眼底出血なんて天の恵みよ。あんた、目が悪けりゃ、絶対に兵隊に取られないんだから」

「変な慰め方だな」と悠次は苦笑し、それから真面目《まじめ》な顔付きになった。彼は近眼のため丙《へい》種《しゅ》合格だった。丙種ならまず赤紙は来ないと高をくくっていたところ、会社の同僚で丙種の者が召集された。事変の成り行き如何《いかん》によっては自分も危いのだ。で、美津の慰め方が強い実感をともなって聞えてきたのだ。

坂を降りかかると、枯枝越しの陽光がまぶしかった。照らされた初江は目尻《めじり》の青黒いくまが際立《きわだ》っている。

「疲れているようだね」と晋助が言った。

「疲れているのか、心配しているのか、わからないの」と初江は頰《ほお》の上に枝の影を移動させながら、ゆっくりと歩みを運んだ。池のほとりに来た。藤棚《ふじだな》と石橋がある。藤棚の下の石のベンチに腰をおろす。この前、プルーストを読んだ場所である。ハンカチをベンチにひろげると、初江はちょっとためらって、腰掛けた。

「もう、悠次さんの目は治らない気がするのよ」

「叔父さん自身がそう思い込んでいるだけだ。それに引き摺《ず》られて、叔母さんまで心配しても仕方がないよ。叔母さんのほうが元気で朗らかにしていれば、叔父さんの気も晴れるんだ」

「でも、治らない気がするのよ。わたしが悪いことをしたから、罰が当ったんだわ」

「考えすぎだよ」と晋助は、悠太を横目で見つつ言った。外套《がいとう》を着た小学五年生は、池の面《おもて》に張った氷の上に小石を走らせていた。カラカラという音が、梢《こずえ》に群がる鴉《からす》の無遠慮な鳴き声を押し除《の》けて快くひろがって行った。

悠太は岩の狭間《はざま》に厚い氷を発見し、今度は大き目の石を滑らせてはしゃいでいた。

切り下った池は薄墨の暗さであったが、丘の上はかえって明るい斜陽で華やぎ、並び立つ幹が立体を際立てている。

「この前、夏目漱石の脳を見た」

「本当の脳……」

「そう」

「気味が悪いわ」

「でもないね。むしろ爽《さわ》やかだったよ。大きくて立派で第一級の造化の妙だった。たしかに最初は無気味だった。しかし慣れると次第に美しく見えてきた。あの感覚の変化は面白い。それで思うのだが、人間の顔なんて見方を変えるとグロテスクで醜悪だよ。耳は珍妙な貝殻《かいがら》だし、鼻は不出来な軟体動物だし、どこかの宇宙人が見たら、奇々怪々で魂消《たまげ》ちゃうだろうね」

「わたしの顔もそう見えるの」

「いいや美しい」

「お世辞言わなくてもいいわよ。本当は奇々怪々なんでしょう」

女は顔を寄せてきた。白目はつやつやと真っ白に光り茶の瞳《ひとみ》は精巧な宝石細工のようだ。男どもの血管によごれた白目と濁った瞳とは大違いだ。瞳の中に彼自身が映っている。白く光るのは彼自身の目だ。その目の中にも彼女が映っている。合せ鏡の無限の映像だ。女の目の中の男、男の目の中の女。

「いやだわ、ひとの顔を穴のあくほど見詰めたりして……」

「きみの目の中にぼくがいる。きみの涙の海に浸って、あっぷあっぷ泳いでいる」

「危険な人ね」女は立つと、石橋を渡って、岸辺の道を、危っかしげな足取りで、たどった。逃げるよりも誘うふうで、濃紫《こむらさき》の羽織の背の、お太鼓の形を、いやにくねくねと踊らせた。

「下が湿っているから滑るよ」と追って行った男に、女はいきなり倒れかかった。わざと足を滑らせたようだ。女は男に抱かれたまま、しばらく息衝《いきづ》いたすえ、「誰かに見られるわ」と男の腕を抜け出した。椎《しい》の大木の蔭《かげ》で悠太は見えない。ただ、対岸の高みに陽《ひ》が明るかった。そこに人が現れれば、それは『三四郎』の世界だと思う。〝不図《ふと》眼を上げると、左手の岡の上に女が二人立つてゐる。女のすぐ下が池で、池の向ふ側が高い崖《がけ》の木立で、其後《そのうしろ》が派手な赤煉瓦《あかれんが》のゴシツク風の建築である〟〝ゴシツク風の建築〟は理学部の建物だろう。今もそのままに見える。〝さうして落ちかゝつた日が、凡《すべ》ての向ふから横に光を透《とほ》してくる。女は此夕日に向いて立つてゐた〟

「ねえ、初江さんを、あの明るい所に立たしてみたいよ」

「どうして」

「そうすれば小説の中の人物になって、自由に動かせるからね」

「あなた、昔、同じようなことをわたしに言ったわね」

「昔……いつのことだ」

「ずっと昔。ずっとずっと昔。ボヴァリー夫人、アルヌー夫人、サンセヴェリナ公爵《こうしやく》夫人、レナール夫人、アンナ・カレーニナは日本にだって存在しうるはずだ、わたしもそういう風になってほしいと言ったのよ」

「たしかに言ったな……」

「いつのことだったか、覚えてる」

「覚えてるさ」甘美な欲望が胸の奥底から下腹へと熱い蜜のように下って行った。太鼓が鳴り、その律動が欲望を刻み、魚の臭《にお》いと女の脂粉が混り合い、もう夢中で女の帯を解いていった。この機会を逃したら永久に彼女を抱く機会はないと思った。ところで、女に入りこむ瞬間まで、彼は彼女が拒否しやしないかと恐れていた。が、女は進んで身をまかしてきた。そうして彼は童貞を失なった。

「あのとき、あなたが言った西洋の女たちのうち、わたしが知ってたのはレナール夫人だけ。でも、名前を忘れずにいて、その後、彼女たちの登場する小説を全部読んだのよ」

「勉強したね。で、その成果は」

「有夫の妻の恋って、みんな不幸になるものだということがわかったわ。毒を飲んで死んだり、恋人を捨てて逃げだしたり、恋人から捨てられたり、ピストルで撃たれて重傷を負ったり、汽車に飛び込んだり、悲惨な結末ばかりなのね」

「だから、ぼくから離れたの」

「いいえ、あなたと離れたのは小説とは別よ。それはオッコのせいよ。オッコの幸福のためよ」

「はっきりしている。いや、段々にはっきりしてきて、今や明晰《めいせき》判明だ——オッコはぼくの子だ」

「アッ」と初江は鋭い叫びをあげた。叫びは小鳥の一声のように、池の面を飛んで行った。

「駄目《だめ》よ。それは言わないで」

「言わないという約束なんかした覚えはない。でも、ぼくが今まで黙っていたのは、一抹《いちまつ》、自信がなかったからだ。でも今は確信がある。ぼくはみんなの前で声を大にして宣言したくなったのだ、オッコはぼくの子だと」

「どうして、今になって……」

「ぼくは、もうすぐ兵隊に取られ、戦場に狩り出される。ぼくみたいに運動神経も体力も無く、まして軍人精神ゼロの兵隊は、迫害の憂《う》き目に遭ったすえ、第一線に追いやられ、殺されるに決っている。だから今生《こんじょう》の思い出に、自分の子をみんなに認めさせたい」

「何のために認めさせるの。みんなに認めさせなくても、オッコは父親の子として生き続けるわ」

「では、オッコをぼくの子と認めるんだね」晋助は初江に迫った。彼女はのけぞりながら香水の香りを残した。彼が彼女の胸元をつかもうとしたとき、彼女は頷《うなず》いた。

「そうよ、小暮央子は脇晋助の子よ。でも、このことは脇晋助と小暮初江のあいだの永遠の秘密よ。もしこの秘密が洩《も》れたら、わたし、あなたと永久に会わないわ」

「わかった、ありがとう」と晋助は頬笑《ほほえ》んだ。「それだけ聞けば、ぼくは安心して死ねる」

「おやめなさいな、死ぬなんて言葉を口にするの。不吉よ。兵隊に行った人がみんな戦死するわけじゃなし」

「強い予感がするんだ。ぼくは再来年徴兵の年に二十五歳だが、それより先の人生は、いくら努力しても想像できない。すぱっと真っ暗闇《くらやみ》なんだ。瀕死《ひんし》の人間が死期を確実に知るようなものだ」

「予感なんて当てにならないわ。どうせ当てにならないなら、ずっと生き続けると明るく考えたほうが得よ」

「いや、そうじゃない」と晋助は語気を強めた。「もうすぐ死ぬと覚悟したほうが人生は明るいんだ。病気、決闘、暴れ馬、死刑、そういうものを前にすれば人は短い時間を最大に生きるんだ。ぼくはね、はっきり言うよ、あなたを愛してる、と」

「まあ……」女は見る見る目をうるませた。涙の海の彼は溺れ、彼の目の中の彼女は目をうるませている。涙は頬に流れて下って行く。「わたしなんかもうお婆《ばあ》さんよ。晋助さんには沢山若い恋人がいるんでしょう。最近は桜子さんと大分お熱いようだし……」

「桜子とは何もない。あなただけを愛している。ずっとずっと昔と変らない」

「ずっとずっと昔に返るってわけね。それはできないわ。わたしは年を取ったのよ」

「ぼくだって年を取った。昔に返るんじゃない。新しい出発をすると言うのだ」

「考えさせて、しばらく……」

「いいとも」と晋助は朗らかに笑った。「いやとは言わなかった……いくらでも考えてくれ」

椎の大木を巡《まわ》った。悠太は、平らな石の上に氷を積みあげて城を作っていた。水を掛けると氷同士が凍り付くらしく、五十センチほどの天守閣が形を成している。しかし手は真っ赤だ。

「シモヤケがひどくなるわよ」と初江は子供の手を両の掌《てのひら》ではさんだ。「まあ、つめたい。

ここは寒いのねえ」

晋助はにわかに寒さを覚え、凍えた手に息を吹き掛けた。寒さは芯《しん》まで冷え切った全身から突き上げてきて、歯の根も合わぬ有様となった。見ると初江も震えている。二人の大人が笑い転《こ》けるのを、小学生は目を丸くして見ていた。


新田裏《しんでんうら》で市電を降りた三人は、薄闇の中を大通りを渡った。

「送って行くよ」と晋助は悠太に言った。

「独りで行ける」と子供は走り始めた。

「暗いから送っておやり」と美津が言った。

晋助は子供を追って走った。小学校五年生にしては中々速い。やっと門の前で追い付いた。石段を並んで駆けあがり、一緒に庭の木戸の前に来た。「晋ちゃん」と上から声がした。駿次が唐楓《とうかえで》の木末《こぬ》れで手を振っていた。下枝《しずえ》の研三は枝にすがりついて振り向きもしない。央子は縁側の硝子戸《ガラスど》の内側にいて、着せ替え遊びをしている。去年の誕生日に美津が贈った市松人形を大事に膝《ひざ》にのせて、晴着の帯を丁寧に締めている。ふと目をあげた。すこし出張った額の下の、まっすぐな鼻と長い睫毛《まつげ》が自分にそっくりで、晋助は今さらながらはっとした。今までは、自分と違う点ばかりを見ようと意識して努めてきたが、今は、まさしく今からは、違う。央子は自分の子なのだ。幼い子が立って硝子に顔をつけた。晋助は我慢できずに硝子戸を開け、子供の両腋《りょうわき》をつかんで抱きあげた。彼の腕の中で央子は笑っていた。「アアア

――」と駿次がターザンの呼び声を真似《まね》ながら、するすると幹を伝わっておりてきた。まるで猿《さる》だ。研三のほうは、小枝を一つ一つ握って用心深いおりかただ。

晋助は央子をきつく抱き締めた。力が強すぎたのか子供はびっくりして、踏んづけられた猫《ねこ》のような悲鳴を上げた。


眼科病室の夜は、木造家屋の常として、ときどき廊下のスリッパの音やドアの開け閉《た》てが伝わってはくるものの、院内の奥まった位置のせいで大通りの電車の音も響かず、水底《みなそこ》のような静寂に閉ざされていた。

夕食後の薬に睡眠剤でも入っているのか悠次は、初江が夕刊を読んでいるうちに、寝息を立て始め、やがてイビキを響かせる熟睡となった。所在ないまま、本を読むのを日課としていたが、今夜は、ふわふわと意識が漂い出して、すこしも読み進めない。晋助の一言、〝あなたを愛している〟がいたずら好きの妖精《ようせい》のように壁から天井へと駆けめぐり、ふと懐《ふところ》に飛び込んできては、乳房や腰や局所を愛撫《あいぶ》する。夫のそばではしたないと思い、何とか寒い外に追い出してしまおうとするのだが叶《かな》わない。自分はすっかり狂ってしまったと心配である。

夫の眼底出血が再発したのは、わが家に下された罰だ、第一夫が女中に手を出したりしたのも罰だ、その原因はおのれが犯した罪にあると、反省していたのが嘘《うそ》のように、男の一言がおのれを虜《とりこ》にしてしまい、体の隅々《すみずみ》には、男との二回の交情の感覚が、最初から最後までの経過をたどって、微細にありありと甦《よみがえ》ってきた。このように熱くなるのが恐しくて、彼から遠ざかっていたし、会っても当り障りのない会話ですましていたのが、今年になってから、彼のほうから、追い追い、近付いてくる気配があり、恐れて身をかわせばコケットリーと取られて、なおさらの接近、とくに秋口からは露骨になり、春のなみやの一件以来夫を避けて——嫌《いや》がって——いたわたしは、彼の凜々《りり》しい学生服姿、坊主頭《ぼうずあたま》となってかえって秀《ひい》でた額の形、軍人風のゴツゴツでも大方の学生のようなガリガリでもない、長躯《ちょうく》のスンナリに魅《ひ》かれ、怖《お》じ気半分喜悦半分となっていた。その最後の怖じ気が、すっと取れてしまったのだ。

　夫のイビキから逃げて、外へ出てみた。玄関より数歩歩くと濃い闇で足元も定かではないが凍《い》てつく風が頭を快く冷してくれた。満天の星は溜息《ためいき》をつくほどに見事である。悠太の、そして利平の喜びそうな星月夜《ほしづくよ》である。が、何か動物が走ってくる物音がした。野犬かも知れない。あわてて病室に戻った。

　補助ベッドに横になった。石炭ストーブの火が消えて、寒さが足の先から頭の芯へと放散してくる。睡気《ねむけ》がパチンと弾《はじ》けて消えてしまったようで、闇の中を明るい意識の急流が流れている。これからどうなるのだろう、これからどうしたらいいのだろう、と考えている先に晋助の影がすっくと立ち、急流に洗われているようだった。

15

翌年の二月半ば、悠次は退院して西大久保に帰ってきた。左眼の失明はまぬがれたが、所々に視野欠損が残っていて、書類などは読みにくかったし、ちょっとした動作でも錯覚をおこしそうで、用心のため、当分二階の八畳間を病室として休むことにした。朝夕の新聞読みは悠太が肩代りしてくれたし、食事や身の回りの世話はときやが受け持ったので、初江はようやく気を弛《ゆる》めることができた。

三箇月間家を留守にしただけで、こうも家の中が変化するものかと驚いた。ときやは女主人の気心に通じていて、料理洗濯《せんたく》掃除などはまめに遂行してくれていたが、整頓《せいとん》となると初江の気に染まぬことばかり、長火鉢《ながひばち》の向きが逆、卓袱台《ちゃぶだい》が斜め、子供部屋に到《いた》っては本箱も机上も落花狼藉《らっかろうぜき》、座敷の床の間の掛軸を替えなかったため日焼けして褪色《たいしょく》していたと、一々癇《かん》を立ててやり直さねばならなかった。それに、子供たちの勉強の監督はときやには無理で、放任されたため、悠太は学業はそっちのけで小説に読み耽《ふけ》っていたらしく、『世界文学全集』や『現代日本文学全集』が山積み、母が帰宅と知ってあわてて書棚《しょだな》に戻した分も天地が逆、順序がでたらめで、ばれてしまった。駿次や研三も漫画本や『少年倶楽部《クラブ》』のたぐいを読んでいたと見え、書取帖《かきとりちょう》や計算帖には何も書いていない。たった独り、自主性を発揮してヴァイオリンの練習を続けていたのは央子で、ホーマンの教則本の二巻まではあげてしまい、三巻目に掛っていた。その上、五月の温習会用の課題曲も、素人《しろうと》の耳にもすでに相当に弾きこなしていた。

ときやは、央子の週一回のレッスンに抜弁天《ぬけべんてん》の富士宅まで付き添って行き、先生から何度もお賞《ほ》めの言葉をいただいたと、まるで自分の功績のように話すので、ほかのことであれこれ文句を言いたかった初江も、女中の朴訥《ぼくとつ》な自慢話に、「そう、よく面倒を見てくれたね」と礼を言うのだった。

「いいえ」ととときやは赤黒くなり、もう玉の汗を額に吹き出し、「オッコちゃまが、はあもう、お上手なんで、大したものです。おうちでも、暇があれば、〝バイちゃん〟をお弾きになって、何て申しますか、それがお遊びで、夢中で、御飯ですよとお止めすると、おおこりになるくらいで、それは、はあもう……」と夢中で言いつのるのだった。

四月の新学期から小学校は国民学校となったが、その名称はドイツの真似だということで、この節は、なにごともナチス・ドイツが模範だった。日独伊三国同盟の盟邦、西部戦線の覇《は》者《しゃ》、パリ占領の電撃作戦のヒューラー・ヒトラー、と国民の人気も高く、国民学校生徒もドイツのヒトラー・ユーゲントのように規律正しくせねばと、六年生が指揮して集団登校が始まり、悠太がこの地区の生徒に号令を掛け、一列縦隊で学校へ行くのだった。

初江が悔しかったのは悠太が今度も級長になれず吉野牧人という去年転校してきたばかりの子に級長をうばわれ、副級長に甘んじなければならなかったことだった。昨年の一学期から成績ががたんとさがり、幼稚園児のとき頭をゴルフのクラブで打った後遺症が今頃《いまごろ》現れたかと気を揉《も》んだが、利平にその公算は少ないと言われ、結局、小説の読み過ぎと判定し、小説好き、読書好きのおのが性癖が影響したかと反省もし、まずは自分が小説本を遠ざけ、悠太をきびしく取り締ったが、それでも成績はさっぱり上らずにここまで来てしまった。

悠太の取り柄は、読書のおかげで難しい漢字を覚え《え》、文が立って綴方《つづりかた》では抜きん出ていること、克明な写生の技術を持って、飛行機や軍艦や戦車の弁別に闌《た》けていること、望遠鏡による星空観察のおかげで星座名に詳しいことなどで、あまり学校の成績には役立たず、来年に迫った中学の受験の準備をどうしたものかと、初江はやきもきし、何かにつけて長男を叱《しか》り飛ばした。

桜が散って、庭の木々が新緑を吹き出し、ぽかぽかした春の風が家中に充《み》ちている朝、男の子たちを学校に送りだしたあと、初江は、方眼紙に視野の欠損部分を写し取っている悠次に、「三田《みた》に薬を取りに行ってきます」と告げた。遅くなったときの用心に、ときやに夕食の献立につきこまごまと指示したすえ、大きなボストンバッグを持ち、央子の手を引いて家を出た。

新宿駅へ行くのに、新田裏から角筈《つのはず》まで市電の線路沿いの近道をえらんだ。それは枕木《まくらぎ》の脇《わき》の細い通い路で、危険なため通行禁止になっていたが、線路の両側には、チマチマした家並みが続き、人々の家を裏側からこっそり覗《のぞ》き見する楽しみもあった。軒端《のきば》に小さな八重桜が満開の花をつけている。何種類もの小鳥を飼っている家があって深山のようにさえずりを聞かす隣では、調子はずれの三味線が弾かれている。後ろから電車がやってきた。あわてて娘を道の端へ押し、「目をつぶって、動くんじゃないよ」と命じる。電車はチンチンと鈴を鳴らしながら通り過ぎた。幼い子はそれを悔しそうに見送りながら、「どうして電車、乗らないの」と尋ねた。「歩くと脚が丈夫になるでしょう」と母親は答えた。

角筈の停留所前で二人連れの主婦に千人針を請《こ》われた。初江は、一針を手早く縫った。木炭車のバスがまきちらした白煙で央子がむせた。中村屋にちょっと寄ってみる。パンを買おうと思ったが案の定ショーウインドーはからっぽだった。名物の花林糖《かりんとう》も無い。月餅《げっぺい》も饅頭《まんじゆう》も、およそ砂糖入りのものは何も無い。台湾製の乾燥バナナ、ジャガ芋入りの興亜パン、乾《ほし》柿《がき》が飛ぶように売れている。欲しかったが行列の長さに辟易《へきえき》してやめた。

食料品がめっきり乏しくなってきた。砂糖を筆頭に、小麦粉、卵、肉……と入手が困難だ。米も通帳制になってしまった。子供四人をかかえて食事の用意には毎回頭を痛める。手に吊《さ》げたボストンバッグは、三田でもらう食料品を入れる用意だ。さもしい心情だと思うが、里に行けば付け届けが余っていて、米、味噌《みそ》、油、ときには砂糖でさえもらえるのだ。

田町《たまち》駅を出て、慶応義塾大学横の坂道を下っていくと、左右の電柱は、すべて、「外科内科小児科レントゲン科性病科結核科歯科時田式紫外線療法室付時田病院　院長医学博士時田利平」の広告が整然と巻き付いていて、民家の低い屋根の上に、病院の巨大な建物群が、それ自体一つの街であるかのように迫《せ》り出してきた。わけても目立つのは、大増築した製薬工場で、利平の古い発明品である〝完皮液《かんぺーき》〟と〝完皮膏《かんぷこう》〟のほか最近開発した赤痢などの急性下痢の妙薬〝大東亜丸〟や熱帯性熱病の特効薬〝共栄散〟などを、軍需用に大量製産しているため、三本の煙突より黒い煙を吐き、空気抜きの丸窓がずらりと並び、あきらかに設計者が意図したように、軍艦そっくりの偉容であった。

病院玄関前で初江は思わず溜息をつき、今や敷地から溢《あふ》れ出しそうに積み重なった建物を、あきれて見回した。以前は、病院に着けば里に帰ったという懐《なつ》かしさや安らぎを覚えたものだったのが、このごろは、他人が建て、他人が占領している異国に来たような気がする。なるほどよく目を凝らせば、幼い時に見た窓や軒の残りが見分けられるけれども、壁は塗り替えられ、柱は補強され、大小の回転窓や屋根は複雑な切妻や破風《はふ》で変形されて、まるで別な様相を呈していた。

しかし、玄関を入ると待合室や外来診察室や薬局の様子は昔のままだった。床屋のように歯科用の椅子《いす》の並ぶ一角も変りはない。とくに変らないのは待合室の雰囲気《ふんいき》で、中央の硝子ケース内に飾られた、日本海大海戦時代の装甲巡洋艦八雲、壁に掲げられた東城鉦太郎の『三笠艦橋の図』の油絵模写、中央柱の利平の軍服姿の写真は、十年一日、その配置を変えていなかった。もっとも、模型の木は古び塗りは剝《は》げ、油絵も写真もすっかり色褪《いろあ》せてはいたが……。

そして待合室から廊下へと溢れる患者の大群も相変らずだ。時代を感じさせるのは彼らが、カーキ色の国民服や警防団服、モンペに筒袖《つつそで》と、一様にくすんだ服装をしていたことだ。患者の呼び出し役を勤めていたのは末広《すえひろ》婦長だった。初江を認めても知らん顔をしている。まだ三十代の半ばなのに、鬢《びん》が白く、すっかり肥《ふと》って、厚い胸を突き出して、患者たちに横柄《おうへい》な態度を取っている。「……さん、駄目《だめ》じゃない。さっき呼んだとき、いなかったね。込んでるんだから、いなけりゃ、つぎの人を呼ぶんだよ」

初江が薬局の前に来たとき、婦長はやっと〝お嬢さま〟に気付いて——と言うより、やっと気付いた振りをして会釈《えしやく》した。〝見て下さい、この忙しさ。つい気が付きませんでした〟

だ。

と言う表情で、何となくとっつきが悪い。前任者の間島《まじま》婦長などは決して見せなかった態度

事務室中央の大机に構えていた上野平吉事務長が、初江を見て飛び出してきたと思ったら脇を擦《す》り抜け、ふと振り返って、「やあ」と言うと、小走りに去った。右手に紙片をひらひらさせている。この人も、忙しげで、素っ気ないかと見ていると、しばらくして引き返してき、薬局受付の小窓から「小暮さまのお薬たのみますよ」と告げてくれ、初江に近寄って、莫迦《ばか》丁寧にお辞儀をした。

「お忙しいようね」と初江は言った。

「そうなんですよ。患者さんの待ち時間が長くて、この非常時に非常識だとお叱りを受けるんですが、困ったことで」

「でも御繁盛《ごはんじょう》で結構じゃないこと」

「いや、それが」上野平吉は浅黒い顔の中で赤い目を剝《む》いた。「そうでもないんです。人手不足に患者さんの大群ですからね。まずお医者さま、それから看護婦、事務員、みんな足りないんです。御覧のとおり事務長みずから給仕なみに使い走りですからね……」

突然、利平の怒声が診察室の中から轟《とどろ》いた。看護婦を怒鳴りつけているらしいが、患者を叱っているようにも聞える。縮こまったのは央子で、「こわいよう」と母親に抱きついてきた。平吉は、首を亀《かめ》のように肩の間にめりこませて、事務室に帰っていった。しかし待合室の患者たちにとっては、院長の大音声《だいおんじょう》など日常茶飯事らしく、誰も表情一つ動かさない。

「大丈夫よ。おじいちゃまの声は大きいの」と央子の背を撫《な》でてやってるところへ、久米薬剤師が出てきた。

「あら、オッコちゃま、いらっしゃーい」と身をこごめ、「薬できてます」と初江を見上げ、二人を中に招じ入れた。拡張されて、薬棚も器具も一新された薬局で働いているのは、しかし、久米ひとりだけで、ここも人手不足のようだった。

「これあげましょう」久米薬剤師は、コルク栓《せん》を削って作った家と、それに見合う背の高さ五ミリほどの豆人形を央子に渡した。豆人形は、目鼻立ちから手足の指まで丹念に彫られていて、央子は大喜びである。男、女、子供、それに馬もある。幼な子は夢中になって遊び始めた。

「みんな忙しそうなのね」

「ええ、そりゃ忙しいわよ」久米薬剤師は乳鉢の散薬を乳棒で掻《か》き回しながら言った。「働き手が無いし、職員は老齢化して仕事の能率が悪いしね。とくにお医者さまが、還暦過ぎと古稀《こき》過ぎ、一番若い副院長の西山先生でさえ、五十五ですからね。テキパキ診察はできない。看護婦も官立病院の停年退職者が多くて、のろのろ仕事をする。大《おお》先生がお一人で、いらいらなさってる。だから不眠症におなりになり……」久米薬剤師は、散薬を薬匙《やくじ》で薬包紙に分けながら、突然、乳鉢の内壁をカリカリ引っ掻き、声をひそめた。「これはお嬢さまだから言いますけどね、おお先生は、最近、モルヒネを常用なさってるの」

「モルヒネ……」と初江は息を呑《の》んだ。

「そう、麻薬のモルヒネ。坐骨《ざこつ》神経痛のためだとおっしゃって、持ち出されるんだけれども、一日に七筒もお使いになるのは変でしょう。七筒と言えば〇・七グラムの大量ですよ。神経痛ではなくて、もう完全な中毒におなりになっているわ。それは、院長先生が要求なされば一薬剤師としてこばむことはできないけど、もし患者用の麻薬流用がばれたら大事件ですからね……」

「困ったわね」

「今の病院には、誰もおお先生に意見を申し上げる人がいないのよ。おいとさんじゃ無理だし、第一、おお先生の中毒は、おいとさんのせいですからね。あの人、平吉といい仲なの」

「ええっ……」初江はまた息を呑んだ。

「これは、おお先生には絶対に内緒ですよ。おお先生は疑心暗鬼で、それで不眠症といらいらがひどくて、看護婦に八つ当りなさる。もし、真実をお知りになったら、もう大爆発、時田病院なんか吹っ飛んじまう。ところでわたしは、二人の跡をつけて、赤羽橋の旅館に入るのを見届けたんですよ。これは、わたしだけの秘密にしてるんだけど、どうやら職員たちも薄々勘付いたらしくて、噂《うわさ》が飛び交ってて、わたしに注進する者もいるの」

「どうしたらいいのかしら……」

「それですよ」久米薬剤師は薬包紙で薬を包み始め、初江も手伝う。「二人の仲はそう深いものじゃないと、わたしは見ています。平吉が出て行けば、あるいは、平吉を追い出せば一件落着じゃないですか。そこまでに、どう持って行くか。それから、おお先生のモルヒネは、何とかお止めしないと、大事に到りますよ。直言できるのはお嬢さましかいない」

「わたし……駄目よ。夏っちゃんなら出来るかも知れないけど」

「夏江お嬢さまにこの件お話したら、やっぱり同じことをおっしゃいましたよ。初江おねえさんなら出来るかも知れないって」

「夏っちゃんは知ってるのね。それなら……」

「そうです」と頷《うなず》き、久米薬剤師は、包み終えた薬を薬袋《やくたい》に入れると、患者名を呼んで渡し、つぎの調剤に掛りながら、後を続けた。「初江お嬢さまと夏江お嬢さま、お二人が揃《そろ》って、おとうさまに御意見なさる、それが一番だと思いますわ」処方箋《しょほうせん》を見ながら薬瓶《くすりびん》を棚から出し、薬を天秤《てんびん》で計っていく。話しながらでも、手は素早く正確に動いている。

「それに史郎さんを加えて……」

「史郎坊っちゃまはいけません」と久米薬剤師は強く頭を振った。「かえって逆効果です」

「そうかも知れないわね。しかし、女の姉妹だけでは心許《こころもと》ないわ。全然自信ないわ」

「ほかに方法がありません。黙っていれば、時田病院は、いまに破滅ですわ」

「モルヒネ中毒てのはどうなるのか、すこし研究してみるわ……」と言ったとき、いきなり、利平が入ってきたので、初江は腰を抜かさんばかりになった。冷汗が腋《わき》の下から染《し》み出す。

「やあ、来ちょったか。お、オッコ嬢や、よう来たな」利平は央子を抱き上げた。「おお、重うなった」

以前利平を怖がっていた央子も、このごろはおとなしく抱かれて、頬摺《ほおず》りされるとこそばゆげにのけぞって、笑い、「おじいちゃま、さっきさ、どうして怒ったの」と物怖《ものお》じせずに尋ねた。

「怒ったじゃと……おれがか、はて」

「おじいちゃまの声は大きいから怒ったように聞えたのよ」と初江が言った。

「あれか」利平は思い当った。「あれはな、看護婦が消毒済みの綿球入れに不潔なピンセットを突っ込みよったんじゃ」

央子はきょとんと祖父の顔を見ていて、今度は口髭《くちひげ》を撫で、「どうして、ここ白いの」と尋ねた。

「これか……おじいちゃまには、特別に、神様が白くしてくれるんじゃ」利平は央子をおろし、初江に、「小暮の目はどんな具合じゃ」と言った。

「大分、視野が元に戻ってきました。東大の先生は、ほぼ完全に治るだろうとおっしゃっています」

「そりゃ、重畳《ちょうじょう》じゃ。あとで、ちょっとお前に話がある。今は……」と懐中時計を見、「十一時三十七分か……よし、正午きっかりに発明研究室に来い」利平は、消毒薬の匂《にお》いを残して出て行った。

「びっくりしたわ」と初江は嘆息した。

「大丈夫」と久米薬剤師がウインクした。「この部屋は完全防音、それにおお先生、ちかごろお耳がすこし遠いの。ね、お嬢さま、チャンスよ、さっきの件、ちょっと御意見して」

「できないわよ、わたし一人じゃ……」と言いながら初江は利平の折入った話は何かと気掛りだった。

久米薬剤師はオブラートにヨーチンで目をつけて掌《てのひら》にのせ、央子の前に差し出した。オブラートは掌の熱でくるっと巻き物になり、ついで開いて転がり、まるで動物が身をくねらせるようで、央子は面白がって笑った。

央子の世話を久米薬剤師に頼み、初江は奥へ行った。食堂では、看護婦たちがもう昼食を摂《と》っていた。お櫃《ひつ》を入れる穴のあいたテーブルと箱膳《はこぜん》は昔のままだ。看護婦たちは一様に年寄りで、顔馴染《かおなじ》みはおらず、こちらを不審そうに睨《にら》みつけてき、炊事場からおとめ婆《ばあ》さんが、「あーら、小暮の奥さま、いらっしゃいませ」と言ってくれなければ、追い出されかねまじき空気であった。

二階へ行こうとして驚かされたのは、登り口が頑丈《がんじょう》な板でふさがれ、ドアが取り付けられていたうえ、「時田利平、時田いと」の表札が掲げられ、呼鈴のボタンまで備わっていたことである。把手《とって》を引くとドアは簡単に開いたが、無断で入るのはためらわれ、結局呼鈴を押した。すると、「どなた」と、ラッパ状の筒からいとの声がした。「小暮初江です」とラッパへ答えると、「どうぞ」と言われた。あとで知ったのだが、これは軍艦の伝声管のお古を利平が利用したものだった。

割烹着《かっぽうぎ》姿に日の丸鉢巻《はちまき》のいとが出迎えてくれた。あたりには同じ身形《みなり》の女たちが、むんむんする熱気を発散して犇《ひし》めいていた。

「慰問袋を作ってるの」といとは得意げに言った。

女たちは、百人はいるようだ。まあよくぞ詰めこんだとびっくりするほどに犇き合い、慰問袋と印刷された布袋に手拭《てぬぐい》、絵葉書、缶詰《かんづめ》、その他こまごまとした物品を詰めていた。〝お居間〟、座敷、元の夏江の部屋など、襖《ふすま》を全部取っ払って連続した空間にしてある。いとは麻布聯隊《れんたい》区国防婦人会副支部長として一同の指揮を取っていて、女たちのあいだを渡り歩いた。百人の女たちが、同じ割烹着に同じ日の丸鉢巻で、せっせと働くさまは、自分たちと違う身形の者を弾《はじ》き出す排他の気配に充ちていて、初江はすぐさま逃げ出したくなった。が、階段を下り始めると、いとが追ってきた。

「御免なさいね、お茶も出さず。お昼には終るから、ゆっくりお話できるわ」

「いいえ、お忙しい所を失礼しました。また来ますわ」と初江は、とんとん弾みをつけて、階下へ行き、ドアをきっちりと閉めた。すると、食堂正面の大きな振子時計（酒屋の〝津の国屋〟より贈られたので、子供の時から〝津の国時計〟と呼んでいた）が正午を打った。初江は、父の命令を思い出し、地下の発明研究室へ急いだ。

レントゲン室の隣の鉄製ドアの上に赤ランプが点《とも》り、利平が地下にいることを示していたので中に入り、鉄の螺旋《らせん》階段を降りた。数個の裸電球に照らされた穴蔵は、不規則な壁や大小の工作機械のために、いたる所に闇《やみ》を保って、錬金術師《れんきんじゅつし》の研究室さながらの面妖《めんよう》な趣きであった。利平は、白衣のまま仕事机に向っていたが、くるりと回転椅子を回して初江に向き合った。

「ここは、変りませんわね」

「お前もしばらく、ここに来んな」

「ええ……あら、あんな所に新しい部屋が……」新しく掘削したらしい大きな穴蔵が見えた。煉瓦《れんが》で壁と天井を固め、まるでトンネルのようだ。

「防空壕《ぼうくうごう》じゃ。いざと言うときには、全職員と全患者が逃げこめるだけの広さがある。製薬工場の前に入口が開いちょる」

「防空演習だの防空壕だの、世間では大騒ぎですけど、本当に空襲なんてあるんでしょうか」

「英米と戦争になればありうる」

「英米と……恐ろしいですわ。もう、これ以上の戦争は嫌《いや》です。食べ物が無いのですもの。子供四人をかかえて、米もパンもバターも、チョコレートもキャラメルもない。さっき中村屋に寄ったら、お菓子類は何もないんです」

「米と小豆が大分ある。持って行け」

「そんなつもりで言ったのでは……」初江は赤くなった。「ところで、何か御用ですか」

「まあ坐《すわ》れ」利平は無骨な木椅子を指差した。初江が着物が汚れやしないかと、恐る恐る腰を下ろすと、利平はせっかちに切り出した。「史郎がひょっこり来よってな、離婚したいなどと言うちょる。薫という女と、どうしても馬が合わん、顔を見るのも、声を聞くのもいやだと言う。史郎んとこへ話を持って行ったのはお前じゃから、まずお前の意見を聞きたい」

「そんな大事なこと、いきなりおっしゃられても、御返事のしようがありませんわ」

「史郎は薫の悪口ばかり言うが、薫というのは、お前の見たところどんな女じゃ」

「どんなだと言っても……控え目で、遠慮深くって、無口で……要するにおとなしい人です」

「冷たくて陰気だとも言えるな。家事をおろそかにして、本ばかし読んどるそうじゃないか」

「陰気かどうか……本は好きですね。たしかに整頓《せいとん》はできない人です。家の中はごたごた。整理整頓の好きな史郎ちゃんには気に入らないかも知れません」

「気に入らんどころか嫌《きろ》うちょるようじゃ。どうだ、史郎の家庭の事情をすこし調べてくれんか」

「調べろと言われても、夫婦間の微妙な秘事は、わたしにはさっぱり……」

「史郎は結局迷うちょる。だから相談に乗ってやってくれ。本来なら女親がその役目をするんじゃが、いとには無理じゃ。おれの希望では、何とか丸く納まれば結構じゃがの。史郎まで離婚となると、夏江に続いて二つ目で恰好《かっこう》が悪い。うまく行っちょるのは、お前んとこだけじゃ。悠次との仲はいいんじゃろ」

「はあ……まあまあです」

「悠次の眼病は夫婦の絆《きずな》を強めるよい機会じゃ」

突然、利平はあくびをした。娘の前では遠慮なく大口を開けて涙を流す。立て続けに三回もする。初江は、父のモルヒネ常用の件を思い出し、その健康を心配した。いずれは夏江と一緒になって父を諌《いさ》めねばならないが、その機会を作れるのはいつになるか。今だ、今言ってしまおうと、とっさに決心した。

「おとうさま、お顔の色が悪いわ。肌《はだ》が乾いて、パサパサ。どこかお悪いんじゃないの」

「そうかな」利平は、姿見に顔を映して見入った。「そうでもないわ」

「お怒りになっちゃいやよ。さっき、お久米から聞いたんです。モルヒネをお使いになってるそうじゃないの。それ、管理のうるさい麻薬でしょう。中毒におなりになったら、大変です」

「お久米がそう言ったと、余計なことを」利平は鼻息も荒く口髭を震わした。爆発の前兆である。「医学のことはお前にわからん。モルヒネは必要があるから用いる」

「やっぱりお使いになってるのね」初江は、自分でも思い掛けず、泣き出した。「おとうさま……わたしの、大事な、おとうさま……モルヒネなんかで……命を縮めるの……おやめになって……いつまでも健康で……丈夫で……長生きを、して下さい……」初江は大声で泣き崩れた。

「初江」と利平は、彼には珍しく、しんみりと言った。「ようわかった、心配するな。モルヒネはな、制限して、つこうちょる。大丈夫じゃ、中毒にはならん」

「もうお使いにならないで」

「使わん。な、もう泣くな。いや、こんところ、不愉快事が重なりよって、まるでもう雪崩《なだれ》のようにやって来よって、不愉快を鎮《しず》めるためについ、つこうたが、やっぱり、お前の言う通り、いかんな……」利平は、背を丸め、弱々しく溜息《ためいき》をついた。白い眉毛《まゆげ》が長く、口のまわりに皺《しわ》が多く、父はめっきり老い込んだ。初江は、また悲しくなって、涙を溢《あふ》れさせた。

鉄扉《てつび》をけたたましく叩《たた》いて入ってきた末広婦長が、手摺りから身を乗り出した。

「おお先生、岡田が梯子《はしご》から落ちました」

「なにい」利平は、電流を通じられた電動人形のようにピンと立ち上ると、つぎの刹那《せつな》には螺旋階段を駆け上っていた。初江が上に出たとき、丁度担架の岡田爺《じい》さんが手術室内に運ばれる所だった。医師や看護婦がつぎつぎに室内に消える。

久米薬剤師が初江を手招きした。

「サナトリウムの通風孔を修理するんで、高梯子に登っていて、足を踏みはずしたんだって。頭を打って、人事不省、西山副院長が〝もう助からんわ〟と言ってました」

「気の毒に……」

「あの爺さん、もう七十過ぎなのに、棟梁《とうりよう》の責任感が強くて、若いもんにまかせられんと、何でも自分でやる。それも朝酒ひっかけて、酔っぱらってやるんだから……増築改築で、このところ出ずっぱりの大活躍でしたからねえ」

利平が西山副院長を従えて手術室から出てき、集っている一同に告げた。

「岡田は死んだ。頭蓋骨《ずがいこつ》骨折で即死じゃった。ま、そういうことじゃ」

利平は、一転、肩を落とし、いかにも萎《しお》れ切った後ろ姿を見せながら去った。やがて、発明研究室の鉄扉を閉める、グワンという激しい音がした。奥から国防婦人会の面々を引き連れたいとが現れ、平吉事務長の報告を受けていた。手術室から運び出された白布のむくろに職員たちは手を合せた。

「お久米さん、ねえあそぼ」と央子が、場違いに朗らかな大声で言った。


西大久保に帰った初江は、悠次に薬を渡し、岡田大工の急死事件を報告したが、史郎の離婚話は黙っていた。ともかく夫は自分の眼《め》の療養に心を奪われていて他人のことに関与する気力はないと見極め、まずは弟に直接当ってみて、大体の結論を得てから夫と相談するのが順序だと判断したからである。しかし、史郎は毎日の帰宅が遅いうえに、土曜の午後から日曜日一杯は麻雀《マージャン》のため野本邸に入り浸っていて、なかなか会えない。何度か訪ねて史郎に会えず仕舞いだったすえ、五月上旬の土曜日の午後、時間を見計らって史郎宅の近くをうろついたあげく、やっと会社帰りの弟をつかまえた。

「ねえさんか、脇さんとこへ行ったのか」

「いいえ、史郎ちゃんに話があるので網を張ってたの」

「何の話だ。じゃ、家へ来いよ」

「お宅じゃ話せないの。ざっくばらんに言うわ。このあいだ、と言ってももうひと月も前だけど、おとうさまにお会いしたら、史郎ちゃんが……」人が通り掛ったので初江は口を噤《つぐ》んだ。通り過ぎるのを待って、弟に耳こすりした。「離婚したいなんて言ってると、心配してらした。一度相談に乗ってやれと言われたの」

「それはありがとう。まあ、ひでえ女で困ってら」

「どう困るの」

「立ち話も何だから、どこかで……まあいい、うちに来い」

「だって薫さんがいるでしょう」

「いたっていいさ。応接間で話せば聞えやしねえ。いや、あいつに聞えたっていいや。それにさ、うちに来てみりゃ、おれの困る訳もわかるさ」

玄関の格子戸《こうしど》を開けると鈴が鳴った。史郎が、「帰ったぞ」と言っても中からは返事もなかった。夫が帰るときは玄関まで出迎えて、「お帰りなさいませ」と敷居に手をつくのを習いとしている初江には、薫の夫への仕打ちが随分の無作法に見えた。

「薫さんいないのかしら」

「いるさ。本を読んでやがるんだ」

襖を細めに引くと、果して薫は縁側の机に向っていた。史郎は洋服簞笥《だんす》の前で背広を脱ぎ始めた。夫の着替えを手伝う習慣の初江は、「薫さんを呼ぼうか」と気を揉《も》んだ。

「ほっとけ。あいつが手を出すと、とんでもねえ替え着を引っ張り出しやがる」

史郎はチェックの運動シャツに茶のジャケットを着た。体格のよい体にぴったり決った服装だ。

「おい、初江ねえさんが来てる。紅茶たのむぞ」と史郎が言うと、やっと薫は顔をあげたが、本のページに貼《は》り付いていた視線を、心ならずも引き剝《は》がすように緩慢な動きであった。飛び出た目を度の強いレンズが覆《おお》い、蛙《かえる》が眼鏡を掛けたような滑稽《こっけい》な顔付きである。

「お邪魔しますわ」と初江は薫に近付き、彼女が読んでいたのが分厚い洋書であるのを見て取った。相も変らず室内は無秩序そのものだ。廊下にも畳にも書物、雑誌、新聞、木箱、セーターの類《たぐい》が所嫌わず散乱し、障子は破れ硝子《ガラス》は埃《ほこり》まみれ、打ち捨てられた廃屋のようだ。応接間はもっとひどく、ソファに林檎《りんご》箱《ばこ》が積み重ねられ、テーブルにも古着、毛糸玉、それに菓子折や海苔《のり》缶《かん》の山と言うわけで、まるで雑品倉庫さながらだ。

「な」と史郎が頷《うなず》いた。

「ほんと、これは随分ね」と初江は合点した。

「おれの気持がわかるだろう」

「史郎ちゃんは大の綺麗《きれい》好きだものねえ。どうなの、これ、言っても駄目《だめ》なの」

「駄目だ。軍隊の鬼班長みたいに、何回かぶっ飛ばしてやったが、効き目はとんとねえ。涙一滴出しやがらん。泣かねえ女ってのは、まるで可愛《かわい》げがねえや。あんなの抱く気になれねえ。で、商売女と遊ぶ。金がかかって、しゃあねぇや」

「そんなことしてるの」

「今に始まったことじゃねえ、昔からだ」

「でも新婚家庭じゃないの」

「結婚後正味七箇月。もう新婚じゃねえ。それに、女遊びを継続するのは、あいつとの最初からの約束だった。約束破りはむこうだ。朝風呂《あさぶろ》を毎朝沸かすと言ったのに、読書で宵《よい》っ張りとくるから大寝坊しやがって、朝風呂どころか朝飯さえ作らねえ」

「ひどいわね」

「ねえさんもそう思うだろう。で、おりゃ親父《おやじ》に相談に行った。親父も離婚は仕方ねえかなと言ってくれたが、いとがすぐ塚原巳之介教授に通報したもんで、教授先生、神戸からすっ飛んできて、何とか娘を離縁しないでくれと額をそこの、きたねえ廊下に擦《す》りつけやがった。一人娘の良縁を無にしたくねえ、持参金として、遅ればせながら津山の山林を娘にやってもいいなんて言う。しかし教授先生も家の中を見て驚いたらしい。散々《さんざっ》ぱら叱り付けて片付けさせたけどな、それもご覧の通り元の木阿弥《もくあみ》だ。紅茶は遅いな。まあ、いいや、出よう」

「どこへ行くの」

「野本邸で麻雀だ。いけねえ、遅くなった」史郎は席を蹴立《けた》てた。ドアの外に、盆を持った薫がいた。立ち聞きをしていたらしい。

「もう紅茶はいらねえ。出掛ける」と史郎は邪険に言った。初江はあわてて跡を追った。

野本邸の車寄せまで来たとき、史郎が言った。

「おりゃ、別れる決心はしてる。ただ、塚原教授が、あと五箇月待ってくれ、離別するならせめて結婚後一年は一緒に暮してくれとくどく言いやがるから、まあ待ってやろうかと思ってる」

「そんなんでいいの」

「今すぐも、五箇月後も、おれにとっちゃ、おんなじだ。五箇月後なら手切金がすくなくてすむらしいから、その方が得だもんな」

かすかなヴァイオリンの調べが、母屋《おもや》の端の脇家から聞えてきた。晋助である。野本邸に入った史郎と別れ、隅《すみ》の枝折戸《しおりど》を入る。細い木の下道を進むごとにヴァイオリンの音は大きくなり、ふと消え、玄関前に立ったとき、中から「どうぞ」と晋助の声があり、戸が開かれた。

「お邪魔……」

「ちっとも。さいわい誰もいない。お袋は帝大病院、はるやは仕立物を届けに若松町の兄貴んちへ行ってる」

「おねえさま、ご病気……」

「吉野大使の息子を見舞に行ったんだ」

「あ、吉野牧人君ね。その子、悠太のクラスメートなの。この前悠太もお見舞に行ったわ。どこが悪いのかしら」

「知らない。でも、もう助からんそうだ。まあ、あがれよ」

「お気の毒……」初江は玄関口で躊躇《ちゅうちょ》していた。晋助と二人きりになるのをずっと避けていた。脇家へも、美津が在宅しているときだけ訪ねるようにしていた。それがヴァイオリンの音に誘われて、うかうかと来てしまった。

晋助は若葉色のポロシャツを着て、毛深い腕を剝《む》き出しにしていた。その腕に抱き止められた、池のほとりの大木の翳《かげ》りのさなかの官能が、不意打ちに体中から湧《わ》いてきた。

二階へ上っていく男の長身から、透明な蜘蛛《くも》の糸が吐き出されて搦《から》め取られるような気持で女は一段一段と登って行った。晋助の部屋は、三脚の椅子《いす》と譜面台とヴァイオリンを置いた小机だけのがらんとした空間になっていた。

「本や机はどうしたの」

「隣の部屋に移した。ぼくは現在二階を一人で占領している。寝室、書斎、そしてここが音楽室」

「これ、今度の温習会の曲ね」初江は楽譜の表紙を見た。バッハの無伴奏ヴァイオリンのための、『パルティータ第二番』ニ短調だった。五月十一日の日曜日に、芝白金《しばしろがね》の聖心女子学院の講堂で、「富士彰子ヴァイオリン教室演奏会」があるので、央子もバッハの『協奏曲イ短調』をこのところ毎日練習していた。

「あと一週間だからね、必死でさらっている」

「さっき道を歩いていたら偶然聞えてきた。あなた物凄《ものすご》く上達なさったわね。聞き惚《ほ》れて、ついここへ来てしまったわ」

「偶然……つい……最初からぼくに会いに来てくれたのじゃなかったのか」

「残念でした、違うのよ。史郎さんとこを訪ねた帰り」

「わが喜びは半減だが、それでも来てくれた。嬉《うれ》しいよ」

「弾いて下さらない、わたしのために」

晋助は、弓毛に松脂《まつやに》を丹念にすりつけ、ヴァイオリンの指板を高く構えると、しばらく弾いていたが、つっかえて、また最初から弾き直し、今度は調子に乗ったらしく、先へ先へと演奏して行く。彼の背後には、めっきり濃くなった菩提樹《ぼだいじゅ》の葉がそよぎ、藤《ふじ》の花房が、池のほとりで見た藤棚《ふじだな》が、今、開いたかのように重々しく揺れ、楠《くすのき》の巨木からわくらばがパラパラとトタン屋根に降っていた。音楽が春光をやわらかく包み、初江の胸は切なくなって目がうるみ、晋助が揺らめいた。

音楽が終った。すべては色褪《いろあ》せてしまい、男の淋《さび》しげな影のみが残っていた。

「よかったわ。晋助さん、音楽の才能が豊かね」

「ぼくは空《むな》しいのさ」と彼は楽器の響板を撫《な》でながら、眉根を寄せた。「この曲をあげるため、この一年、夢中になって練習してきたけれど、それが何になる。どうせ、ぼくは先行き短い人生だ。音楽も文学も、未完成のまんまで終ってしまう」

「あなたは今のまんまで素晴しいわ」

「何か、たった一つのものでも完成していればね——一行の詩、一句、一首でもいい。それが完成していればいい。しかし、ぼくには何も無い」

「そんなこと言えば、わたしだって何も無いわ」

「あなたは四人の子供の母だ。それは大変な完成だ……ぼくは」

「愛があるわよ。わたし、あなたを愛してるわ。わたしにとって、今のまんまのあなたが、完成されてるのよ」

「ありがとう。ぼくだって……」

「それなら、素晴しい完成じゃないの。ね、今がすべてで、それでいいのよ」

女が男の胸に飛び込むのと、男が女を抱き締めるのと、同時であった。長い接吻《せっぷん》のあと女の体はふわふわと空中を運ばれて行き、やがて畳の上にそっと下ろされた。男はゆっくりと帯を解いて行き、女は体を浮かせて手伝った。男が女をふたたび抱き締めたとき、女は波の音や戦車の轟音《ごうおん》の彼方《かなた》に、楠の大樹のわくらばの屋根を打つ雨音に似たざわめきを、音楽の調べのように聴いていた。

16

五月十一日の日曜日、芝白金三光町《さんこうちょう》の聖心女子学院講堂で富士彰子教室の演奏会がおこなわれた。朝の十時、幼少組の演奏が始まり、七番目が央子であった。

白い蝶形《ちょうがた》のリボンを髪に飾り、空色の手編みのセーターを着た幼い子は、安っぽい玩具《おもちゃ》かと見える楽器を構えて、前の六人と同じく鋸《のこぎり》の目立てを聴かされるものと決め込んでざわめいている聴衆に一礼すると、富士先生のピアノ伴奏に、すっと無造作に自分の音を載せ、第一楽章の快活な楽想を自在に弾きこなし、しかも小楽器から出るとは思えぬ、弦に弓がしっとりと馴染《なじ》んだ、大家のヴァイオリンに似た艶《つや》のある音色に、いつしか場内はしんと静まり返った。第二楽章のアンダンテは、しみじみと人々の心に沁《し》み透《とお》り、第三楽章のアレグロの快活さで人々の心を浮き立たせ、ついに最後まで、見事に弾き終えて、これはもうお義理ではない、熱のこもった拍手を浴びた。央子は、聴衆にお辞儀もせず、とことこと舞台の裾《すそ》に引っ込んでしまい、富士先生があわてて連れ戻して一礼させると、聴衆は笑いながら前にも増した拍手を送ってくれた。

晋助は入口で受付係をしていたため、央子の演奏のときだけ、最後列に滑り込んで聴いていた。ヴァイオリンの演奏は、どんな一音節どんなアルペジオにも、どんな一刻一刻の音の連なりにも、その人でなくては出せぬ調子や情感があり、それはすぐれた文章の持つ、一語一行の強さ、一つの文章の全体との響き合い、すなわち文体の独自性と相似の現象であったが、央子には、明らかにそれがあった。自分が、この二十四歳になるまで、一行の詩も一行の小説も完成していないのに、六歳の央子がすでに堂々と一つの演奏を完成しているのだ。自分の才能への絶望、央子の才能への羨望《せんぼう》、それを超えて明るい楽しみが湧いてきた。自分が死んでも、この子の才能だけは残る。もしかしたら、遠い将来演奏家として名をあげる。自分の人生が真っ黒な死で断ち切られた先の世界にわが子が生き残って芸術のために活躍してくれる、明るみを与えてくれる、それは楽しい想像であった。

この秋、彼の師の富士彰子先生はウィーンの音楽院に留学することが決っていた。その先生が、「大勢の弟子がいるけど、小暮央子ちゃんにはずば抜けた力量と根性があるわね。もしも、できることならば、ヨーロッパに連れて行き、本格的な勉強をさせてみたいわ」と言うのだった。この話を初江に伝えるとたちまち夢中になって、わが子のウィーン行きと輝かしい将来を想《おも》い描いたが、父親の悠次の、「冗談じゃねえ。子供を一人ヨーロッパに留学させたら、いくらかかると思ってやがるんだ」の一言で、夢はついえた。

昼休み、講堂付属のホールで、晋助は初江にすすめられて、央子と悠太と一緒に食事をした。梅干やおかかを芯《しん》にした大きなにぎり飯に、海苔を巻きつけ、牛肉の煮付けや茹《ゆ》で卵をアルミの弁当箱にぎっしり詰め込んだ弁当は、食料不足の時勢では、普通では望めぬ贅沢《ぜいたく》であり、それが自分の子供のためだけでなく、男のための気遣いであるのを、晋助は敏感に、幾分の自負や喜びと、幾分の後ろめたさや気恥かしさをもって、感じ取った。それに、女は、小花の紅型《びんがた》小紋に紫縮緬《むらさきちりめん》の羽織をまとい、綺麗に梳《くしけず》った束髪をつやつやと光らせた、いかにも派手な若作りで、時局下とあって、くすんだ筒袖《つつそで》や簡便な洋服の多い母親たちのあいだで不必要に目立ち、いったい、男と女とはどういう関係だろうかと周囲の好奇心を掻《か》き立てているふしがあった。

晋助は、お弟子さんのなかでは年長の古参者とあって知合いが多く、誰彼が寄ってきては挨拶《あいさつ》するので、もう覚悟を決めて、初江は叔母で央子は従妹《いとこ》だとあからさまに紹介し、その場は満面の笑みで頭を下げる初江は、何人か目には、「まあ、いやねえ、叔母さんだなんて」と咎《とが》めた。「だって、そうだろう叔母さんだもの」と彼はわざと声高く言い、彼女を睨《ね》め付けると、女も彼を潤《うる》んだ目付きで見返した。二人はぱっと目をそらしてしまうのだが、その一刹那《いちせつな》に、二人の心にだけ共通な、長い時間のあいだに生育し鬱蒼《うっそう》と枝葉をひろげた、思い出や情感や交渉や会話が、濃密な火花となって飛び交った。

男は視野の外縁に女の全身を、ぼんやりと見ていたが、首の揺れや胸の呼吸や腰のあたりの坐《すわ》り具合など、一つ一つの動きに官能を強く刺戟《しげき》されながら、心の中で女に話し掛けていた。

〈会えて嬉しいよ。きみの作ってくれたおにぎりはうまいし、きみのおめかしも目覚ましい〉

〈あなたのためよ。あなたのためだけのために、そうしたのよ〉

〈ありがとう。きみは美しいよ。若々しいよ。とても三十三には見えない〉

〈若々しい……つまり若くはないっていうわけね。あなたはそのままで若い。そして美しいわ〉

〈年齢なんか問題じゃない。そんなことはどうでもいいのだ〉

男は、女の鬢《びん》のほつれが頰《ほお》に垂れたあたりを不意に抉《えぐ》るように見た。女は男の視線の圧力に押されたように首をすくめた。そのとき、帯が軋《きし》み、胸が膨らんだ。

「あなた、背広似合うわよ」と初江が言った。

「一張羅《いっちょうら》だよ」

「大分髪が伸びたわね」

「まあ、やっと分け目を入れられるくらいになった」晋助は髪に手をやった。学生時代の坊《ぼう》主頭《ずあたま》を卒業後伸ばしたのが、数センチになり、それを、けさ、チックで一所懸命に七三に押え込んだのだ。中折帽子をかぶってみると、何とか紳士らしい面相になった。

「あなた、なかなかの男前よ」

「よせやい」晋助はあたりを気にして見回した。誰も二人の会話など気に留めてはいなかったが、不思議そうに従兄《いとこ》と母とを見較《みくら》べている悠太の目に出会って、晋助ははっとした。去年の暮の三四郎池畔でも、この子に見られていたような気がする。もう小学六年生、子供だと思っていたのが、背丈もめっきり高くなり、けっこう女の子に関心があるようで、さんざめく女の子たちやそばを通る可愛らしい子をチラチラと盗み見している。

　ホールの出入口に富士彰子先生が夫の新平と娘の朋奈《ともな》と千束《ちづか》を連れて現れると、母親たちは子供と連れ立ってつぎつぎに挨拶に行った。初江も央子の手を引いて向って行く。晋助は従弟《いとこ》に言った。

「悠ちゃん、千束ちゃんと遊べばいいのに」

「いいんだよ」と悠太はうるさそうに手を振った。

「どうして、去年、逗子《ずし》じゃ一緒に遊んだじゃないか。幼稚園のとき一緒だったんだろう」

「いいの」と悠太は本気で怒ったらしく、上気した顔に大きな目を燃やしていた。

「ははあ、わかったぞ」と晋助はからかった。

「悠ちゃん、千束ちゃんが好きなんだ」

「ちがわい」悠太は甲走った声で叫ぶと、富士一家と反対側の出口から走り出、半ズボンの下のほっそりした脚を陽光にもつれさせながら去った。

「悠太ったら、どうしたの」と初江が訝《いぶか》しがった。

「食後の運動らしいぜ」晋助は魔法瓶《まほうびん》から紅茶を茶碗《ちゃわん》に注ぎながら言った。紅茶は熱く香り高く、近来とんと品薄の砂糖がたっぷり入って甘い。

「富士先生が、さっきのオッコの演奏は見事だったと言ってくださったわ。そうね、天才的ですって」と笑み一杯の面持《おもも》ちが愁《うれ》いの表情に変った。「また、ウィーンに留学させないかとおっしゃるの。先生が責任を持ってお世話くださるとまで言われると、わたし残念で……」初江は央子のリボンの傾きを直してやりながら、うっすら涙ぐんだ。「まあねえ、ほかにも先生はいろいろいらっしゃるようだし、日本でも勉強は続けられるようだけど、何だか殺伐な世の中でしょう、いつまで続けられるか」

「戦争はやがて終る。いつかは平和が来るさ。そうすれば、オッコの時代だ。もっともそれまで、ぼくは生きていられないけどね」

「また、そんな不吉なことを言う……あなたのヴァイオリンだって大したものだわ。この前の素敵だったわ」女はふたたび潤んだ眸《ひとみ》を向けてきた。「きょうは、わたし、あなたのを聴きに来たのよ。それだけを楽しみにしてきたの」

「それでは、きみのために、一世一代の大演奏をやりますか」晋助は茶碗を差し出し、初江の茶碗とかち合せ、真似《まね》をした央子の茶碗にもかち合せ、「乾杯」と飲み干した。

午後の部の締めくくりが晋助の演奏であった。バッハの無伴奏ヴァイオリンのための、『パルティータ第二番』ニ短調を、ここ一年練習してきた。どの楽章もむつかしいが、とくに第五楽章のシャコンヌが難曲で、自分の腕前には荷がかちすぎるとは予想していたが、高校生のときからすでに七年間習ってきた演奏の成果として、おのれの力を試したく、また、試しておのれの力の限界を自覚し、きっぱり諦《あきら》める動機ともしたくて、日々に励んできた。レコードも、家庭教師や筆耕の収入を注ぎ込んで買い集め、フリッツ・クライスラー、ヨーゼフ・シゲティ、カール・フレッシュ、そして何よりもヤッシャ・ハイフェッツなどの巨匠の演奏を聴き、聴くにつれておのれの才能の貧しさを骨の髄まで知らされ、空しさに思い沈むのだった。だから、こんな温習会での演奏など単なる茶番であり勝手な自己満足に過ぎぬと思い、練習にも身が入らぬようになったのを、何とか気持を振い立たせたのは、これが自分の人生の最後の芸術的営みになると、ひしひしと予感されたためと、バッハの曲の無限の星空にも似た美と深さのため、そして何よりも初江におのれの努力の成果を聴いてもらいたいためであった。つい一週間前、初江の前で弾いたとき、自分はこの女のためだけにこの曲を演奏したかったのだと改めて思い知り、おのれの技術が如何《いか》につたなかろうと、芸術として無意味だろうと、そんな客観的評価などどうでもよい、そういった個人のための演奏がこの世に存在すると居直りもしたのだった。たった一人の女のためにのみ歌を詠《よ》む、それこそ文学の初心ではなかったか……。

晋助は、もはや女だけを想い、感じ、女のために弾くのであって、指のもつれや音程のはずれや弓毛の切断など一切気にせず、弾き終って一礼しても人々の拍手などどうでもよく、初江の手のひらめきにだけ会釈《えしやく》して引き退《さが》った。

晋助のつぎは富士母子の合奏だった。母のヴァイオリン、長女のチェロ、次女のピアノで、モーツァルトの『ピアノ三重奏曲ハ長調ケッヘル五四八』が、これはさすが専門家とあって、弟子たちとは段違いの伎倆《ぎりょう》で奏せられた。

すべてのプログラムが終り、庭での記念撮影後、散会となったのは午後三時過ぎだった。「まっすぐ帰るか」「すこし散歩しましょうか。このあたりの街、女学生時代によく歩いたから土地勘はあるのよ」晋助は央子の手を引き、初江と悠太があとに従う形で、四人は聖心女子学院の丘を、北側へと下って行った。

北里研究所や養生園の脇《わき》の緑濃い道を溝《どぶ》の底を通る感じで行くと渋谷川の橋に出た。電車通りをゆっくりと進むうち仏国大使館の三色旗がはためくのを目にして、晋助は「懐《なつ》かしいな」と立ち停《どま》った。ここの図書室には新刊の雑誌や、小説本が揃《そろ》っていて、学生のとき、よく訪れたものだった。ジュール・シュペルヴィエル、アンドレ・マルロー、アンドレ・ジッド、ポール・ヴァレリーらの名前と作品が、あの三色旗のはためきから揺らめき出てくる。去年の夏、ナチス・ドイツのパリ無血入城まで、誇り高く、文学好きで、親切な若き書記官ジャンリュック・ヌフクールのおかげで、数えきれぬほどのフランス書を読むことができた。しかし、祖国の悲惨の直後、訪れてみると、ジャンリュックの姿は無く、図書室は閉鎖されていた。そしてドイツ人らしい、いかつい顎《あご》の監視人が館内をわが物顔にのし歩いていた。

有栖川宮《ありすがわのみや》記念公園に来た。池に釣糸《つりいと》を垂れる老人——数人の釣人はことごとく老人であった——が彫像のように動かず、動くのは水底に映る雲と若葉とであった。兼六園にそっくりの琴柱《ことじ》形の石灯籠《いしどうろう》があり、滝音がする。いずこの国の人か、西洋人夫婦が乳母車を押していく。「橋がある」と央子はチョコマカ走り出し悠太が追った。「落ちるんじゃないよ」「あぶないわよ」と、しきりと気を配っていた初江は、悠太がお兄さんぶって妹にかまけているのに安心し、晋助と並んで坂道を登って行った。人気《ひとけ》の無い梅園があり、春先にはさぞ見事な花の園であろうと残念に思われた。と、梅に囲まれた中央に満開の藤棚があった。晋助は花房の下のベンチにヴァイオリンケースを置き、坐った。初江は央子のケースを膝《ひざ》にして隣に坐った。

「うららかだな」「春よ」「静かだ」「二人きりで、なかなかいられないわね」「今、この瞬間は二人きりだ」

晋助は、隣の初江を抱き締めたい衝動にさからえず、その手を握ると膝の上に置いて愛撫《あいぶ》しだした。悠太と央子は遠くで鬼ごっこをしている。二人からは太い藤の幹にさえぎられて見えないだろう。

「やわらかいな」「あなたの手、あったかいのね。ほら、こんなに大きさが違うわ」「色も違うね」「ほんと、あなたのは真っ白、わたしのは真っ黒」「大袈裟《おおげさ》な形容詞をつけすぎるよ」「あなたのはオッコにそっくり、わたしのは悠太にそっくり」

人が姿を現したので、二人は手を離した。若い兵隊と赤ん坊を抱いたモンペ姿の妻君だ。二等兵の襟《えり》に3の金色が光って、麻布の歩兵第三聯隊《れんたい》所属とわかる。キョロキョロ物色して、こちらから最も遠いベンチに腰をおろした。

「敬助さんの聯隊ね」「あんなに若いのに子持ちだ」「今年入営なさったのかしら」「新兵だ

な。手が荒れてる」「赤ちゃんのほうは生れたばかりのようね」「ね、きみ、あの人たちから見て、ぼくらは夫婦に見えるだろうか」「オッコだけなら、見えるでしょう。悠太となるとあなたの子には無理ね」「男の子は夫の弟、そして女の子は夫婦の子」「それならありうるわ」「そうだったら、どんなにいいだろう」「今よ、今の瞬間がそうなのよ」「時よ停れ」

晋助は初江に頰笑《ほほえ》み掛けた。若い兵隊がピンと突っ立った。あわてて軍帽をかぶって挙手の礼をする。上の斜面を将校がおりてきたのだった。若い、おそらくは兵隊と同じ年頃《としごろ》の少尉《しょう》《い》の二人連れだった。所得顔《ところえがお》で返礼して行き過ぎるとき赤ん坊が泣き出した。将校が池への小道を辿《たど》り始めると、兵隊は赤ん坊をあやし始めた。なかなか泣きやまない……。

晋助は兵隊のなかに、おのれの未来の姿を見た。来年徴兵に取られれば二等兵となって一等兵以上の者には、すべて敬礼をせねばならぬ。最下等階級の二等兵は、その上に十八種類の上官を持つ。敬助の大尉までだって十種類の階級が積み重なってある。

「時田さんは幹部候補生になったのか」「史郎ちゃん……そうよ。あんなさぼりやさんでも甲種幹部候補生で入営して二年で見習士官、退営した今では少尉よ」「しかし幹候出の将校は結局は消耗品扱いだ。陸士出にいいように使われる」「敬助さんがそう言うの」「そう……」

悠太と央子がはしゃぎながら走ってきた。央子は初江と晋助のまわりを巡《まわ》り、母の膝に頭を投げ出すように俯《うつぶ》し、母が心配すると、つと薔薇《ばら》色《いろ》の笑顔をあげた。藤棚を脱《ぬ》け出し、坂を登ると欅林《けやきばやし》があった。大樹の木洩《こ》れ日が無数の宝玉となって足元に弾《は》ねる。遊園地があった。央子をブランコにのせ悠太が背中を押した。子供たちが大勢遊んでいる。「史郎ちゃん、薫さんとうまく行ってないのよ。あなた気が付いていた」「すぐ前に住んでいれば、何となく気付くものさ。史郎さんてのは、ありゃ父親ゆずりだろうけど声がでかい。その大音声《だいおんじょう》で、かみさんを怒鳴りつける、ぶっ叩《たた》く、道まで筒抜けだね」「恥かしいこと……あなただから言うけど、離婚話が持ち上ってるの」「不幸な家庭はそれぞれに不幸の趣きを異にしているか」「幸福な家庭はたった一つ、この瞬間、ここにしかない」

欅の長い影が遊園地まで伸びて、翳りのなかで風が冷えてきた。兄と妹は遊びに飽きて戻り、男と女は離れた。四人が丘を降り始めたとき、夕陽《ゆうひ》が西洋館と寺と民家の交錯する街の上にじりじりと近付き、やがて春霞《はるがすみ》のなかで輪廓をぼやけさすと、融《と》けて消えた。

17

「小暮さん、電話」と同僚に呼ばれて、悠次は受話器を受け取った。

「佐藤です」と若い女の声だ。自分の担当する保険契約者に佐藤という女性がいたかどうか思い出そうとしているうちに、相手が続けた。

「会いたいんです。会ってよ」

「もしもし、どなたでございますか」

「佐藤なみ子です」声のなかから下脹《しもぶく》れの顔付きが迫ってきた。なみやだった。

「今どこにいらっしゃいますか」悠次は、そ知らぬ顔で事務を取りながら全身を耳にしている同僚の手前、同じ口調を続けた。

「上野駅。すぐ来てよ。家をおん出ただよ。あっちこっち歩き回ったが、どうしようもねえよ。すぐ会いたいよ」鼓膜にキンキン響く高調子だ。ひどく興奮しているらしい。

「さようでございますか……ただ今勤務中で手が離せませんもので……午後五時までは、ちょっと……」三時十二分だった。まだ二時間もある。

「この電話番号、捜すのにさあ、えれえ大変だった。安田生命たって沢山あるでよう。最初〝東京営業部〟てとこで、つぎが〝支店〟でそれから〝本店〟で、本店たって、沢山部があるでよう。やっとこさっとこ繋《つな》がっただからね。もう待てねえ。今すぐ、そこさ行くから。小網町《こあみちよう》二丁目だろう。なあに、お巡りに聞いてきゃすぐだ」

「もしもし、今は困ります。午後五時になりましたら……そうですね。五時半にそちらさまに、おうかがいします」

「五時半。そんなに待てねえよ。こっちは困ってんだ。どうしようもねえよ」

同僚だけでなく、同室の社員たちがチラチラと眼差《まなざし》を送ってくる。室内の蒸し暑さに加えて、焦《あせ》りから汗がどっと吹き出してきた。受話器を両手でメガホン形に囲むと語勢を強めて言う。

「そこの待合室で待ってなさい。五時半には、かならず、行くから」

「ええっ。待合室。そんなとこ知らねえよ。困るだよ。どうしようもねえ……」

「駅員に聞けばわかる。三等の待合室だよ。いいね」悠次は、手のメガホンを解き、うやうやしく、「では、よろしくお願いします」と、頭を下げて受話器を置いた。同僚が目をあげたので、「掛け取りだ」とウインクをして見せた。

外は荒れ模様であった。きょうは七月二十二日、もうそろそろ梅雨明けの時期に来ているのに、駄目押《だめお》しのように連日の大雨で、地方の諸所では洪水《こうずい》が出る騒ぎ、ある日急に晴れて、かっと真夏の太陽が照りつけ、いよいよ炎暑到来かと思うと、それは二日のみで、あとはいよいよ暗く降り頻《しき》り、世の中どうしたのかと不安なさなか、第二次近衛内閣が突如総辞職、その前の阿部内閣、米内《よない》内閣とみんな短命で、こんな猫《ねこ》の目のような政治で、事変後四年目の難局を乗り切れるのかしらと心配するうち、けさからは風雨繁《しげ》く、午後になってどしゃ降りの暴風雨となった。

こんな厄日《やくび》になみやが現れ出たとは縁起でもない。せっかく五月末にほぼ全快した眼底出血が、またぞろぶり返してくる恐怖が、突如襲い掛ってきた。机にひろげた〝新契約率〟と〝失効解約率〟の表の、所々に赤い出血斑《しゆつけつはん》がチラチラするようで、仕事が手に着かぬ。

去年四月に別れて以来会っておらず、六月末に結婚祝を贈ったあとも音信不通であったなみやが、此《こ》の期《ご》に及んで何の用で会いたがっているのか。〝家をおん出ただよ〟とはただごとでなし、ことにもあの気の立ちようは去年妊娠したときの病的な興奮を思い出させ、悠次は怖《お》じ気《け》立った。

嵐《あらし》のため早引けとなり、社員たちが帰ったあとも、彼らと電車に乗り合せぬよう、わざとぐずぐずしてから外に出た。たちまち横殴りの風に傘《かさ》がおちょこになり、止《や》む無く戦闘帽を目深にかぶり、小使に借りたゴム合羽《がっぱ》をまとって歩いた。赤煉瓦《あかれんが》四階建ての社屋が雨に洗われてかえって汚れを目立たせていた。日本橋川に架かる鎧橋《よろいばし》を渡り、株式取引所の巨大ビルを横目に茅場町《かやばちょう》の四辻《よつつじ》に出た。嵐で早退した会社がほとんどらしく、いつもは混雑するこのあたりも閑散としている。白木屋前の日本橋交叉点《こうさてん》に来たときには、長靴《ながぐつ》のなかまで水が溜《たま》り、停留所で、かれこれ二十分も立ち尽くすうち、雨は国民服を透《とお》して下着にまで染《し》み込んできた。船のように水を撥《は》ねる上野行の市電に、やっと乗れたとき、途中万世橋《まんせいばし》で乗り換えて家に帰ってしまおうかと考えた。が、なみやのあの勢いでは家に電話、いや、押し掛けてくるは必定と思うと、ともかく会って見るより仕方なしと、臍《ほぞ》を固めた。

常磐線《じょうばんせん》と信越線が不通になったとかで、三等待合室は満員だったが、なみやは目立つ風体のため、すぐ発見できた。禅僧の作務衣《さむえ》に似た黒モンペを着て、野菜売りが持つ背負籠《しょいご》に寄り掛り、大胆に両脚を開いて眠っている。脇に転がる蛇《じゃ》の目《め》の下は水溜りだ。よく見ればモンペもびしょ濡《ぬ》れだった。悠次は、女を起そうとして考え直し、すこし離れた場所に立つと人々の肩越しに女を観察した。

去年孕《はら》んでいたときよりも痩《や》せて、幾分やつれた感じはあるけれども、くびれた腰やモンペに浮き出す太腿《ふともも》の線はなまめかしい。何よりも顔や首の白く滑らかなのが、初江の浅黒く年増《としま》じみた肌《はだ》と違って、若い女の魅力を見せ付けている。この女を抱いたときの甘美な感覚がよみがえり、悠次の前を固くしたので、女から目をそらし、鎮《しず》まるのを待って、やっと女に声を掛けた。

　なみやは、目をしばたたいて悠次を認めると、「旦那《だんな》さま、遅いじゃねえか」と素っ頓狂《とんきよう》に叫んだ。人々が驚いて振り返る気配に、「向うへ行こう」と悠次は言い、彼女の蛇の目を持つと、待合室の外に連れ出した。

「どこさ行くだね」と女は背中の背負籠を揺さぶった。

「とにかく話のできる所へ行こう」と言いつつ、悠次はあたりを見回した。駅の喫茶店内にもぎっしりと人が詰めている。郊外の電車だけでなく、省線も市電も不通になってしまったらしい。どこへ行くか。ふと、帝大生時代に、学生の懇親会を開いた池之端《いけのはた》の旅館を思い出した。森鷗外の『雁《がん》』の舞台になった素人宿《しろうとやど》だという触れ込みの安直な宿であった。あそこなら近い。

「泊る宛《あ》てがあるのか」

「そんなもんねえよ。家をおん出た。はあ、性悪な姑《しゆうとめ》だもんで」

「その話はあとで聞こう。すぐそばだ。どうせ濡れついでだ。行くぞ」

　悠次は前こごみに躍り出た。まだ日暮れに間があるのに、すっかり暗い。急ぎ足で行き、振り向くと女は傘をすぼめ、ぴったりとついてきていた。こんな男女を人がどう見るか気になったが、さいわい人通りは絶えていたし、交番の巡査も奥に引っ込んでいた。大通りを避け、近道を通ると自分に納得させながら、池之端仲町の暗い露地を窓明りをたよりにたどり、岩崎邸の真下で、古い家々と旅館とが入り混る裏街に来た。目差す〝『雁』の宿〟の隣に、いかにも連れ込み宿らしい、高塀《たかべい》に奥深い玄関の宿屋を認めた悠次はそちらのほうに進んだ。格子戸《こうしど》をあけると、白髪の婆《ばあ》さんが出てきて、濡れ鼠《ねずみ》の二人を、別に怪しみもせず、「いらっしゃいませ」と迎えた。

「着替えて濡れたもんを乾かしたい」と合羽を脱ぎながら、悠次は素早く十円札を婆さんに摑《つか》ませ、「まず風呂《ふろ》。それから夕食をたのむ」と言った。「はいはい」と心得顔に婆さんは頷《うなず》き、二人を部屋に案内した。八畳と六畳の続き部屋で、六畳のほうに蒲団《ふとん》が敷かれ枕《まくら》が二つ並べてあるのを見るとなみやが言った。

「旦那さまもここに泊るのかね」

「そうだ。いいだろう」

「ふん、そんなつもりで、ここに引っ張ってきたのかね。話を聞くっちゅうからついて来たが」なみやは、きちんと正座するとこちらを睨《にら》み付けた。

「もちろん、話を聞くさ。そのつもりなのだ」悠次は女の剣幕にすこしたじろいだ。

「なら、ちゃんと話を聞いてくだせえ。ここに坐《すわ》ってさあ」

「まず、濡れたもんを脱いで、乾いた浴衣《ゆかた》に着替えようよ。風呂に入って、さっぱりして。それから夕飯でも食いながら、ゆっくりと話を聞こう。その間に濡れたもんを乾かしてもらう。あんたはここに泊れ。おれは帰る。そういう段取りならどうだ」

「なら、いい」なみやは大きく合点し、額にバラリと垂れた濡れ毛を掻《か》きあげた。

悠次は八畳間で、なみやは六畳間で着替えをすることにした。濡れた衣服を一まとめにし、体を拭《ぬぐ》ってから乾いた浴衣を着ると、人心地がついた。なみやは、なかなか出てこない。変に思って声を掛けたが返事がない。あわてて捜すと浴衣姿で廊下の端の洗面所でモンペや襦《じゅ》袢《ばん》や湯文字を洗面器で濯《ゆす》いでいた。

「なあんだ、宿の仲居にまかせりゃいいのに」

「やだよ。自分で洗ったほうが清潔だ。旦那さまのも洗ってやっから、持っといで」

「いやあ、いいよ」

「恥かしがるこたあねえよ。西大久保じゃ、ずっと、あたしが洗濯《せんたく》してやってたんだからさ」

「まあ、いい、仲居に頼む」

悠次は帳場の婆さんに濡れたものを渡した。柱の電話機を見て家への電話を思い付いた。初江が出た。

「もう大変なんです。庭の木の枝は折れるし、門のあたり滝みたいだし……あなた、早く帰ってくださいな」

「それが駄目なんだ。電車がみんな停《と》まってね、帰る方法がない。もうすこし様子を見るが、まあ今晩は会社に寝泊りするのがいいかも知れん」

「外はあぶないわ。じゃ、お泊りなさって。こっちは大丈夫ですから。オッコだけが音に敏感で怖がってますけど」

悠次は嵐でいい口実ができたとほくそ笑んだ。なみやは衣《い》桁《こう》に洗い物を満艦飾に干していた。ようやく二人は卓袱台《ちゃぶだい》をはさんで向き合った。なみやは横坐りで急《せ》き込んで話しだした。

「とにかく、あたしゃ家をおん出ただよ。姑が因業《いんごう》ばばあで我慢できねえから。何だかんだと文句言いやがって、ぶったたく。それに舅《しゅうと》がとんだ狒々《ひひ》じじいで抱きついたりしやがる」

「旦那はどうした」

「出征した。今、仏印だがにいるらしい。この四月に征《い》っちまった」

「そうだったのか。旦那との仲はよかったのか」

「よくねえ。漁師では働きもんだが、飲んだくれの熊《くま》で、乱暴で、腕尽くで、こっちは生傷が絶えねえ。逃げだしゃ、ふん縛られて、ひいひい言わされる。出征してよかったよ。せいせいしたよ。戦死でもすりゃ御《おん》の字だよ」

「恐ろしいことを言うね」

「ヤツが出征したら因業ばばあと狒々じじいが残ったって訳よ。そういう訳で、ごぜえますですよ」

「それなら里に帰ればいいだろう」

「東金《とうがね》の実家かね。駄目だあ。兄貴の嫁がまた因業だ。それに出戻りなんか村じゃ白い目だ」

「東京へ出て、これからどうするつもりだ」

「それを相談してえでございますよ、旦那さま。働きてえ、どっかに女中で住み込みてえ。それを頼みますですよ」

「女中奉公か……」悠次は眉間《みけん》に皺《しわ》を寄せた。当節、東京では、衣食に事欠き、口減らしのため女中を解雇する家が急増している。彼の家でも、ときやの食い扶持《ぶち》を負担に思うようになっているのが現状であった。戦時成金の野本家なら、頼み込めば雇ってくれようが、秘め事を持つ女を、小暮家の穴捜しに熱心な美津の隣家で働かせるのは危険であろう。第一、わが家からは近すぎて初江が嫌《いや》がるだろう。あれこれ思案したがよい案が浮ばない。そのうち婆さんが風呂が沸いたと告げた。なみやを先に入浴させているうち、料理が運ばれてきた。外食券も米の持参もなしに来たのだが、さっきの鼻薬が効いたらしく、麦入りだが米飯もついているし、薄い鰊《にしん》の切身焼もある。

おどろおどろしい風雨が雨戸を叩き、閉め切った部屋の中は異常にむしむししている。天井からの雨漏りで蚊遣《かや》りの火が消えた。空の花瓶《かびん》で水滴を受けているうち、今度は卓袱台にも落ちてきて、婆さんに台を移動させた。停電になった。真っ暗ななかでじっとしていると、自分が思いも寄らぬ場所で飛んでもない行為に走っているのが不思議に思われる。手燭《てしょく》を持って入ってきたのはなみやだった。解いた髪が両肩に垂れ、顔だけが浮き上って幽霊のようだ。そろりそろりと近寄ってき、手燭を床の間に置くや、いきなり悠次に抱きついてきた。女に触れた瞬間、男のなかで激しく熱いものが立ち、もう抑制がきかなくなった。妻が自分から遠ざかって以来、溜っていた欲情が一時に溢《あふ》れ出してきた。

行為のあと、二人は一緒に風呂に入った。不意に電灯が点《つ》き、女はあわてて乳房を隠した。その両手を開いて、白いすべすべした肌を隅々《すみずみ》まで目で愛撫《あいぶ》しているうち、また欲情してきた。湯船に女を抱き入れて情を交した。こんなことができるほど湯船は大きかった。

翌朝、婆さんが雨戸を開ける音で目覚めた。部屋の前を通る客らしい男女の睦言《むつごと》が聞える。客は自分たちだけではなかったらしい。朝食をとりながら悠次はなみやに言った。

「しばらくこの宿屋に泊っているといい。そのうち、いい奉公口を見付けてやるから」鵠沼の佐々竜一宅なら前から女中を捜していて恰好《かっこう》かとも思い付いたのだが、ここ一年近く訪れていないし、一応確かめてみようかと思う。佐々竜一は故小暮悠之進の書生をしていた男で、私立大学を出てからも就職せず、独身のまま田舎で漱石の言う〝高等遊民〟を自称して遊び暮している妙な男だ。悠次より二十は年上で、何かと相談に乗ってくれ、実はなみやとの一件でも、いろいろと忠告をしてもらっていた。いずれは鵠沼に頼むにしても、急ぐことはない。女をこの安宿に泊らせて楽しんでやろう、と悠次は考え付いたのだ。

乾かしてアイロンをかけてくれた国民服を着込むと、なみやとよく示し合した上で、悠次は出勤した。暴風一過の抜けるような青空の下で、街が炎《も》えていた。岩崎邸の蟬《せみ》しぐれを聞きながら悠次の足取りは軽かった。

18

史郎が結婚してから丁度一年経《た》った九月末、いよいよ離婚話を本決まりにしようと思った矢先、青天の霹靂《へきれき》で、薫は妊娠を告げたのだった。

「いざと言う時になって、困るじゃないか」

「はい……申し訳ありませんです」

「しゃあねえな、予定日はいつだ」

「来年の五月二十七日だそうです」

身籠《みご》ってしまった女を無下に追い出すような薄情者になりたくないし、それにこの夏、この女とも、もうすぐ別れると思うと多少の未練が出て、いたずら心で乳繰った引け目もある。念のため慶応義塾大学医学部病院の産婦人科で診察を受けさせると、先に薫が言った通りの診断であった。

「まあ、しゃあねえ」と史郎は薫の、最近肥《ふと》ったため餅《もち》のように垂れさがった長い顎《あご》を睨みつけてから、初江と利平に報告した。初江は、「史郎ちゃんが、それでいいなら、いいのじゃないかしら、子供ができると夫婦のあいだって変るものだし……」と言い、利平は、「いやな女を抱くからじゃ、莫迦《ばか》もん」と叱《しか》り付けてからそっぽを向いた。

十月十六日木曜日の午後のことだった。古河電工の外国課にいて仏印への電線輸出交渉のため電話にかじりついていた史郎が電話を切ったとたん、待ちかねていたように薫からの電話が入った。

「召集令状が来ました」

「赤紙か。いつだ」

「二十一日午前八時に立川の第二十野戦航空補給廠《ほきゅうしょう》に出頭すべしと書いてあります」

「二十一日、あと正味四日間しかないな」

史郎は、すぐに帰宅した。彼のような陸軍少尉《しょうい》は、軍装一切を自前で整えねばならぬ。軍服その他を入れた行李《こうり》を捜したが、薫が乱脈し放題の家の中とてどこに入り込んだか出てこない。いずれ応召はあるかも知れぬとは覚悟していたものの、三十一歳のわが身はまだ先のこと、それに電線は軍需がほとんどで、軍関係に知り合いの将校も多数いて、目こぼしもあると高を括《くく》っていたので、まるで準備をしていなかった。押入れ、納戸と引っ繰り返し、ついに史郎は癇癪玉《かんしゃくだま》を破裂させ、薫を殴りつけてから、お腹《なか》の子供を思って、手を引いた。まずは、父親への連絡をと気付いて三田に電話した。利平は赤紙と聞くと、「めでたいのう」と叫び、「支度金がいるじゃろ。心配するな。言うてこい」と言った。

やっとこさ発見した行李の内容は軍帽、戦闘帽、軍服、長靴《ちょうか》、革図嚢《かわずのう》などで、軍刀と双眼鏡と拳銃《けんじゅう》が足りない。下着、外套《がいとう》、それに将校行李も買わねばならぬ。しかし、そんなものをどこで買い集めるのか見当もつかない。そばでぼんやり立っている薫の馬面《うまづら》を見ると、また腹が立ってきて、「どうしたらいいんだ。こん畜生」と、地団駄《じだんだ》を踏んでるところに、利平からの連絡で知ったと初江が馳《は》せ付けてくれた。

「おとうさま、出征まで何かと大変だし、薫さんはお体が何だから、一人家政婦を送るとおっしゃってたわ。おっつけ、来るはずよ」

「ありがてえ。見ろ、このざま。やっと行李を開いてみたら、足りねえもんばっかりだ」

「まず必要品の一覧表を作るのよ。買うものと買う店を決める」初江は便箋《びんせん》に一覧表を作りに掛った。そのうちに、三田から派遣された家政婦が来た。四十過ぎの気さくな下町女で、初江の指示に従って家のなかの片付け、掃除、夕食の準備と、てきぱき仕事をした。電話帳で軍装品の商店を調べると初江は、電話を掛けまくり、浅草と九段の店で必要な物はすべて整うと確かめた。

「おとうさまのとこに軍刀はあるんですって。息子の出征のときの贈り物にするため、買っといて下さったの。銘がある古い刀ですごい切れ味ですって、何とかのカネミツとかカネサダとか……」

夜になって、知らせを聞いた人々の来訪が始った。野本武太郎と桜子夫妻、脇敬助と百合子夫妻、脇美津と晋助、小暮悠次と悠太……人々の接待をしてくれたのは初江と家政婦だった。薫一人ではどうにもならなかったと思い知らされた。

翌十七日の朝刊に第三次近衛内閣が、組閣後三箇月で内部統一不可能のため総辞職したと報じられた。十八日には、東条英機陸軍大将が内閣総理大臣になった。この報道と並んで、ナチス・ドイツ軍がソ聯《れん》の首都モスコーに接近し、その陥落近しの記事が大々的に出ていた。

しかしこの二日間、史郎は軍装を整えるのに飛び回っていた。戦場では最高の服装と備品を持て、そのため金に糸目はつけるなという利平の下知《げじ》に従い、終始付き添ってくれた初江が、どしどし買物をしてくれた。拳銃など十四年式の新品で最高の牛革サックに入ったのを入手した。

十九日の日曜日午後六時、時田病院の〝花壇〟において、〝時田史郎陸軍少尉の出征を祝う宴〟が開かれた。史郎は、利平といとが結婚してから時田病院より足が遠のいていたので、かつて母の菊江が生きていたとき、正月となると盛宴を開いた大広間を懐《なつ》かしく見回した。風間振一郎と藤江夫妻をはじめ親戚《しんせき》一同が顔を揃《そろ》え、上野平吉事務長をはじめ職員全員、賄方頭《まかないかたがしら》のおとめ婆さんや大工の間島五郎まで集まっている。とくに目立つのは白い割烹着《かっぽうぎ》の国防婦人会の女たちで、料理運びから酒の燗《かん》やお銚子《ちょうし》のお代りの世話などに、きびきびと立ち回っている。宴会と言えば親族、知人、職員の別なく椀飯振舞《おうばんぶるまい》をし、誰が飛び入りで来てもこばまずというのが利平と菊江の流儀であったから、今夜の様子も昔に返った趣きと見られたけれども、親類縁者と職員が画然と左右に別れ、持て成し役の国防婦人会員は、持ち場を決めて、班長の号令で軍隊風に動いているのが、何となく堅苦しく、一人宛《あ》ての料理が各自の前の半紙の上にまとめられてあるのも、みみっちく思われた。

しかしともあれ、自分は出征して、どこか知らぬが地獄に引き摺《ず》り出される身、もしかしたらこの〝花壇〟も、人々も今生の別れと思うと、いささかの感慨も湧《わ》いてきて、史郎は、すすめられるまま、下関の銘酒〝関娘〟の杯を重ねて酔った。この酒は、利平が酒造家に特別に無理を言って入手したものという。

「おかげさまで、何とか体裁を整えられました」と史郎は父に礼を言った。

「将校ちゅうのは威厳が大事じゃ。いつも、きちんとした恰好をせい。上官には寡黙《かもく》、部下には饒舌《じょうぜつ》。ただし本心は表すな。よろず、けちけちはいかん。お前は、器械体操部のキャプテンじゃったから、人あしらいは知っちょるじゃろうがの。どの方面に回されるかな」

「わからない。満洲か、南方か」

「南方だろう」と風間振一郎が言った。「古河電工の電線の品質に詳しい男を、軍が使うとしたら南方だな」

「暑いのは閉口だな」と史郎は、にわか刈りの坊主頭《ぼうずあたま》を平手で叩《たた》いた。

「南方ならば、カンペーキ、カンプコウのほか〝大東亜丸〟と〝共栄散〟を沢山持ってけ。赤痢や熱病の妙薬じゃ。〝真水ちゃん〟は忘れるな。南方は水が悪いぞ。それから、ルーデサックを持ったか」

「あなた」といとが注意した。薫のほうを気にしている。

「ルーデサックは最重要品じゃ。戦地で花柳病になったら大変じゃ。野戦病院には、おれのような名医はおらんから、治してもらえんぞ。極上品のストックがある。お久米、ちょっと来い」利平は薬剤師の耳に何事か命令した。久米はにやりとすると「わかりました」と退出した。

「さて」と利平は立った。背広を脱ぐと、時田病院と大書してある印半天《しるしばんてん》に早変りした。豆絞りの手拭をしごき、捩《ねじ》り鉢巻《はちまき》にすると、どこから見ても鮨《すし》屋か板前の風体だ。「今から河豚《ふ》刺しを作って御覧に入れる。これは下関から急行列車で届けさせた特別注文の虎河豚《ぐ》じゃ」と晒《さら》しで巻いた五寸ほどの塊りをみんなに示し、晒しを解いて白い魚肉を俎板《まないた》に乗せ、峰の薄い庖丁《ほうちょう》で切り始めた。これは親父《おやじ》の特技で、以前は宴会と言うと、かならずやって見せたものだ。猛毒のある河豚の内臓を手早く抜いて、白身だけを取り出し、薄い刺身を作るのだ。なるほど腕前はすこしも落ちていない。剃刀《かみそり》のような庖丁をきらめかせて魚肉をすっすっと引いていく。尺五寸の大皿に花弁形の刺身が輪になって並び、菊の花そっくりの〝菊盛り〟がずんずん出来上った。

「ほれ、まずは主賓が食え」と利平は皿を史郎の前に運んできた。河豚の薄い刺身の下から皿の染錦が鮮かに透いて見える。酢醤油《すじょうゆ》で一切れ食べると、舌に香ばしい味がひろがった。

「うまい」と史郎は言った。「おとうさま、うまいや」

「な、うまいじゃろ」と利平は印半天の胸を張った。「親父の味、故郷の味、日本の味じゃ。戦陣のさなかにも、この味だけは忘れるな」

利平は、二枚目の皿のために〝引き〟始めた。精密機械さながらに正確で迅速な身ごなしだ。親父の髪はめっきり白く、背は丸く、爺《じじ》むさくなったが、まだまだ矍鑠《かくしゃく》としているなと史郎は思った。そばで初江が、「おとうさま、不断は手が震えて、字なんか下手におなりになったのに、こういうときは大丈夫なのね」と感心していた。

「さすがは外科医だよ」と史郎は笑った。

河豚刺しが客に行き渡ったところで、河豚の空揚《からあ》げや白っ子の酢の物が運ばれてきた。宴はたけなわである。史郎は徳利を持って客たちを巡って献酬を始めた。風間振一郎が、杯を受けて飲み干すと、ぐっと杯を突き出して言った。「史郎ちゃん、出発はあさってだな。まだ、あす一日ある。どうだフランス産のとっておきの葡萄酒《ぶどうしゅ》ほしいか」

「軍隊には持って行けませんな」

「ほしくねえのか。何だ、あした飲むために届けてやろうと思ったんだが、なら、やらねえ」

「なら、いりません」と、史郎はむっとした。この叔父は、どうも人の心を逆撫《さかな》ですることをずけずけ言う。父と何度も口喧嘩《くちげんか》となるのも、そのせいだ。

「フランスの葡萄酒はな、世界一の酒だ。史郎ちゃんの結婚式に十ダースも進呈しただろう。あれ、うまかったろう。こんな日本酒より十倍はうまい。それをやろうと言うのに、いらんと言う。無欲だよ」

何を言っていやがる。あの葡萄酒は、振一郎から父が莫迦高いのを売りつけられたと言うじゃないか。

「史郎ちゃん、河豚をパクパク食べて、大丈夫か。帝国軍人が出征間際《まぎわ》に中毒になったんじゃ、陛下に顔向けできんぞ」

「何だと」史郎の我慢は限界に来た。いきなり風間振一郎の胸倉をとらえると引き寄せた。

「もう一度、言ってみろ」史郎の腕っぷしに、枯れた老人の振一郎は敵ではない。藁人形《わらにんぎょう》のようにいいようにされている。隣の藤江が異変に気付いて悲鳴をあげた。すると史郎の肩は物凄《ものすご》い牽引力《けんいんりょく》で横に引っ張られ、おやと驚いているうち畳の上に投げ飛ばされていた。陸軍大尉の軍服姿の脇敬助が前に仁王立ちで呵々《かか》大笑していた。

「ほら、時田少尉、軍帽をかぶれ」と史郎の頭に帽子を乗せると、いきなり、「気をつけえ」と号令を掛けてきた。史郎は痛む腰をさすりながら、立ち上った。

「帝国軍人たるもの正式の敬礼ができんといかん。今から敬礼訓練を実施する。時田少尉、いいか、敬礼」

相手が笑顔を絶やさないので、座興と心得て、史郎はわざと崩れた敬礼をしてみせた。

「なあっちょらん。いいか。礼式の本義は軍人をして礼儀に関する軍人勅諭の旨《むね》を体し、上官はすなわち天皇陛下と思っておこなう。おれが天皇陛下だ。わかったか」

「はあい」史郎はおどけて答えた。

「では挙手注目の敬礼をもう一度おこなう。敬礼」

史郎は今度はピタリと正確にやってのけ、敬助を始め一同の拍手を浴びた。風間振一郎も拍手している。史郎は、それで機嫌《きげん》を直し、「よし、時田少尉初陣《ういじん》の記念に、今から床運動を披露《ひろう》する」と宣言すると、広間の中央を片付けさせ、逆立ち、とんぼ返りと目まぐるしく動き回った。最後に片腕の逆立ちで両脚を開いて独楽《こま》のように回転して見せると、やんやの喝采《かっさい》となった。敬助も、「いやあ、時田少尉なら戸山学校出の下士官でも信服しますな」と、すっかり感心していた。

翌日は、知友の誰彼に挨拶《あいさつ》回りをして夕方帰宅すると、さすがこの四日間、あちこち駆けずり回り、大勢の人々に会ったので疲れ果てていた。薫が作ってくれた夕餉《ゆうげ》の膳《ぜん》は、牛舌のグリルに雄雞《おんどり》の煮込みというフランス料理で、こういう西洋風の料理を作るのは、神戸に育った彼女の特技なのだった。

「風間の叔父さまから葡萄酒が届いていますす」と出された瓶は、現今、まず入手不可能なボルドーのシャトオ・ラ・フィット・ロートシルトの逸品であった。叔父貴のやつ、きのうの罪滅しに大奮発したなと、史郎はすっかり気を良くした。

家政婦の手で、久し振りに清潔に整頓《せいとん》された座敷で、妻の手料理を食べながら、文化の香り高い最上の葡萄酒を飲んでいると、史郎はふと、この女と離婚したいなどと思っていた自分が間違っていたような気もした。これで子供が生れ、一家団欒《だんらん》の光景を想像する。しかし、それははかない夢に過ぎず、自分はあすから軍隊生活を強制される、あわれな身の上だ。幹部候補生になったとはいえ、二等兵から出発して軍隊の内務班を経験した史郎は、古年兵が新兵をいびり、しごき、使役し、リンチする徹底した階級社会の陰湿さを知っていた。持ち前の運動神経と鍛え抜いた体力と磊落《らいらく》な気質で古年兵の攻撃をかわして将校になったものの、幹候出の即席将校が、士官学校出の将校から一段低く見られ、うとまれた存在であることもよく心得ている。そんな軍隊にいて、どこの戦場に、何年ぐらい狩り出されるのか、果して生還できるのか、未来は皆目不明である。そこまで考えて史郎は、考えてもわからぬことを考えるのは愚かだと思い、なるようになるさ、それより、この料理とうまい酒をできるだけ楽しもうと、快活に薫に話し掛け、家政婦までそばに呼んで、冗談で笑わせた。

その夜、史郎は薫を抱いた。考えてみれば、結婚以来、彼女が妻らしい心遣いを見せてくれたのは今夜が初めてで、なぜもっと早くから努めてくれなかったのかと恨む心もあったが、それでも死地に赴く男にとっては心暖まる慰めにはなった。

「薫、元気でいるんだぞ」「はい、あなたも……」「何か困ったことがあったら初江ねえさんに相談してくれ。とくにお産の場合は助けになる。慶応の先生にもよく頼んでおいた」「はい……あの、わたし、神戸の里に帰ってはいけませんか。一人住いでは今の家は不経済ですし……」「それもいいかな。その件、手紙で相談しよう」「わたし神戸に帰ります。父も母もそれがいいと言ってます」「もう相談したのか」「長距離を掛けました」「長距離なんか、いつ掛けたんだ。そういう重大なことは、おれに相談してから掛けるべきだ」

不意に怒りが湧き起ってきたが、史郎は抑えた。せっかく優しい気持になったわが家の最後の夜を後味の悪いものにしては、あとで悔いが残る……。

翌朝、未明に起きて、入念に身拵《みごしら》えをした。軍服を着、長靴を履き、拳銃と図嚢を腰につけ、軍刀をさげると、われながら天晴《あっぱ》れな出陣の出《い》で立ちとなった。体操で鍛えたおのれの肉体は軍装によく似合うと姿見の前でみずから感心した。出征と大書した赤襷《あかだすき》を掛け、足ならしに家の前をのっしのっし歩くうち、小暮、脇、時田、風間と身内の人たち、風間石炭会社の社員たち、慶応の同期生や器械体操部のOBたち、それに隣組や警防団員も寄り集ってきた。きのうの葡萄酒の礼を史郎が振一郎に言うと、「うまかったろう。あれは、おれんとこにも一本きりの珍品だった。ま、これで心置きなく征《い》ってこれるわな」と恩着せがましく言った。警防団長が歓送の儀式をすべきだと主張したが、六時発の電車まで時間の余裕が無く、万歳をする暇もないまま出発した。風間の社員が押し立てる「祝出征」の大幟《おおのぼり》を先頭に、みんなはせっせと仄暗《ほのぐら》い大通りを歩き、小さい子供など駆け足となった。史郎は、これが見納めかと伊勢丹や映画館や三越や中村屋を眺《なが》め、裏町のバーやムーラン・ルージュなど、かって遊び回ったあたりを瞥見《べっけん》したが、大急ぎのため感傷に浸る余裕はなかった。気が付くと薫は一同の遥《はる》か後方に遅れてしまい、駅に着いたときは見当らなくなっていた。何をしていやがると、しきりに振り向くと初江が気を回して捜してくると言った。

中央線のプラットホームには古河電工の社員たちが大勢待っていて、史郎を認めると万歳万歳と唱え始め、用意の紙の小旗もくばられ、にわかに出征歓送らしい賑《にぎ》わいとなった。史郎が一同の前へ進み出て、「お見送りありがとうございます。不肖時田史郎少尉、これより聖戦完遂のために尽忠報国の誠をもって、敵撃滅のために働きます」と言うと、拍手がおこった。誰かが『日本陸軍』を唱《うた》い出すと、不揃いで調子はずれの合唱となった。いつも何気なく耳にし口にしているこの歌が、今、史郎には切実で、しかもこの場に相応《ふさわ》しいものに思われた。

天に代りて不義を討つ、忠勇無双のわが兵は、歓呼の声に送られて、今ぞいでたつ父母の国、勝たずば生きて還《かへ》らじと、誓ふ心の勇ましさ……。

そう、いかにも勇ましい初陣なのだ、と史郎は思い込むことにした。支那大陸で皇軍は連戦連勝、まことに無敵で、戦争などたやすいもの、まさか自分が死ぬなどとは考えられぬ。

利平は日露戦争時代の海軍の軍服で現れた。いきなり分厚い封筒を手渡し、「これは餞別《せんべつ》じゃ。大金ゆえ内ポケットにしっかり仕舞っておけ」と言った。

「おとうさま、いろいろとお世話になりました」

「フウム、勇ましい姿じゃのう。わが子ながら誇りに思う。おれは年を取りすぎて闘えんが、おれの分まで闘ってこい」

いと、脇美津、敬助、晋助、小暮悠次、初江。そして菊池透が夏江と並ぶと、「史郎さん。死んじゃいけません。生きていてください」と言った。あとはもう誰が誰だかわからない。つぎからつぎへと言葉の雨が降ってきた。時間が迫って電車に乗り込もうとすると、利平が群衆を押し分けて前に出、史郎の手を握った。父は泣いていた。その涙を見て史郎は、ぐっと胸に迫るものがあった。なぜか、父とはこれが永の別れとなる気がした。電車が動きだすと、万歳が爆発した。みんなに手を振りながら、史郎は薫の姿をどこにも発見できなかった。

19

夜明け前

おのれの発明したロケットの操縦席に坐《すわ》り、時田利平は、眼前にひろがる広大な宇宙を嘆賞している。無限の暗黒に無数の星がきらめいている。星がすべて球形であるとは面妖《めんよう》な現象である。ダイアモンド、金、プラチナ、そしてあらゆる元素の炎が球形となって広大無辺の大宇宙を隅々《すみずみ》まで遺漏なく飾りつけている。それは美しい。悲しいくらいに美しい。誰かが泣いている。こちらも泣けてくる。星が涙に流れてしまう。泣くな……。

目を拭《ぬぐ》うと、にわかに星が鮮かに見えてきた。オリオン座の三つ星を延長すれば妖星シリウスだ。この青白い無気味な星を〝人喰《ひとく》いの悪魔〟だと教えたら幼い悠太は本当に信じて、ぶるぶる震えていた。おや、今、シリウスは薄青い雲の下で、まがまがしい炎を吹きあげ、その紫外線の放射量は計り知れず、この地球上にこそこそ棲息《せいそく》している結核菌など全滅させる勢いではある。わが太陽も、このシリウスの半分の大きさしかない。まことの大天狼星《だいてんろうせい》だ。ロケットの操縦席が武蔵新田《むさししにった》の天文台の操作台になった。わが自慢のオプティック・カール・ツァイス十五センチも近来頓《とみ》に古び、赤道儀も錆付《さびつ》き、照準に時間が掛かってならぬ。かのウィルソン山は口径百インチ、二メートル五十センチがとこあり、せめて五十センチを日本光学工業に注文したら現今軍用以外は受注せぬとけんもほろろであった。もっとも、口径五十センチのレンズとなると製造も大事で、無理なのはわかっている。ただ、六十六歳の老骨の、この世の最後の楽しみを許してもらいたかった。

貧弱で安っぽい、わが天文台。時田利平の力量は、とどのつまり、十五センチ程度なりき。『太陽光線紫外線ノ化学的測定並ニ殺菌力ニ就《ツイ》テ』と『経歯的結核感染ノ研究』も医学博士も、そして紫外線療法室付時田病院も製薬工場も、つまりは十五センチ程度だと、この年になって悟った。風間振一郎が〝町医者風情《ふぜい》が〟とおれをないがしろにするのも一理ある。そうして、十五センチのわが人生の終末が刻一刻、ロケットさながらの恐ろしいスピードで近付きつつある。泣けてきたのは、そのせいであったらしい。

停電した映画館のように映像が消え、闇《やみ》のなかに三田の寝室のベッドの感覚がよみがえると、利平は目覚めた。夢のさなかで本当に泣いてしまったようで、涙がシーツを濡《ぬ》らしていた。涙の夜尿症とは何と無様《ぶざま》な老人だろう。泣き声は近くの病室からだ。結核患者用の隔離病棟で誰かが死にそうで、家族が泣いている。死に瀕《ひん》した青年が三人入院している。そのなかの誰かであろう。現今重症の結核患者が増え、つぎつぎに死んでいく。丈夫な者は兵隊に取られ、死にそうな者が残っているせいか、内地の食糧事情が悪く栄養がつけられぬせいか、わが紫外線療法も効無く、入院すれば死の転帰と決っている。

戦死、戦病死、病死、獄死、自殺と若い男たちがつぎつぎに死んでいく御時勢だ。史郎……今どうしているだろう。たった一人の男の子だ。新宿駅頭での出征姿は勇ましかった。図体だけは大きいが、面相も肌色《はだいろ》も、気性までがおれにそっくりだ。あの子だけは生き残ってほしい。戦死……そこまで考えて利平はぞっとした。

初江も夏江も他家に嫁いだ。菊江は死んだ。もしも史郎が死んだならば、おれは一人ぼっちだ。上野平吉は当てにならぬ。間島五郎は……あの子は謎《なぞ》だ……身内というより敵意を持った侵入者の感じで信用できない。それにしても平吉と五郎、おのれの子とは言え、何という奇妙なヤツラだ。

いとが平吉と密通していると知らせてきたのは五郎であった。この春、岡田爺《じい》やが不慮の事故死のあと三田の岡田の部屋に寝泊りし始めてより、それまでへいこらしていた叩《たた》き大工が、にわかに棟梁《とうりよう》づらをして院内をのし歩き、たちまち平吉事務長と角突き合せ、まずは平吉が、「間島に普請《ふしん》はまかせられません。ぜんぜん事務長の命令を聞かないんで」「予算を考えず、高い材木を使って、業者からの請求で気がつく始末です。岡田のときはこんなことはなかったんですが」と続けざまの注進で、それではと五郎を問い質《ただ》すと、例によって無口無表情でまるで要領を得ず、さすがの利平も根負けであった。しかし、仕事振りは念入りで、仕上りも上々とあって、その点だけは岡田の衣鉢《いはつ》を継いで、文句の付けようがなく、利平も追い追い五郎に院内の増改築を委《ゆだ》ねるようになった。秋になって、傷痍《しょうい》軍人用の病棟を増設することになり、利平は頻繁《ひんぱん》に五郎と打ち合せをした。そんなある日、五郎が、「事務長とおいとさんは旅館でこっそり会ってます」と告げたのだ。「どこの旅館だ」「赤羽橋です。おれ、しっかりこの目で見た。おお先生が新田へ行くと、おいとさんは平吉と出掛けるんです」「たしかか」「たしかです」あとは何を訊《たず》ねても、それ以上の詳報は引き出せなかった。

利平の泣き所は、こういう個人的な事柄《ことがら》を心安く探り出させる腹心がいないことであった。民は之《これ》に由《よ》らしむべし之を知らしむべからずで徹底していたため、腹蔵なく付き合える職員を持たなかった。その意味で五郎は初めて、彼が利用できる密偵《みってい》とも言えた。

「よいわ。また何か判明したら報告せい」利平は五郎に極上の大工道具一式を買ってあたえた。が、この妾腹《しょうふく》の子を信頼したわけではない。それどころか、彼の報告を平吉を陥《おとし》れるための讒言《ざんげん》かも知れぬと疑っていた。

平吉はまるで信用できない。いととの仲も疑惑だらけだ。が、五郎も、どこか疑わしい。つまりは、おれは一人ぽっちだ。老いて肉体も性欲も衰え、しかも弱った精神力を疑心暗鬼が苦しめる。

他人の目には、時田病院は隆盛の頂点にあると映るかも知れない。けれども、院長が老化と疲労と不安に喘《あえ》いでいるように、病院にも凋落《ちょうらく》の兆《きざ》しが隠顕しつつある。医師・看護婦・

職員の不足、過度の多忙・不満・葛藤・反目・何よりも怠慢、院長夫人と事務長の不義不倫の疑い・噂《うわさ》・告げ口、そして院長自身には、そういった乱脈を統率する力も、ああこれが一番の悩みだがただの一人の味方もいない。一人ぽっちなのだ。

菊江よ、と利平は亡《な》き妻を呼んでみた。目を瞑《つむ》り、彼女の顔を思い起こそうとする。色白で、ふくよかで、柔和な面影《おもかげ》は、しかし、遠くに薄ぼんやりと漂うのみだ。そうして、しょんぼりと背を丸めて見回す室内に、いとはいなかった。明け方の利平の独り言がうるさいと、この夏より〝お居間〟に逃げ出してしまった。そんな妻を叱《しか》り付ける気力がもう無い。最近妻に性欲を覚えなくなった。老衰の徴候であろう。いとは愛情がなくなったためと解しているらしいが……。

夜空は青味を増して日の出が近い。晴れている。風が強く、窓硝子《まどガラス》が風圧でたわみ、軋《きし》っている。泣き声は相変らずだ。あれは、肺結核末期の沖仲仕の、一昨日東北から上京してきた母親の声だ。母の嘆きが、風音に乗って悲しみの謡《うたい》のようだ。

利平は両腕を前に伸ばし、五指をひろげて注意深く見た。震えている。いつも朝は振顫《トレモール》がひどいのだ。手の甲に便箋《びんせん》を載せて、ふたたび両腕を伸ばしてみた。便箋がパリパリと音をたてて震えた。

体中の震えのみならず、冷汗がひどい。ぬるぬると寝巻の内側を濡らしていて気持が悪い。涙も相変らず流れ出る。鼻汁が垂れる。体中の水分が一時に染《し》み出し、これでは脱水症状をおこしそうだ。エイッ、と掛声とともに立ち、越中 褌《えっちゅうふんどし》一枚になると、タオルで体中を拭った。関東大地震のときのように立っていられぬ。脚力が萎《な》えて体重を支え切れぬ。神経が不全麻痺《まひ》して平衡を保ちえぬ。おのれの心そのままに体が不全なり。

あれがおこっている。要するにあれだと思うが、あれだと決めたくなく、利平は、まずは胃洗滌《いせんじよう》と浣腸《かんちよう》で、体の〝管〟を清浄にしてみよう、できるだけ、もう注射は打たぬようにしようと気張ってみた。

このところ、夜のうちに四アンプル、昼間は六アンプル、計一〇アンプル、モルヒネ一グラムを打っている。何とか一グラムの大台を越えぬよう、死に物狂いで頑張《がんば》っていたのが師走《しわす》になって、とうとう越えてしまった。しかし、昨夜からはまだ三アンプルだ。けさは何としても三アンプルに押えてみたい。

最近、久米薬剤師は一アンプルごとに出し渋り、こんな大量の麻薬使用は監査を通らぬ、もう責任が持てぬから薬局長も工場長もやめると、おどし、ごね、苦情の言い通し、彼女を叱り付ける威厳が院長たるおのれになく、逆に小遣い銭、反物、帯で御機嫌を取る始末、いったいどこの病院で院長が薬剤師に贈賄《ぞうわい》なぞするだろう。

頻繁にみずから注射を打つ利平を見ても、いとは知らん顔だ。知っていて知らぬ振りなのか、それとも夫が中毒患者になるのを望んでいるのかと一時は邪推したが、要するに、おれがぶざまな禁断症状をおこして七転八倒するのを嫌《きら》うのだ、注射を打っておとなしくなるなら、そのほうが安心だという、久米薬剤師とは正反対の精神なのだ。寝室を別にした理由も、そちらが本音であったと、今は思い当る。

利平は、このアンプルだけは打たぬぞと、汗にまみれながら、遠くの菊江に言い、風呂場《ふろば》で思うさま胃洗滌をしようと、階段をそろりそろりと降り始めた。褌一丁だが寒くはない。なあに、まだまだ死にはせんぞ……と、居間の電話が鳴った。しばらく待ったが、いとが出ようともしないので、仕方なく引き返した。

風間振一郎の元気一杯の声音が響いてきた。

「何じゃ、こんな朝っぱらから」

「義兄《にい》さん、重大事件突発です。七時のニュースを聴いて下さい」

「重大事件、何ごとじゃ」

「それ以上は言えません。では……」

電話は切れた。利平は、無礼なヤツじゃと力み返ったが、にわかに寒さを覚え、掻《か》い巻きをまとった。いとが乱れ髪を撫《な》でつけながら顔を出した。

「急患ですか」

「違う。ラジオを点《つ》けてみろ。何かニュースをやっとるというちょる」

いとはラジオを点けた。『軍艦行進曲』に続いて、聞き馴《な》れぬチャイムの音、ついでアナウンサーの上擦《うわず》った声。

「臨時ニュースを申し上げます。臨時ニュースを申し上げます。大本営陸海軍部、午前六時発表。帝国陸海軍は本八日未明、西太平洋においてアメリカ、イギリス軍と戦闘状態に入れり。繰り返します。大本営……」

利平はいと顔を見合せた。米国と英国を相手の戦争が開始された。米国海軍の実力は知らぬが、英国は世界制覇《せいは》を成し遂げた大艦隊を保有する大国だ。何しろあの戦艦三笠は英国製であった。

西太平洋とはどこか。利平は、振一郎に尋ねてみたい誘惑に駆られた。このような重大な機密を事前に知っていた彼ならば詳しい戦況を知っているだろう。が、わざわざ電話してきた彼の魂胆は見え見えだ。自分の立場を誇示し、歴史の分岐点を耳にさせたという貸しをあたえたいのだ。利平は、アンプル・ケースから一筒取ると、注射器に液を吸いあげ、いとに見せつけるように勢いよく針を二の腕に突き立てた。

早朝

古川橋のアパートの自室でラジオの臨時ニュースを聴いた直後、菊池透は夏江に言った。

「ジョーさんがあぶないな」

「あぶないって、どういうふうに……」

「アメリカ、イギリスと戦争になったんだ。アメリカ人のジョーさんは敵国人となったのだから、何らかの措置がとられるだろう」

「どんな措置かしら」

「軟禁とか送還とか……」

「敵国人と言っても、神父ですもの、そうひどいことはしないでしょう」

「特高や憲兵は、礼節や遠慮はかけらも持たぬからね、何をやらかすか、知れたもんじゃない。今年の五月十五日に治安維持法が改正されて、予防拘禁という制度ができた。『罪ヲ犯スノ虞《オソレ》アルコト顕著ナルトキ』は検挙拘禁できるのだ。八丈島で、ぼくが引っ掛ったときに、ジョーさんとの関係をしつっこく訊ねられた。ジョーさんは当局から睨《にら》まれている。教会でも軍国主義、天皇主義の信徒と、真っ正直に議論するし、信者の中には彼を聖戦に反対する平和主義者、アメリカの回し者なんて言い触らす者もいる」

「何だか心配になってきたわ」

「ぼくもだ。ちょっと様子を見てくるか」

「およしなさいな。あなたまで変な疑いを掛けられるわ」

「実はひと月ほど前、神田教会でジョーさんと会ったんだ。近い将来日米開戦がおこる、その場合、変な誤解を受けないよう、日本やドイツのファシズムや軍国主義の批判をした文書や書物を一括して処分する必要があると言っていた。処分と言っても、学問上貴重な論文や書物はどこかに隠したい、その場合はぼくに協力してくれとも言っていた。ジョーさんのまわりには信頼できる神父や信徒がおらず、彼はすっかり孤立している。それでぼくに頼んだらしい。ね、きみ、今がその時じゃないだろうか。ぼくはジョーさんを助けねばならない」

「でも、もうすこし様子を見たら。いくら特高でも、開戦と同時に神父まで襲いはしないと思う」

「それは甘い考えだよ。やっぱり、様子を探って、できればジョーさんの力になってあげる」

「気をつけて、あなた」

「用心のため国民服を着て、傷痍軍人手帖《てちょう》を持っていこう」

ラジオは『軍艦行進曲』を流していた。今度は日本はアメリカ、イギリスと「戦闘開始せり」と報じていた。さっきの「戦闘状態に入れり」よりも、きつい表現であった。

朝方

飯田橋で省線に乗る人たちが大勢降りた。小暮悠次は空いた席に腰掛けて一息つき、朝刊をひろげた。そのとき乗ってきた男が、「みなさん、知ってるか。米英軍と戦闘が始まったぞ」と叫び号外を高く掲げた。

「おい、本当か」「ほれ、見てみい」「何だ今ごろ、けさのラジオで臨時ニュースを言ってたぞ」とたちまち車内は沸き立った。悠次は立って男の肩越しに号外を覗《のぞ》き込もうとしたが人《ひと》垣《がき》にはばまれた。誰かが、「号外を読んでくれ」と頼み、男は読み始めた。

「本当だ」「ついにやったぞ」「どえらいこっちゃ」人々がどよめき電車が揺れた。車掌はやたらとチンチン鳴らし、運転手はにわかにスピードをあげた。

悠次は考えた。〝西太平洋〟とはどこか。比島か、蘭印か、いずれにしても南方に違いない。南方株と船株が暴騰《ぼうとう》するだろう。しめしめ、うまい具合に運んだ。十月下旬、史郎の壮行会で、風間振一郎が、「行き先は南方だろう」と言った一言がヒントとなり、思い切って満鉄株と生糸株を売り、マレーゴム、南洋拓、日産農林などの南方株と日本郵船、新船などの船株を買いあさった。

が、南部仏印進駐に続いて蘭印進駐ぐらいまでは予想したものの、まさか米英二大国を相手の戦争にまで早々と踏み切るとは考えもしなかったことで、そう考えていたならば、満鉄、生糸など全額売り払ってしまったものをと残念に思う。

万世橋で市電を乗り換え、日本橋で降りた。兜町《かぶとちょう》の株式取引所まで、眼底出血以来急激な運動をひかえていた彼にしては破天荒なことだが、全力で走った。行き付けの証券会社に飛び込んだのが、九時五分前であった。知合いの中年社員を目敏《めざと》く見付けて呼び止めた。「満鉄は全部手放す。そのかわり、昭和ゴム、スマトラ拓、南洋拓を買ってくれ。寄り付きでたのむ」これだけ言うと、息が切れ、どっと汗が吹き出してきた。

小網町《こあみちょう》の安田生命本社では、社員が等しく激していて、高調子の会話が飛び交った。「大変なことだよ」「株は上るでしょうか」「そりゃ上るでしょう」「しかし、大丈夫なんですかねえ、むこうは大国ですよ」「無敵皇軍だもの。成算があるからやったんだろう……」何と呑気《のんき》な連中だ。悠次は、自分だけは余人と違うぞと、きのうの続きの仕事、〝新契約率〟〝成立率〟〝平均保険料〟の計算を落ち着き払った姿勢で始めたが、いつのまにか鉛筆を止めて思いにふけっていた。

この時局では重点産業株は上るに決っている。しかし、三菱鉱業や日本アルミや住友金属や芝浦電機などの大型株は二割か三割増しの鈍い動きしかしまい。やはり、広大な大東亜共栄圏関連株をねらうべきだ。軍需産業の殷盛《いんせい》による金余りで、過剰購買力が出ているのに、増資少なく株式不足ときている。開発を担当する南方株、物資輸送をする船株、これは五倍十倍にのびる……自分の財産が十倍に膨れ上ると思うと、悠次は思わず顔を綻《ほころ》ばした。今頃《いまごろ》になって、「株は上るでしょうか」などと言ってる連中は何と時代に鈍感なのだろう。

昼前

ストーブの鉄が赤くなり、炎が威勢よく唸《うな》っている。すこし燃え過ぎではないかしら、この石炭不足の折にもったいないこと、と小暮初江は思うのだが、手を伸ばすのが遠慮され、汗ばむのをじっと我慢して坐《すわ》っていた。何となく遠慮せざるをえないような改った空気がそこにあった。厚い緋《ひ》の絨毯《じゅうたん》、部屋の中央に威張り返るグランド・ピアノ、横文字を見せびらかす楽譜。そうして待っているお弟子さんたちが、十七、八の娘、二十代の青年と大きな子ばかりだ。幼稚園か小学校を思わせた富士彰子教室と違い、ここ太田騏一《きいち》教室は、大人の雰《ふん》囲気《いき》を備えていた。現に太田先生は上野の音楽学校の先生だし、その学校に入学したいために通ってくる男女を大勢かかえている。央子みたいな子供は例外なのだ。

富士先生の所では、レッスン室の演奏や先生の言葉がまる聞こえだったのに、ここでは何か防音設備でもしてあるらしく、レッスン室に入ったとたん、こそとも音がしなくなる。最初、幼い娘が熊《くま》みたいなひげ面《づら》の先生と一緒に、どこかに吸い込まれてしまったような不安に襲われたものだ。が、太田先生は、存外にやさしい微笑をたたえて、「いやあ、央子さんは筋がいいですよ。この年齢で、二年足らずで、『ホーマン』五巻を完全にこなしてるのには驚きました。次回は『カイザー』をやりましょう」と言ってくれた。その『カイザー』の教則本を買うため、初江は、三日間、駆けずり回った。神田や早稲田の古本屋には見当らず、困っていたところ、晋助が出征した友人の楽譜を手に入れてくれた。『カイザー』が三巻。そのあと、『クロイツェル』『ローデ』『ドント』と教則本が続くのだそうだ。この道も長く険しい。

央子が帰ってきた。赤らんだ頰《ほお》が汗で光る。母を見てにっと笑った。太田騏一先生が出てきた。あわててお辞儀をする初江に、「やあ」と手を振り、ストーブの火を火掻き棒で掻き回しながら、「富士彰子先生から手紙が来ましたよ」と言った。「ウィーンの冬は寒いそうですわ。暖房を入れんと家が凍って、毀《こわ》れてしまうんですと。そいつを知らないで、一階だけ暖くして二階を放《ほう》っておいたら、二階の柱が凍って割れて、大家から大目玉をくらったとか……」「はい」と、かしこまる初江に笑い声を残して先生は去った。

央子の手を引いて、白金三光町《しろがねさんこうちょう》で恵比寿《えびす》行きの青バスを待っていると、反対方向の田町《たまち》行きが来た。そうだ、これに乗って、三田の里を久し振りに訪ねてみようと、初江は不意に思い付いた。

同じく昼前

水道橋の駅で降り、神保町へ向う大通りを菊池透は足早に進んだ。一刻も早く、ジョーさんに会いたかった。しかし、人通りの絶えた横道に来て歩度が鈍った。教会の正門には誰の影も見えない。月曜日のこんな時刻に教会を訪れる人などいないらしく、静寂のさなかに、教会堂の緑の屋根と金色の十字架が光っていた。それは、妙に淋《さび》しい平和な光景であった。

司祭館の取っ付きにある信徒集会室は、ストーブの火も消えて寒々と暗かった。ドアを押して廊下に出た。神父たちの個室のドアが並んでいる。ジョー・ウィリアムズの名札のさがったドアをノックした。返事があったので、ほっとして中に入ると、見知らぬ男が、神父の机を占領していた。紺の粗末な背広に、薄汚れた黄のネクタイ。しまった、刑事らしい、と察しられた。

「ウィリアムズ神父さまにお会いしたいのですが」

「神父さまは今おでかけですよ」

「どちらへでしょうか」

「さあどちらでしょう。ところで、あなたはどなたですか」

「はあ」嘘《うそ》を言っても身体検査されればばれてしまうとは思ったが、「タナカ・ノボルです」と偽名を告げた。

「神父さまにどういう御用ですか」

「信仰上の問題についてお聞きしたいと……」

「面会の予約をしてますか」

「いいえ」

「神父さまにはよく会いますか」

「いいえ、もう二年ほどお会いしてません。ぼくが、満洲で重傷を負い内地帰還になったときですから、きっかり二年前です」

「傷痍《しょうい》軍人でいらっしゃる……ほほう、それはどうも、名誉なことです」男はわざとらしく頭を下げた。刑事らしい目の険もなく、どこと言って特徴のない平凡な面立ちである。

「神父さまが、いらっしゃらないのなら帰ります」

「そうですか。お帰りになったら伝えておきますので、そこに住所と氏名を書いて下さい」

男は机上の藁半紙《わらばんし》を押して寄越《よこ》した。

「住所もですか……」

「はいはい、念のためにお願いします」態度は如才なかったが、変に嵩高《かさだか》い口調に気圧《けお》され、透は贋《にせ》の住所氏名を書いた。

廊下へ退いたとき、自分の軽率さを呪《のろ》いながらも、自分には何ら疚《やま》しい所はないとも思い返した。と、一つのドアが開き、顔見知りの修道士が手招きしたので室内に入った。三十年輩、ジョーさんの忠実な渇仰者《かつごうしゃ》、透と夏江の結婚式では、世話係をしてくれた人だ。

「ジョー神父さまは、逮捕されたのです」と密《ひそ》やかに言った。

「逮捕……」

「はい、朝の六時ごろでしたか、刑事が数人踏み込んできまして……寝耳に水でした。何でもスパイ容疑だと言うことで、証拠の書類を捜すのだと、部屋中引っ繰り返して、あまつさえ教会の事務室から各神父さま方の部屋まで家捜ししていきました。が、何も出ません。ジョー神父さまは、こんなこともあろうかと、疑われるような書簡や書類は焼き捨て、政治思想関係の書物はどこかに処分しておられましたから……証拠品が出ないので、すっかり彼らはいらだって、手錠をかけたジョー神父さまを邪険に小突きながら、引っ立てました」

「ひどいもんだなあ」

「その後、二、三の教会から電話があり、アメリカ、イギリス国籍の神父や修道女は全員が隔離されたそうです。しかし、スパイ容疑で逮捕と言うのはジョー神父さまだけらしいです」

「やれやれ」

「菊池さん、ジョー神父さまのお部屋へ行かれたのですか」

「行きました。刑事らしい男がいました」

「特高ですよ。しかし、よく無事に出てこられましたね」

「住所氏名は書かされましたが」

「それだ。まさか本当のことは書かなかったでしょうね」

「書きません」

「ならいいけど、気をつけたほうがいい。当局は、ジョー神父が接触した人間、むろんこの教会の職員と信徒を、徹底的に追及すると言ってます。早くお帰りになったほうがいい」

「そうします」菊池透は、尻《しり》に火が付いたように立った。修道士の教えてくれた裏門脇《わき》の塀《へい》の崩れから脇道に逃げた。このあたり、帝大の学生時代から勝手知った街で、ジグザグ行をしながら神保町の交叉点《こうさてん》に出た。

また何かニュースでもあったのか号外の鈴の音に人だかりしている。ラジオ屋の店先にも人が群れている。透は隣りの人に、「何かあったんですか」と尋ねた。

「宣戦布告です。いよいよ、米英と戦争です」

聞き耳を立てる。が、はっきりとは聞き取れない。やがて東条首相の声が聞こえてきた。ヒトラーの咆哮《ほうこう》にくらべると、穏かな解説調だ。しかし人々は、かえって興奮してきた。「靖国神社参拝に行こう」と、学生が叫び、三、四人の友人が、「そうしよう」と応じた。気が付くと、あちこちの道から人々が大通りに流れ込み、大群衆は九段の坂を逆しまの滝となって登っていた。学生服、背広、割烹着《かっぽうぎ》、モンペ、あらゆる階層の男女が神社の大鳥居を目指して泡立《あわだ》っていた。

正午過ぎ

会社のラジオで宣戦の大詔《たいしょう》と東条首相の演説をじっくりと聴いた小暮悠次は、すぐさま外に飛び出し、鎧橋《よろいばし》を越えて株式取引所に行った。証券会社の中年社員が、悠次を見るなり、神殿前のように柏手《かしわで》を打った。前場《ぜんば》で南方株と船株が暴騰した、後場《ごば》ではさらにあがりそうだから、寄り付きの購入分も希望が持てると言う。悠次は、天にも昇る心地で、息切れもせず日本橋交叉点から東京駅へと駆け抜けた。省線で有楽町に出、いずこからともなく集ってきた大群衆に押され押されして、二重橋へ向って歩いて行った。紀元二千六百年のときは残念ながら果せなかった世紀の一瞬をぜひこの目で見たい、そのような執心のみを心に抱いて集団の流れに乗っていた。

しかし、二重橋前には地べたに土下座した人々が動かず、到底到達できそうにない。強引に人を掻き分けているうち堀端に来た。二重橋には遠いが、御城の甍《いらか》が燃え、白壁の健かに硬いのが望まれ、悠次は満足することにした。平伏と最敬礼が交錯している。壮士、警防団員、在郷軍人、国防婦人会、勤人、事務員、先生に引率された小学生、軍服に白手袋の士官学校生徒。悠次は土下座と最敬礼のどちらにしようか迷ったが、目の前の五つ紋の中年男ががばとひれ伏し、新聞記者のカメラが向けられたのを見て取ると、自分も勢いよく両手を玉砂利についた。この世紀の一齣《ひとこま》が夕刊に載るかも知れぬと思うと、五つ紋に習って額を冷たい砂利にすりつけた。

　後場が終った時点で、証券会社に守衛室から電話をしよう。このところ私用の電話をするため、お捻《ひね》りや手土産で守衛を手懐《てなず》けた。結局、何のかんのと言い草を考えて、なみやの口入れを晩秋まで延ばし、そのあいだ頻繁《ひんぱん》に会った。前の失敗にこりて、今度は荻野《おぎの》法により慎重な予防をおこなった。初冬になり、ようやく鵠沼の佐々竜一宅に女中として住み込ませた。なみやと連絡を取るのに、守衛室の電話を大いに活用させてもらった。

　五つ紋が立ったので悠次も立った。眼光炯々《けいけい》として頑丈《がんじょう》な骨っ節で油断なく歩む有様は剣道の師範か何かだろう。西洋人にはああいう歩行はできない。大したもんだ、日本人は。悠次は師範の真似《まね》をして両の拳《こぶし》を握り、肩をゆすって、人々のあいだを右に左に擦《す》り抜けた。もっとも、悠次は、満蒙《まんもう》開拓義勇団らしい、粗末なスフ製のカーキ色服にゲートルの少年たちが行進してきたとき、女と遊び、兵隊にも行かず、株で大儲《おおもう》けしている自分を恥じ、こそこそと脇に退きはしたのであった。

同じく正午過ぎ

おやどうしたことだろう、誰もいない、と小暮初江は不審に思った。待合室ががらっぽだったのだ。そのかわり、薬局の前に患者たちが、いや、医員、看護婦、職員たちが集会でも開いているように人の輪を作っていた。いつもは利平の居間にあるラジオが薬局の窓口に据《す》えられている。ラジオの真ん前では、利平が腕を組み西山副院長が両手を腰に当ててそっくり返っている。

「いらっしゃい」と久米薬剤師が言った。「オッコちゃん、こんにちは」

「なあに、これ」と初江は伸びをした。

「お嬢さま、ご存知ないの。戦争よ。アメリカとイギリスに、さっき宣戦布告したの」

「へえ……」初江は、事態がよく飲み込めず、ぽかんと口を開いたままでいた。宣戦布告も意味がよく解《わか》らない。日本はとっくに戦争していて、これ以上の戦争なんて考えられない。

「アメリカとイギリス。世界一の強国と戦うの。支那を相手にするのと違いますよ」

「大変だわ」とようやく初江は事態が飲み込めた。史郎は出征したばかりではないか。晋助は来年、入営で現役召集されるかも知れない。三人もの男の子がいては、みんな兵隊に取られてしまう。

「しっ」と老人の患者が久米と初江を睨《にら》んだ。誰かの演説が続いていた。「……拝しまして、キョーク感激にたえません……決死報国……必勝の信念……」央子が退屈して、広い廊下が無人なのを見付けると、スリッパでリノリウムをバタバタ踏み鳴らしながら走り始めた。

「オッコ」と初江は追い掛けて、やめさせようとして、自分もパタパタ音をたてた。やっと子供をつかまえた。

「静かにしなさい」

「お腹《なか》すいちゃったんだもの」

「いま、御飯にするから」

初江と央子が食堂に入ると、ここでも人々は、いとを最前列にしてラジオを囲んでいた。

「……世界平和の維持……東亜不動の新秩序」「あら、オッコちゃん、お元気ですかあ」と顔見知りの看護婦が言った。炊事場で大釜《おおがま》の汁を掻《か》き回していたおとめ婆《ばあ》さんも会釈《えしゃく》して寄越した。「最後の勝利が……大東亜建設者……」みんながラジオに吸い寄せられているのに、独り黙然と食事をとっているのは間島五郎であった。央子は、この傴僂の大工を〝ゴロジちゃん〟と呼んでなついていた。五郎が木屑《きくず》で積木や人形を作ってくれるためか、子供のような背丈が与《くみ》し易《やす》いのか、三田に来るとすぐ五郎の仕事場へ遊びに行くのを習いとしていた。

「ゴロジちゃん、食べてる。わたしも……」初江はおとめ婆さんに目まぜし、盆にケンチン汁と塩鮭《しおざけ》の切身焼を二人分もらった。テーブルの穴にはまったお櫃《ひつ》から飯を自由によそう方式も、麦三分入りの飯も、昔と変りはなかった。この四月から配給となった米が、食べ盛りの子供四人には不足気味で、闇米《やみごめ》や三田への無心で補っている初江の目には、昔ながらにお櫃から無制限に食べられるのが、別天地の出来事に思えた。

「ゴロジちゃん、あのね……」「正にこの一戦にあり、一億国民が」「へえ、オッコちゃん、それでどうしたのさ」五郎と滅多に口を利《き》いたことのない初江には、彼の声が珍しい。「尽《じん》忠《ちゆう》報国の大精神……」「ほんとなの」「ほんとだとも」「見せて」「ああ、じゃあ、御飯がすんだら仕事場においでよ」演説が終り、続いて、何か偉い人の談話をアナウンサーが伝えている。五郎はさっさと食器を自分の箱膳《はこぜん》に仕舞うと、戸棚《とだな》に入れ、初江には挨拶《あいさつ》もせずに、すたすたと立ち去った。「……時局対処の所信を……表明せんことを……」『軍艦行進曲』で人々の塊りが崩れた。

「オッコちゃん」といとが近付いてきたとき、央子は大急ぎで食べ終えていた。「おかあさん、ゴロジちゃんとこ、行っていい?」「いいけど、お仕事の邪魔しないのよ」「しない。兎《うさぎ》見てくる」央子はもう走って行った。いとが説明した。「五郎がね、兎を飼いだしたんです」「前には豚と鶏でしょう」「そう。食糧増産だって言って、やたらと動物を飼うのよ。病院の残飯でまかなうから飼料《しりよう》代はかからないけど、卵なんか独り占めだし、史郎さんの出征祝いに二羽をつぶしたときは、ちゃんと料金を請求してくるんですからね。それに、豚は鳴く、鶏は刻《とき》を作る、糞《ふん》は悪臭を立てるで、徳川さんから再三御注意を受けるんだけど、あの人、平気ね。兎だって、きっと自分で食べるために飼い出したんですよ……兎に大喜びのオッコちゃんには悪いけど」

看護婦たちは食卓に向っていた。いとは、自分の漆塗りの箱膳(以前菊江が使っていたもの)を取り出した。初江が央子を追って行こうとすると、いとは呼び止め、「史郎ちゃんからおとうさまんとこへ手紙が来ましたよ」と言った。

「えっ」と初江はまた坐《すわ》った。「元気なのかしら」

「今サイゴンにいるんですって」

「そんな軍機を知らせてきたの」

「暗号ですよ。南方の地名を数で表すように、おとうさまと打ち合せたんですって。何でもサイゴンで南方軍向けの燃料資材の調達に挺身《ていしん》してるらしいわ」

「輜重《しちょう》関係ね。それなら危くないわ」

「でも、こんなに戦争が大きくなると、どうなんでしょうね。アメリカとイギリス」

「わたし戦争のこと何にも知らないわ。ただ、これ以上、人が死ぬのはいやあね……」

「おい」と、どきりとする大音声《だいおんじょう》が轟《とどろ》いた。利平が西山副院長、末広婦長、上野平吉事務長を従えて、艦橋に立つ東郷司令長官を気取った形で立っていた。「宣戦の大詔が渙発《かんぱつ》された。わが帝国海軍は、ハワイ、シンガポール、ダバオ、ウエーク、グアムの大爆撃じゃ。帝国陸軍はマレー半島に奇襲上陸、香港《ホンコン》の攻撃を開始した。大戦争じゃ。ただ今から午後二時まで臨時休診とし、全職員は戦勝祈願に出掛ける。院前に集合せい。いと、食事なんかいい。ただちに集合じゃ」

「どこへ行くんですか」「子育て地蔵ですか」と質問があがった。

「莫迦《ばか》もん。ションベン地蔵に戦争の御利益《ごりやく》があるか。春日神社だ」

「近くてよかった」「靖国神社じゃ遠くてたまらんもんねえ」と看護婦たちがささやいていた。

昼下がり

菊池透からジョー・ウィリアムズ神父の一件を聞いた夏江は、即座に言った。

「あなたもあぶないわ」

「ぼくもそう思う」

「ジョーさんとの交際を証す物は、焼くか隠すかしたほうがいいわ」

「何もないけどね。手紙はもらったことないし、ぼくは日記をつけないし、神田教会関係の文書は何も持ってないし……」

「本は」

「そうだ、何冊か借りていた」透は書棚に並べた洋書を、五、六冊引き出して、見返しや扉《とびら》を調べた。「しまったね、ジョーさんの署名がある。しかも内容が危険だ。『日本の大陸侵略』『日本陸軍の陰謀』『日本の超国家主義』……これはいかん」

「燃やしちゃう?」

「まさか、他人の本を燃やすわけにはいかない。どこかに隠そう」

「あなた受洗祝いにジョーさんから聖書をいただいたんじゃなかった」

「そうだった。The Authorized Version、あれは、ばっちり署名入りだ。しかし聖書まで問題にするかな」透は聖書を抜き出した。

「この際、念には念を入れましょう。ようく考えて、それだけ?」

「それだけだ……と思うよ」

「写真は」

「あっと、あるある。ジョーさんとは方々旅行したからね。北アルプス縦断、八丈島」透はアルバムを持ち出した。夏江が開いてみるとジョーさんと透が一緒に写った写真があまりにも多い。

「こういう写真は、ジョーさんとこにもあるでしょうけど、きっと処分してるからこっちも隠しましょう」

「待ってくれ、まだあった」透は押入れの行李《こうり》からも数冊見付け出した。ジョーさんが日本語で書いたエッセイを集めたスクラップブックも発見した。『軍国主義の罪悪』『天主と天皇――まことの神とは』など過激な表題も散見する。

「博物館のほうには何か置いていないかしら」

「むこうに、私物は一切置いていない」

本とアルバムとスクラップブックを風呂敷《ふろしき》で包んでみると、ずしりと重い。しかし、何とか独りで持って歩けそうだ。

「どこへ行くんだ」

「心当りの場所に隠すの。あなたは知らないほうがいいわ」

夏江は外へ通じる木の階段を降りた。「お出掛けですか」と階下の主婦が隣組の回覧板を持ってあがってきた。「はい、ちょっとお使いに。主人は家にいますから」「きょうは博物館のほうは」「月曜日で休館なんです」そんな遣《や》り取りがあって、古川橋から四之橋《しのはし》のほうに向った。あの主婦は、菊池夫妻が共働きで不在がちなため、回覧板が滞ったり、常会の出席率が低いのが不満で、ずけずけ文句を言ううるさ型であった。今は行先を詮索《せんさく》されると困る。時田病院へ行くのに、反対方向の四之橋へと歩き、それから裏道をたどって戻ってきた。

病院の待合室には患者が溢《あふ》れていたが、職員の姿がさっぱり見当らない。薬局の小窓から久米薬剤師が顔を覗《のぞ》かせ、「おやまあ、お珍しい方がいらっしゃった」と言い、早速に出てきた。

「おお先生のお下知《げじ》で、一同、春日神社に必勝祈願に出掛けました。奥に初江お嬢さまいらっしゃってますよ、オッコちゃまと」

「おいとさんは」

「やっぱり春日神社ですよ。国防婦人会を引き連れて」

今はお久米さんの長話に付き合う余裕がない。夏江は一気に食堂まで通り、無人をさいわい、二階へのドアを開いて階段を駆けあがった。さらに急階段をのぼり、昔初江の勉強部屋だった三畳間に来た。何年も誰も入らぬと見えて、一寸ほども埃《ほこり》が積っている。長持を踏み台に桐簞笥《きりだんす》に乗り、奥の襖《ふすま》を引き開けて倉庫内に入った。棚に積まれた雑品中に古い医書の山を見出《みいだ》すと、持ってきた本やアルバムやスクラップブックを医書の間に押し込み、埃をなるたけ自然なようにまぶした。足跡を消すように爪先《つまさき》で埃をならしながら後じさりし、ふたたび三畳間から二階に戻った。利平の居間のヴェランダで埃まみれの髪とモンペをはたき、風呂敷を懐《ふところ》に仕舞うと、何食わぬ顔で食堂に降りて行った。相変らず誰もいない。勝手口から外に出て、なおも埃をはたいていると、央子と初江が連れ立って来た。

「夏っちゃん」「おねえさん」「ひょんなとこで会うわねえ」「おとうさまの、御機嫌《ごきげん》うかがいに来たの」「御機嫌うるわしいわよ。何しろ海軍が大活躍でしょう。ハワイだのシンガポールだの、もう世界中に大爆撃でしょう」「ほんとに恐ろしいことね」

「おばちゃま」と央子が夏江の袖《そで》を引いた。「兎がたあくさんいるのよ。お目めが赤いの。兎ってお肉が大好きなんだよう」

「へえっ、兎がお肉を食べるの」

「五郎が残飯で飼ってるのよ」と初江が苦笑した。「ところが、ここの残飯、肉だの魚だの入ってるじゃない。それで兎が肉の味を覚えちゃったのね。まだ生れて半年なんだけど、丸々と肥えて、大きいの」

「おばちゃま」央子は夏江の人差指をつかんだ。「兎見せてあげる。行きましょ」

「はいはい」夏江は幼い姪《めい》に引かれて歩いた。初江もついて来る。

「大変な戦争になったこと」「戦争はもういいわ」「わたし、何だか生きてくのが、面倒になった」「何を言うの、夏っちゃん」「おねえさん、そんな気持にならない?」「そんな暇ないわよ。四人も子供がいると、もう夢中で暮してる。事変も戦争も、遠くの出来事みたいよ」

「遠くの出来事……そうあってほしいけど、でももう足元に火がついてるのよ」

同じく昼下がり
脇晋助の勤めている出版社は、本郷弓町の古い商店街の一角の変哲もない仕舞屋《しもたや》であった。

二階は社長の住居、一階が事務所だが、社員は六十過ぎの老人と晋助の二人だけであった。社長は、神保町でかなり大きな古書店を営み、出版社のほうは道楽で、彼の言い方では、〝業余のすさび〟であった。無名の詩人を世に出すのが社長の喜びで、晋助の就職も帝大仏文出身の先輩の詩人が、かつて処女詩集を出したこの出版社を紹介してくれて実現したのだった。給料は雀《すずめ》の涙だが、この節詩人など志す者はまれなため仕事はとんと暇、小遣い稼《かせ》ぎに筆耕をしようが家庭教師に出掛けようが自由で、むしろ卒業後の就職にこだわる母美津を安堵《あんど》させるため、ここに顔を出しているようなものだった。

今も老人が薄い脳天を、瘤々《こぶこぶ》の南瓜《かぼちゃ》のように机上に転がして眠っているそばで晋助はぼんやり頬杖《ほおづえ》をついていた。誰彼の詩句が脳裏《のうり》に浮遊してくる。「わが死せむ美しき日のために／連嶺の夢想よ！　汝《な》が白雪を／消さずあれ」「こころざしおとろへし日は／いかにせましな／冬の日の黄なるやちまた／つつましく人住む小路」

柱時計がチクタクと鳴っていた。「柱時計のチクタク　ああ時間の燕《つばめ》らが／山を越える海を越える　何といふ静けさだらう」またしても他人の詩が浮び上った。他人の言葉で頭が破裂しそうだ。

昨夜、ヴァレリーの『テスト氏』を読んだ。テスト氏は四十歳で顔が無い。戦争、勝利、死刑、共和国の公的な出来事すべてを嘲笑《ちょうしょう》する。ところで四十歳のテスト氏を描いたヴァレリーは二十三歳だった。この脇晋助もこの初春に誕生日過ぎたれば満二十三歳なり。本を閉じて、嘆息した夜、不眠の長い長い時間……誰かが硝子戸《ガラスど》を叩《たた》いていた。学生服の村瀬芳雄だった。医学部は文学部より一年多く、彼はまだ学生だった。「食事に出ないか」と友の声は夢想を破った。

「そんな時刻か」なるほど柱時計は一時四十分だった。

「ここは浮世離れしとるなあ」村瀬は小鼻をひくひくうごめかして、匂《にお》いを嗅《か》いだ。「黴《かび》、埃、紙、インク、金鵄《きんし》、線香、炭、いや炭団《たどん》か……戦争の香りがまるで無い」

金鵄は荒川老人の常用、線香は社長が出掛けに亡妻のために焚《た》いた残り香だった。

「食事してきます」と晋助は眠ったままの老人に断って外に出、どこへ行くとも聞かず、黙って村瀬の横に並んだ。この四月から外食券を持たなければ米飯は食べられず、素手で行けば水団《すいとん》か蕎麦《そば》ぐらいしか望めない。

本郷三丁目の〝かねやす〟の前に来たとき、村瀬がポツリと言った。

「いよいよ戦争だな」

「どういう意味だ」

「やっぱり知らんかったか。浮世離れもいいとこだ。実はそう予測して、わざわざ知らせに来てやったんだ。日本はアメリカとイギリスに宣戦布告したよ」

「知らなかった……」

「正午のラジオで天皇の詔書《しょうしょ》が発表された。中華民国と四年有余の戦争をしたが、米英――これも新しい表現だね、今までは英米と言ってたからな――両国は重慶《じゅうけい》政府を支援して、日本の経済的封鎖をおこなってるのはけしからん、という内容だ。浮世は沸騰《ふっとう》のさなかだぜ。

臨時ニュース、号外の鈴、『軍艦行進曲』、聖寿の万歳、軍人の演説……」交番の前で村瀬は口を噤《つぐ》んだ。

「アメリカとイギリスを相手では、ぼくは生きては帰れんな」交番を離れると晋助は言った。

「同じ予感がぼくもするね。大戦争の第一の犠牲者はぼくたち青年だ。天皇は〝朕《チン》カ陸海将兵ハ全力ヲ奮テ交戦ニ従事〟せよと簡単に言うけど、前線で殺されるのは、ぼくたちだ」

「軍医は直接戦闘をしないですむが、ぼくは二等兵だ。アメリカ人とイギリス人を殺さねばならない。そして、まず確実に殺される」

「さっきの発表では、ハワイに大空襲を決行し、シンガポールだのダバオも空襲し、大戦果をあげたそうだ。戦争だ大戦果だと大喜びしてるのは、戦争に行かずにすむ老人どもだね。医学部でも教授助教授連なんかが興奮して騒ぎ立てている。大体、今度の戦争を決定したのも老人どもだ」村瀬は、いまいましげに唾《つば》を吐いた。

赤門をくぐって大学構内に入った。村瀬は図書館の石段をのぼる。「ぼくは学生証持ってない」「忘れたと言え。ぼくが証明する」正面の大階段をあがった二階が食堂だった。「外食券忘れた」「かまわん、ぼくのを使え」十六銭の定食は、前と同じ値だ。地下の学生食堂が十八銭なのに、なぜか、こちらは二銭安い。従って込んでいた。

小さな鰯《いわし》一匹とコンソメみたいな味噌汁《みそしる》だがともかくも米飯がついている。痩《や》せた学生たちが、談笑もせずにがつがつと食べるだけなのも前と同じ有様だ。貧しい、こんな国の若者が、物量ゆたかで栄養たっぷりのアメリカやイギリスの青年たちと闘えるのか、と見ているうちに気が滅入《めい》ってきた。わが死せむ醜き日は近し。頭の中を寒々とした風のようにおのれの命が流れている。

Jの襟章《えりしょう》の学生三人が食堂の入口に現れてメガホンで叫んだ。

「宣戦の大詔を拝し、われら帝大生も、欣喜雀躍《きんきじゃくやく》陛下の赤子《せきし》として征戦に身を挺しようではありませんか。ここに有志をつのり、靖国神社参拝をおこないます。ただちに、御殿下《ごてんした》グラウンドに集合して下さい。参加団体は緑会《みどりかい》、学友会、鉄門倶楽部《てつもんクラブ》……」

「やれやれ、老人どもの煽動《せんどう》にのる人間がここにもいた」と村瀬はしかめっ面《つら》になった。

二人の食事はすぐ終ってしまった。大階段を降りながら、高い天井を見上げて晋助は言った。

「卒業してしまうとこの図書館が懐《なつ》かしいよ。毎晩十時の刻限までここで本を読んだもんな。しかしこの図書館が今や敵国人となったロックフェラーの寄付で作られたと思うと妙な感じだな」

楠《くすのき》の大樹は淡い冬日を浴びて寒そうに震えていた。靖国神社参拝に向うらしい一隊の学生が、体育会の幟《のぼり》を押し立てて通っていく。帽子の顎紐《あごひも》を掛け、ゲートルを巻き、彼らの主観としては勇ましい出《い》で立ちで、胸を張り手を振って、我こそは無敵皇軍を有する大日本帝国の青年なりと行進していく。

「ぼくはね、精神科に行くことにした」と村瀬は不意に言った。晋助が黙っていると、構わず勝手に口を開いた。「金沢の親父《おやじ》はがっかりさ。外科医になって病院を継いでくれるとばかり信じていたからね。それに戦場では外科医がもっとも潰《つぶ》しがきく。医学部の同級生でも外科志望が圧倒的なんだ。しかし、あえて、流行《はや》らない科を、ぼくは選んだ。現今、仏文科も流行らない。ぼくらは流行らない同士なんだ」

「いいんじゃないか」晋助は楠の樹皮を撫《な》でながら言った。「ぼくが医学部だったら、絶対精神科医になるね。人間の精神、そいつは目に見えない神秘だ」

「人間の精神は、もっとも脆弱《ぜいじゃく》で病気になりやすいもんなんだ。この前、松沢病院に見学に行ったら、丁度、治安維持法違反の囚人が獄内で心因反応をおこしたのを診察していた。共産主義革命こそが人類の窮極革命だと信じていた、かつての闘士が、ひどく陽気で多弁多動、げらげら笑いながら、自分はつぎの天皇になるはずの高貴の出だ、汝臣《なんじ》民、我にひれ伏せと喋《しゃべ》りまくっていた。診察に当っていた先輩は、以前拘置所の医官をしていてね、こういう陽気な心因反応は死刑囚に多いんだと教えてくれた。死刑囚がいよいよ絞首台《こうしゅだい》にのぼり、一瞬後には自分の死が来ると思うと、恐怖は消えて、何かおのれが偉大な人物として死ぬという幸福感にとらえられ、しきりと冗談なんかを飛ばす。ドイツではそういうのをGalgenhumorつまり絞首台上のユーモアと言ってるんだそうだ」

「ぼくらだって同じようなもんだねえ。戦争という絞首台に引き出された世代だ。彼らも」と晋助は、グラウンドの方に集っていく学生たちの群を指差した。「絞首台ユーモアに感染してるんだ」

「そう、自分たちが死ぬのが嬉《うれ》しい。死は鴻毛《こうもう》よりも軽しなんての、信じてるんだね」

建物の端に来たとき、突如強風が襲い掛ってきた。身を切るような北風が、建物の狭間《はざま》で増幅されて走り抜けて来たのだ。歓声をあげて、わいわいと押し出して行く学生の群と逆に、二人は風に抗して歩いた。

正門前に出たとき、追分の方角から万世橋《まんせいばし》行きの市電が近付いて来た。「あれに乗ってどこかへ行こう」「きみ、勤め先に戻らんでいいのか」「どうせ仕事なんかない。それに、あとひと月足らずで入営だ。それより、きみ、講義はないのか」「午後は外科の手術見学だが、こんな惨《みじ》めな日に、勉強する気になれぬ」

「最近面白かった映画は」と晋助は、大きくなった電車を注視しながら言った。「ジャン・ギャバンの『ゴルゴタの丘』とアニー・デュコーの『格子《こうし》なき牢獄《ろうごく》』だ。両方ともぼくは見たけど、何度見てもいいよ」

「よし、絞首台にあやかって『格子なき牢獄』を見よう」

市電に二人は乗った。

宵《よい》の口
「久し振りに映画を見た。半年ぶりだ」

「ぼくは一週間に一つは見ている。もっともこの作品は五度目だが」

「五度も……よっぽどの映画好きだね」

「見たい映画が少ないからさ。とくにフランスのは少ない」

「あの若い女優、可愛《かわい》いな。何と言う名前だっけ」

「コリンヌ・リュシエール」

「清純な美人だ。いいなあ」

「きみは少女趣味だな。ぼくは断然、アニー・デュコー。成熟した女の魅力、気品、威厳」

「きみは年増《としま》趣味だな」

「そうだ」脇晋助は力を籠《こ》めて言った。この映画を見ていて、どうしてもついて行けなかったのは、感化院の嘱託医が、美人の院長と婚約までしていながら、十七歳の少女のほうを愛してしまう筋立てであった。若くて清純であるだけの女に、彼は関心をいだけない。離婚歴がある三十女のほうが、はるかに官能を刺戟《しげき》され夢中になる。とうとう五度も見てしまったのは、見るたびにフランス語が脳髄に浸透してくる面白さのせいもあったが、年増女アニー・デュコーの声を、目を、歩き方を、全身を、感じたいためだった。

「あの医者は」と村瀬芳雄は言った。「少女と二人で、インドのポンディチェリーへ行く。そんな所が実際にあるのかな」

「ある。インドの南の端、東側だ。暑そうな所だ。あの医者は不幸になるよ」

「どうしてさ」村瀬は不承知の証《あか》しに口を尖《とが》らせた。

「あたり前だろう。あんな青臭い少女とうまく行くわけがない」

「きみはひねくれてるよ。そんな独断的な見方では、この映画の主題はつかめやしない。牢獄の鉄格子と壁を出る、明るいラスト・シーンが無意味になる」

「あのラスト・シーンは暗いんだ。なぜと言って、あの少女は医者を愛してなんかいない。

彼女が愛しているのは自由だ。ところが院長のほうは医者を本当に愛している。あの医者は莫迦《ばか》だよ」

「そうかなあ……まあ仏文の専門家の御意見だから、そう言われると、医者が、真の愛を知らぬ、軽薄でおろかな男に見えてくるが……」

日は落ちて、街は蒼白《あおじろ》い廃墟《はいきょ》のようだった。浅草の六区は人通りがまばらで、めっきり寂れている。映画館の看板も芝居小屋の幟《のぼり》も、色彩を失なって平板な墨絵に見えた。おでん屋、茶めし屋、酒屋、料理屋と軒並み、暗く人気《ひとけ》がない。外食券食堂があったが、ここも閉っていた。

田原町から市電に乗った。車内の電灯がぼんやりと薄暗い。村瀬が、今夜から灯火管制になったと教えた。そう言われて気付いたのは、宵闇《よいやみ》のさなかで、広告灯、外灯、門灯、すべてが消えて、黒々とした街が流れていたことである。

万世橋で、帝大前へ向う電車に乗り換えた。「一度社にもどるのか」「いや、もどっても、しょうがない。あの爺《じい》さんはとっくに帰ってしまい、戸口は開かないよ」「じゃ、ぼくの下宿に来い。金沢からフグの粕漬《かすづ》けを送ってきた。酒もある。飯も食える」「そいつはありがたい」

帝大正門前で降り、〝落第横丁〟に入った。家々は電灯に黒布を掛けて、わずかな明りしか路上には漏れてこない。これからは夜の外出に懐中電灯が必需品だと知れた。街全体が夜の森のように、ひたすらに黒かった。

「ここだ」と村瀬は、大きな御影石《みかげいし》の門の中に入った。玄関前に射干《しゃが》の植込みのある立派な家だ。四十年輩の品のよい婦人が出迎えた。「叔母だ。親友の脇晋助君です。叔母さん。二人でちょっと酒を飲みます」と村瀬は二階へ、トントンとあがった。広い床の間と違い棚《だな》を備えた書院風の座敷である。叔母もあがってきて、窓に黒布を貼《は》り、電灯の笠《かさ》に黒布を垂らしたと説明した。

「それから芳雄さん。軍服が届いてますよ」と床の間のボール紙の大箱を指し示した。

「軍服……」と晋助がつぶやくと、村瀬は、「ばれてしまったか」と、笑った。

「実はな、ぼくは海軍を志願したんだ。きみが、陸軍二等兵になるのを、あんまりぼやくもんだから、つい言いそびれたが、今、告白する。今年の秋に海軍の入隊試験があって、冷やかし半分に受けてみたら合格してしまった」

「そうだったのか……そうなら早く言えばいいのに」

「医学部じゃ海軍のほうが人気が高くてね、どうせ兵隊にとられるなら、陸軍より海軍のほうが軍服がスマートだと言うんで、クラスから六十人もの志願者が出た。ほとんどが合格したよ。卒業も繰上げでね、来年三月が今年の十二月になった。来年一月八日には館山の海軍砲術学校に入隊する」

「きみまでが軍人か、やれやれ」

「やれやれだよ」

「しかし軍医になるんだろう。つまり士官になるわけだ」

「入隊すると中尉《ちゅうい》になる」

「いきなり中尉かね。ぼくの二等兵とは物凄《ものすご》い格差だな。まあ、仕方がない。いまどき文学部に入るヤツが悪い。しかし、きみの精神科の勉強はどうなるんだ」

「当分おあずけだ。せっかく、精神病の研究を志したのだが、戦地ではそれどころじゃないからね」

「心ならずもの海軍軍医か」

「もちろん、そうだ」

「軍服を着てみろよ」

「よしてくれ」村瀬は、腰が抜けたようにペタンと畳に坐《すわ》った。「軍人なんてものには金輪際なりたくないと思っていたぼくが、悪魔のいたずらで、この大戦争のさなか、軍人にさせられる。さっきの映画にあったように、制服を着て、号令を掛けられて、庭をぐるぐる回らにゃならん」

「ぼくは兵隊になりたくない」晋助は吐き捨てるように言った。「陸軍も海軍も、きみには悪いが、好きになれん。戦争、勝利、凱旋《がいせん》、行進……そしてこの世でもっとも下劣極まるものが敬礼だね。おれの兄貴が軍人で、敬礼をしたり、されたり、それがえらく嬉しいらしいんだが、ぼくはそんな兄貴を見ると火星人みたいに思えるよ」

「ぼくも軍人や軍隊はきらいだ。しかし、今の世の中で、軍人を否定しては生きていけないよ」

「おい、医学部さんよ。あんた病気を治すんだろう。それなら、人を病気にすることもできるだろう。ぼくを兵隊不適格の病気にしてくれんかね……」

叔母という人が盆に小料理を載せて現れた。卓袱台《ちゃぶだい》に皿が並ぶのを晋助はかしこまって見ていた。フグの粕漬け、蕪鮨《かぶらずし》、ゴリの甘露煮など金沢の名産品が盛られてある。村瀬は戸棚からやはり金沢の地酒〝万歳楽〟の一升瓶《びん》を取り出した。

「さあ飲もう」「うむ……」「わがコリンヌ・リュシエールのために」「アニー・デュコーのために……」

晋助は冷や酒を口に含むと、底無しの沼に引き摺《ず》り込まれたような気分に襲われた。何かも空《むな》しい。未来には、ただただ陰惨な地獄の道が続くばかりで、ひとかけらの希望すら見《み》出《いだ》せない。兵隊に取られるのは嫌《いや》だ。敬礼するのは愚劣だ。この自分が、人殺しの銃を撃つのは、もっと愚劣だ。村瀬の眉《まゆ》の太い顔が目の前にあった。きょう会ってから友は、ついに一度も笑わなかった。そして、彼自身も笑わなかった。Galgenhumor……いや、ぼくらの絞首台にはユーモアはない。ふと、初江の大きな目が笑い掛けてくる気がした。輪廓《りんかく》のあきらかな、真っ白な白目に浮いている茶色の眸《ひとみ》が、晋助自身の姿を縮小して映し出しながら、くるくると動いていた。

同じく宵の口

珍しく悠次が酒を飲みたいと言い出し、ずっと前に配給された五合瓶をあけてみたが、酢と化していて飲めず、仕方なしに悠次が世界旅行のとき土産に買い集めたスコッチの小瓶をあけた。株式は買気爆発で新高値をつけ、わが家の財産は三割増しにふくらんだと悠次は、いつにない怪気炎で、きょう買ってきた〝大東亜共栄圏図〟をひろげて、「南方はな、資源の宝庫だ。ゴム、石油、石炭、亜鉛、錫《すず》、マンガン、砂糖、麻、棉《めん》、コプラ。何でもある。これで帝国は、米英と充分戦える。ABCD封鎖網で窒息しかけていたわが経済は、これで巨大な風穴があき、一気に息を吹き返す。株の暴騰はそのせいだ……」小瓶一本で、よい気持の悠次は、赤い顔をテカテカ光らせながら延々と話し、途中で夫の話に飽いた初江の耳に熱い息を吹き続けた。

「でも」と何度も開きかけた口を初江は抑えていた。このような大戦争では多くの人々が死ぬだろう。史郎は大丈夫かしら。男の子三人が将来戦争に狩り出されるような羽目になったらどうしよう。何よりも来年入営する晋助が心配だ。しかし夫の前に晋助を持ち出すのははばかりがあった。

暗くなると、初江はときやと協力して、灯火管制の励行に大童《おおわらわ》となった。もしも、すこしでも明りが外から見えでもしたら警察より大目玉を喰《く》うと隣組の回覧板で緊急連絡されたのである。雨戸の節穴をボール紙でふさぎ、窓に黒幕を垂れ、電灯の笠を黒布で覆《おお》った。室内は、にわかに鬱陶《うっとう》しく、外は田舎のように暗くなった。悠太は、こういう変化が面白いらしく、家のまわりをぐるぐる回りながら明り洩《も》れを発見すると駆け戻ってきて注進した。

十時過ぎになって悠太の姿が見えないので探すと、物干台に望遠鏡を持ち出して天体観測をしていた。

「こんなに遅くまで、何をしてるの」

「だって、星がすごーく綺麗《きれい》なんだもの。これから毎晩、こんな星が見えるんだね」

「風邪をひくよ。それに試験の勉強いいのかい」

「もう、すましちゃったもーん。あ、おかあさん。月が出た。月齢十九か二十だね」悠太は月に望遠鏡を向けた。「ほら、よく見えるでしょう」と母に接眼鏡をのぞくように言った。

「暗いとこが海。一番大きいのが〝雨の海〟、ちょっと小さいのが〝晴れの海〟、ぶつぶつがクレーター」

「クレーター……」

「そう、山。平べったい山なんだ。月の上を歩いてみたいな。愉快だろうな。だってさ、地球の重力の六分の一だから、六倍高く、ポーンと飛べるんだよ」

風変りな子だと初江は思う。望遠鏡で見た月は、皮膚病みたいであまり美しくはない。それに、物干台は寒い。骨の髄まで冷え切ってしまい、震えが止らない。それなのに、この子は月なんかに夢中なのだ、食糧難、戦争、受験という浮世の苦労など知らずに。

20

薄明

誰かが扉《とびら》を叩《たた》いていた。夏江が睡気《ねむけ》を払いつつ起きあがると、すでに透は戸に耳を付けて外を聴いていた。その姿勢がただならぬ気配で、夏江は一度に目が覚めてしまった。「誰かしら」「特高らしい。三、四人はいるな」「どうしましょう」「逃げられん。中に入れるより仕方がない」夏江が寝巻の乱れを整えるのを待って、透は扉をあけた。目の前に黒い男が二人、アパートの外階段の下にも二人立っていた。

「菊池透だな」「はい」「ちょっと来てもらう」

男たちは土足のまま入ってきた。夏江は大急ぎで夜具を片付けようとした。男の一人が「そのままでいい」と夏江を突き飛ばした。「女、その端に坐ってろ」

男たちは電灯を点《つ》けると家捜しを始めた。押入れの物が放《ほう》り出される。書棚の本が虱潰《しらみつぶ》しにされた。鏡台の引出しまでが抜き出された。

透に一人が言った。

「早く支度しろ」

「逮捕するのなら、令状を見せなさい」という透の要求を彼らは無視した。

「寝巻のままで連れて行くぞ」

「待って下さい」透は夏江の助けを借りて、悠々《ゆうゆう》と国民服に着替えた。タオル、洗面道具、傷痍《しょうい》軍人手帖《てちょう》、聖書など、こういう場合を予想して用意しておいた風呂敷《ふろしき》包みを持つ。

「どこへ連れてくんです」と透が尋ねたが答《いら》えがない。「来い」と一人が透の右腕をつかみ、空虚な袖《そで》に舌打ちした。他の一人が左腕をかかえた。

「逃げやしませんよ。まあ、靴《くつ》を履かせてください」と透は言い、片手を使って、二人が業《ごう》を煮やすほどゆっくりと靴を履いた。

「あんた、女房の菊池夏江だね」と尋ねられたが夏江は答えなかった。

「菊池透は勾留《こうりゅう》となる。あんたあとで三田署に来い」

「署に行って何をするんです」

「安心しな。逮捕するんじゃないよ。ちょっと聞きたいことがあるだけだ。きょう、十時過ぎに来い」別な男が、「旦那《だんな》に会いたければ来い」と付け加えた。

透の前後に二人がつき、三人は階段を降りた。地上に来ると、今度は男たちは透を左右から挟《はさ》み、遠ざかって行った。露地の入口に警官に守られた車が停《とま》っていた。夏江がそこまで行き着かぬまに車は消えた。家に戻るとき、左右上下の窓から人々の視線が、突き刺すように注いできた。階下の主婦は道に出て夏江を待っていた。

「どうしたんですか」と好奇心まる出しで、しかし親切ごかしで言った。

「わかりません。何かの間違いだと思います」

「あの人たち刑事でしょう」

「身分を言わないんです」

「刑事ですよ。警官もいましたよ。お宅の御主人、何をしたんですか」

「何もしてません。ですから、何かの間違いです」

「それは困ったわねえ……」主婦は何か物問いたげに擦り寄ってきた。が、途中であきらめると数人の主婦たちと何やら、囁《ささや》き合った。

部屋中、見るも無惨に引っ掻《か》き回されていた。が、むしろ、それが小気味よい有様と夏江の目には映った。きのうは、じっくり時間をかけて、古川橋だけでなく、永山光蔵博物館へも行き、身辺の整理をしたため、今もあわてずにすんだ。刑事は何一つ疑惑の品を発見できなかったはずだ。

が、後片付けを始めると、すぐさま透の身が気遣われ、涙と溜息《ためいき》で、何も手に付かなくなった。八丈島での惨《むご》たらしい拷問《ごうもん》の跡を思い起すだけで背筋が寒くなる。透はこの点、楽天的な見通しで、「ジョーさんはスパイ容疑ではなく、単に敵国人の一人として隔離されただけだし、もし、ぼくが検挙されても、そいつはスパイの片割れとしてではなく、平和主義的キリスト者としての教会での行動を咎《とが》めるだけだろう」と言ったが、夏江は、透が彼女を安心させるためにわざとそう言ったようにも思え、悪い予感に胸を詰らせた。

ざっと片付けを終えたとき夜が明けた。東側の窓に朝日が射《さ》してこないので窓を開くと、灰色の雲が汚れた毛布のように垂れていて、雨でも降りそうな気配だ。まったく食欲がなく、食事をあきらめ、ラジオを点けると七時のニュースをやっていた。ハワイ空襲で、戦艦二隻《せき》轟沈《ごうちん》、戦艦四隻大破、大型巡洋艦四隻を大破し、敵飛行機多数を撃墜撃破《げきつい》し、わが飛行機の損害は軽微なり。さらに、フィリピンでは敵機百を撃墜。これでアメリカ軍の誇る空の要塞《ようさい》ボーイング十七型超重爆撃機四十機、長距離飛行艇三十機も潰滅《かいめつ》した。畏《かしこ》くも陸海将兵に天皇陛下より勅語を賜《たまわ》った。「朕《ちん》はなんじら軍人の忠誠勇武に信倚《しんい》し、よく出師《すいし》の目的を貫徹し、もって帝国の光栄をまったくせんことを期す」『軍艦行進曲』、赫々《かっかく》たる大戦果、一億国民の歓喜……夏江はラジオを切った。
歓喜だって、……何が歓喜だ。透が何をしたというのだ。学生時代にはセツルメントで貧しい人々のために奉仕し、そのため共産主義者と間違われて二度も検挙され、ノモンハンではもっとも危険な第一線に狩り出されて瀕死《ひんし》の重傷を負い、戦争の悲惨を身をもって体験したからこそ、キリスト者として平和を訴え、今度はスパイ容疑で（そうだわ。それに決ってるわ）逮捕され、拷問を受け、予防拘禁とやらで永久に拘禁される……何のためだ。この国では何という理不尽《りふじん》がおこなわれていることか。

午前中

早朝、混雑しないうちに下の共同井戸で洗濯《せんたく》をすますのが習慣になっていたが、その気にもなれずに、夏江はぼんやりしていた。気を取り直し、十時の博物館の開館に間に合うようにといつもなら九時には家を出るものを、やっと腰を上げたのが十時を回っていた。時田病院の前から慶応裏に出、田町駅の横の札《ふだ》ノ辻《つじ》の陸橋を渡って湊町《みなとちょう》へ出るのが順路である。時田病院の前に来たとき、刑事の「あとで署に来い」という言葉が、ふと浮び上ってきた。言われた瞬間、行くのは嫌だと思い、そのまま忘れていた。行くのは嫌だが、透が三田署にいるかどうか確めるためには行くしか方法がない。時田病院の玄関にも待合室にも患者が群れていて、利平らしい白衣が奥で動いたとたん刑事の言葉が浮び上ったのは、利平が三田署管内の鉄道事故の重傷者を一手に引き受けていたこと、署員の花柳病をひそかに治療してやり署員から感謝されていたこと、だからこそ病院の新年宴会に署長が顔を見せるほどの親しい関係にあったことを、一時に思い出したからである。利平に頼めば、透の取調べに手心を加えてもらえたり、面会の便宜を計ってもらえると思い巡らしたものの、本当にスパイ容疑であったなら、かえって利平に迷惑がかかる、とくに軍需関係の製薬事業に悪影響をあたえる、そして国防婦人会の副支部長として誇らかに活躍しているいとは、そのことで利平を責め、ただでさえ最近不仲な二人のあいだを一層悪くしやしないか、ここまで考えて夏江は、断然、利平をあきらめ、昂然《こうぜん》と首を立てて、時田病院の前を通り過ぎた。

田町駅の近くの三田署に来た。守衛に立つ巡査に、「菊池透の妻です」と告げ、受付で同じことを繰り返した。薄汚れ疲れ果てたような男や女がベンチに坐らされ、巡査たちがサーベルを鳴らして往来する。彼らの無愛想、横柄《おうへい》、権柄尽《けんぺいずく》には夏江は慣れているし、何時間も待たされるものと臍《ほぞ》を固めて坐っていると、一時間ほどして名を呼ばれた。意外にも「菊池夏江さん、どうぞ」と丁寧な口振りの女子事務員に小部屋に案内された。鉄格子《てつごうし》がはまった高窓の下に、机を制服と背広が占領していた。背広が立って一礼すると、椅子《いす》をすすめた。彼の顔を見てあっと思ったのは、八丈島署で彼女の相手をした、眉毛《まゆげ》の濃い猪首《いくび》の特高だったからだ。

「奥さん、この度は、御主人が困ったことになりまして、御心痛ですな」

「主人は何の嫌疑《けんぎ》なのですか」

「まだ取調べの段階ですので申し上げられませんが、大したことはないと思いますよ。それには、奥さんの証言も重要です。最近の御主人の行動を教えていただければ、有難いですがね」

「行動と言っても、大した変化はありません。主人は御台場《おだいば》岸にある永山光蔵鉱物博物館の事務員をしておりまして、自宅と博物館のあいだを几帳面《きちょうめん》に往復するだけの生活でございますもの」夏江は、隠し立てする気配を見せず、すらすら述べるのがよいと考えた。

「きのうも博物館へ行ったのですか」

ほらおいでなすった、鎌《かま》は掛けられないわよ、夏江は、顔色を変えずに答えた。

「きのうは月曜日で、博物館の休館日なもんですから、どこかへ出掛けました」制服の巡査が速記を始めた。返答はすべて調書に取られる仕組である。

「どこへ出掛けました」

「存じません」

「御主人は出掛けるとき行き先を言わないのですか」

「はい。ふらっと出てしまうものですから」

「ふらっと出ることは、よくあるのですか」

「それは休日だけです。はい、時々どこかへ出掛けます」

「奥さんに行き先を告げず、時々出掛ける。そういうもんですかな。実は、きのう、御主人は神田教会のジョー・ウィリアムズ神父を訪ねたのですよ」

眉毛の男は、こちらの微細な表情の変化も見逃さじと注視していた。夏江はそ知らぬ振りを通したが、じわっと冷汗が額に滲《にじ》み出るのを抑制できなかった。

「暑いですか」男はすかさず言った。

「いいえ……」と声が震えた。

「どうなんです。御主人がきのうジョー・ウィリアムズ神父を訪ねたこと、知ってましたか」

「いいえ」さっきの〝いいえ〟より明瞭《めいりよう》で、きっぱりし過ぎていたと気付く。

「これを見て下さい」男は藁半紙《わらばんし》を机上にひろげた。

東京市淀橋《よどばし》区東大久保三の二九三　田中登

透の筆跡だった、角張って横長で。

「これ御主人の書かれたものですが、筆跡から見て判別できますか」

「さあ……主人のに似ているようにも思いますが、こんな人知りませんので、よくは判《わか》りません」

「偽名ですよ。住所もデタラメです。きのう、ジョー・ウィリアムズ神父の部屋で書いたものです。なぜこんな嘘《うそ》を書いたのでしょうな」

「さあ……」

「菊池透本人が神父の部屋に来たと判明すると困る、何かの事情があるからでしょうな。ところで、御主人は、きのう、何時ごろ帰りましたか」

「二時ごろだったと思います、午後の」

「そのとき、奥さんは家におられたわけですな。そのあと奥さんは外出なさいましたか」

「……しました」また冷汗だ。

「どこへ出掛けました」

「時田病院です。父の病院です」

「何か用事があったのですか」

「別に特別な用事はありません。自分の里ですもの。気軽に遊びに参りますわ」

「時田病院に何か持って行きましたか」

張り込まれていたのだ、あの重い包みも見られていたと悟った。しかし何と言い訳したものだろう。

「……」

「答えられませんか。相当重い包みのようでしたな。何が入っていました」

「……本です。父に借りた医学書を返しに行きました。主人は戦傷で肝臓が悪いものですから、肝臓関係の養生の参考書をわたしが父から借りて読んでいたのです」

「肝臓の養生書ね……それをきのう、御父上に返したのですか」

「そうです。でも、父はいませんでした。職員を連れて春日神社に戦勝祈願に行ってましたので、借りた本は父の書棚《しよだな》に戻しました」利平の居間の書棚は、肝臓病、腎臓《じんぞう》病、糖尿病、結核など病気別に分類整理されているのを夏江は思い出した。肝臓関係のも、たしか相当の分量あったはずだ。

「御父上に聞けば、どの本であったか判明しますな」

「さあどうですか。わたし、父の書物を持ち出すとき、いちいち断ったりしませんもの。昨日のも勝手に持ち出し、勝手に返却いたしましたものですから」

「なるほど」刑事は、三角形の厚い眉毛をひくひく動かして、頷《うなず》いた。彼は一転して、最近の透の病状について尋ねた。何とか父を巻き添えにせずにすんだと安心した夏江は淀みなく答えた。

結局、透の容疑や現状については何一つ知らされないまま訊問《じんもん》は終った。書記の巡査が書き取ったものを、刑事が読み、署名と指印を取られ、やっと夏江が解放されたときは、正午となっていた。ラジオは大本営発表を伝えていた。帝国海軍航空部隊のフィリピン敵空軍基地イバおよびクラークフィールド空襲の綜合《そうごう》戦果詳報左の如《ごと》し。撃墜二十五機、うち大型一機。銃爆撃による地上撃破七十一機、うち大型中型三十三機。帝国陸軍航空部隊はマレー半島敵航空基地に対し、数次にわたり果敢なる攻撃を実施し、イギリス・マレー空軍の多数を撃滅せり。一つ放送が終るたびに警官たちは歓声をあげ、拳《こぶし》を振りあげ、万歳をする。にこにこ顔で夏江を見る。撃滅、撃墜、攻撃、わがほうの損害軽微なり……夏江は思った、彼らの歓声はわたしの嘆息、彼らの喜びはわたしの悲しみだと。この警察署のどこかに透が監禁されている。拷問の悲鳴でも聞えやしないかと、しばらく建物の前で聞き耳を立てたが、物音一つしなかった。

どうせ、こんな具合に世間が沸き立つ日に鉱物博物館を見学しようなどという旋毛《つむじ》曲りもいまいと思うと、博物館に行く気も萎《な》えて、夏江は田町駅に来た。ふと初江に会いたくなり、新宿までの切符を買った。

昼日中

二階の央子のヴァイオリンが恰好《かっこう》の伴奏となって、初江は、縁側でせっせと竹の編棒をあやつり、毛糸のセーターを編んでいた。秋口から、子供たちの古セーターをほぐして、成長に合せたものに作り替える作業に掛っていた。悠太のY、駿次のS、研三のK、央子のOと、さいわい子供たちのイニシアルが違うのを利用して、その子用のアルファベットを模様にするのは、同じ色の毛糸の不足を補う工夫でもあった。YとSは終り、今はKだ。寒くなったので急がねばならぬ。

大通りには、軍用トラックか木炭車のバスぐらいしか通らず、以前騒音を撒《ま》き散らしていた自動車の群は絶え、代って増えた馬車は蹄鉄《ていてつ》の音をのんびりと打つだけで、あたりはひっそり閑としていた。せっかく縁側に出たのに日差しがなく寒い。空は今にも泣き出しそうにどんより暗かった。と、門の引戸が開いて、誰かが入ってきた。草履だ。いつも隣組の回覧板を持ってくるお茶の師匠の奥さんの重々しい足音とは違う。夏江だ——軽くて、ひたひたと敷石をこすってくる。思った通り、「こんにちは」と妹の声がしたとき、初江はもう玄関口に立っていた。

「どうしたの」と思わず声を張り上げたほど、夏江の面窶《おもやつ》れはひどかった。色白な彼女は元来薄化粧だが、まったく白粉《おしろい》も頬紅《ほおべに》もない肌《はだ》は血を抜かれたように蒼《あお》く、脹《は》れた瞼《まぶた》は一重《ひとえ》にもどってしまい、額も頬も蜘蛛《くも》の巣のように解《ほつ》れ毛に覆《おお》われている。きのう会った夏江とはまるで別人の趣きなのだ。

「ああ、おねえさん」夏江は挨拶《あいさつ》に出たときやを避けるように、するすると奥の茶の間に逃げ込み、初江が襖《ふすま》を閉めるなり、いきなり泣きながら訴えた。

「透さんが、突然、つかまったの。けさ、寝込みを襲われて、連れて行かれちゃった。おねえさん、このこと、誰にも言わないでね。わたし、誰にも言わないつもりだったけど、おねえさんだけには言いたくなったの」

「夏っちゃん、落ち着いて、初めから話して」

「落ち着いてるわよ。初めも終りもないの。突然なんだもの。三田署に行ってみたけど、透さんがそこにいるかどうかも教えてくれない。何の嫌疑かもわからない。おそらくウィリアムズ神父さまの友人だと言うので疑われたらしい。神父さまはきのう、アメリカ人の平和主義者でスパイの嫌疑があると検束されなさったの」

「スパイはひどいわ。透さんに限ってありえないわ。疑いが晴れて、すぐ釈放されるわよ」

「スパイは濡《ぬ》れ衣《ぎぬ》ですむけど、困ったのは平和主義者のほうよ。透さんって、教会でも勇敢に発言や議論をするので、神父や信者のなかにも非国民だと批難する人が多いし……」

「困ったわね。あ、ときや、大事なお話中だからね」

ときやは茶を置くと、心得顔で深々とお辞儀をして去った。

「透さんの話では、今年の春から、予防拘禁制というのが実施されることになって、罪を犯すおそれがあるだけで、無期限に拘禁できるんですって。今の時代に、平和は大切だとか、戦争は悪だとか発言した過去があれば、国策非協力という罪をおかすおそれがあることになるわ」

「困ったわね……」と初江は考え込んだ。妹のため、自分に何ができるか、必死で考えた。透という人は、悠次や史郎とは異質な男だ。ともかく、時好に投じず、おのれ自身の信念を持っている。金儲《かねもう》けより大事なもの——信仰、愛——を知っている。そうして透のような人間は、今のような時代には生き難い。その点、透は晋助の同類だ。晋助も今の御時世に、まるでそぐわない。初江は、何だか切りのない物思いに沈んでしまい、ふと気付くと、夏江が鏡台に向って髪をいじっていた。「ひどい顔」と独りごちながら、化粧をしている。

「夏っちゃん」と初江は妹に後ろから声を掛けた。「おとうさまに相談した?」

「いいえ」

「おとうさま、警察と親しいでしょう。だから……」

「わたしもそれを考えたの。でも、この件でおとうさまに心配を掛けたくない……それに治安関係は、おとうさまでも駄目《だめ》でしょう」

「敬助さんはどうかしら。陸大を出て、参謀本部付きか何かになるんだから……」

「敬助さんなんかに何一つ頼みたくないの、おねえさん、知ってるくせに」

「そうね……そうだったわ……ごめんなさい」あとは、今を時めく風間振一郎で、大政翼賛会の何とか部長をしていて、内務省にも睨《にら》みがきくが、敬助の義父では、なおさら具合が悪かろう。女は、こういう場合、男の支配する社会のなかで、全然無力だ。

「おねえさん」と夏江が、こちら向きに坐《すわ》り直した。薄化粧を終えた顔は、日頃《ひごろ》の生気を取り戻し、さっきとは見違えるようで、夏江には取り乱した形相は似合わぬと、初江は思った。

「わたしね、もうジタバタするのはやめた。すべては神におまかせする決心がついた。何一つ、心に疚《やま》しいところがないのだから、あとはお祈りするだけよ」

「まあ、急に強くなったのね」

「おねえさんのお蔭《かげ》よ。ここに来てあけすけに話してしまったら、自分がどうしたらいいか、はっきりしたの」

「わたし……何もしてないわよ。第一、どうしたらいいか、全く見当もつかない」

「おねえさんの存在よ」

「えっ」

「おねえさんって、どっしりとおうちの中に存在してるじゃない。旦那《だんな》さま、子供たち、女中、何よりもこの家と庭、すべてのものの中心にいて、女は永遠よって、教えてくれる。それが、わたしの力になるのよ」

「何だか訳のわからないこと言うわね。買い被《かぶ》りでしょう」

「いいえ、真実そうなのよ。おねえさんが、そこに生きているだけで、わたし勇気付けられるの。ありがとう」

「あなた、どうかしてるわ」

「猛烈にお腹《なか》が空いちゃった。何かいただけるかしら、お茶漬《ちゃづ》けでいいんだけど」

「お昼まだなの」

「まだよ。お昼も朝もまだ」

「あきれた。わたしなら飢え死にしちゃうわ。待って、すぐ用意するから」

初江は台所に立ち、ときやが手伝おうと申し出たのを退け、いそいそと立ち働いた。朝の汁の残りを火に掛け、御飯を蒸《ふ》かす。鰺《あじ》の干物を焼き、白菜漬を取り出す。夏江が来て、「悪いわねえ」と言うのを、「駄目、お客さまは厨房《ちゅうぼう》を覗《のぞ》くべからず」と押し返した。茶の間で夏江の食事を給仕しつつ、初江はこんなふうに妹の食べる姿を久し振りに見たと思った。細い指が箸《はし》をあぶなっかしげに操り、おちょぼ口に食べ物を押し込む。すこし釣《つ》り上った目が、いつのまにか二重瞼に戻っていた。

「いやあねえ、おねえさんたら、人の顔をじろじろ見て」

「夏っちゃん、若いわ。小さい時とちっとも変らない。わたしなんか、もう三十過ぎの大年増《おおどしま》ですものねえ」

「あべこべ。わたし、実感としては三十過ぎのお婆《ばあ》さんよ。おねえさん、若いわ。目尻《めじり》に皺《しわ》がないんですもの。不思議ねえ。まるで恋する乙女みたい」

「また、訳のわからないことを言い出したわね」と初江は苦笑にまぎらわしながら、胸の奥にぽっと火が点《とも》ったのを覚えた。そう、わたしは恋をしている。四子の母となってしまい、人生はもう終りだとあきらめていた婆さんが、九つも年下の青年に愛されている。晋助を想《おも》うと、体の芯《しん》が湿り気を帯びてきて初江は思わず溜息《ためいき》をついた。

「ほらほら」と夏江は肉の薄い小鼻をうごめかした。「溜息なんかついて、やっぱり、おねえさん、恋をしてるのね」

「何を莫迦《ばか》なこと言ってるの。好《い》い年して恋なんかできやしない。それにこの非常時でしょう。武張って殺伐で堅苦しくって、男の人はみんな兵隊で、恋どころじゃない」

「その通り、いやな時代」

夏江は見る見る苦悶《くもん》の表情を浮べた。

「夏っちゃん、また思い出させたわね。ごめんなさい」

「いいの。わたし、出掛ける」

「どこへ」

「博物館。これでもわたしは館長なのよ。働かなくっちゃ」

「途中まで送って行くわ。いいの、買物の用があるから」初江は大急ぎで身支度をし、ときやに子供たちのお八つを頼むと妹と並んで家を出た。

遅い午後

むこうから来る女性は初江であった。肉付きのよい肩や胸を、きっちりと締めつける帯の具合がコートの下に見て取れ、大きな目を輝かし、しきりと顔を振りながら一所懸命に話し込む仕種《しぐさ》も彼女らしい。相手の、ほっそりとした女性は夏江だった。晋助は立ち止り、二人を待った。が、二人とも話に夢中でまるで気付かない。擦《す》れ違う間際《まぎわ》に彼は声を掛けた。

「まあ」と派手に驚いて見せたのは初江だった。夏江のほうは、軽く会釈《えしゃく》したのみだった。

「全然、気がつかなかったわ」と初江は言った。

「ぼくのほうは遠くからお二人を発見し、こうしてお待ちしてました」

「じゃ、ずっと観察してらしたのね」

「ええ、心行くまでとくと」

「人の悪い方」

「二人の美人を観察できて、よい目の保養でした」

「あなた」と初江は年上の女が咎《とが》める口調になった。「早いわね、こんな時間に新宿を歩くなんて……お勤め、もう終ったの」

「首になったんです。こんな大戦争じゃ、詩集の出版どころじゃないと、社長の御託宣でね」

「残念ね」

「どうせ仕事は無かったんだし、もうすぐ入隊ですからね、仕事に切りがついてよかったですよ」

「わたしは、これで」と夏江が言った。

「駅まで送ってくわよ」と初江。

「ぼくのほうが失礼します」と晋助。

「いいえ、わたくしが」と夏江はきっぱりと言い捨てると、後ろも見ずに歩み去った。二人は気を呑《の》まれて顔を見合せた。

「こんな所で立ち話も何だからどこかへ行こう」と晋助は、三越脇《わき》の横町に入った。背の低い、小さな店舗が並ぶ前を行くと間口の狭い喫茶店があった。代用コーヒー十五銭、煎茶《せんちゃ》三十六銭、ミルク十銭などという紙片がぶらさがる貧相な店だが、道からは中が見えず、さいわいほかに客はいなかった。いや、店番もおらず、「御用の方は紐《ひも》を引いて下さい」と貼紙《はりがみ》があった。晋助が紐を引くと上で市電と同じチンと音がして、老人が梯子《はしご》を降りてきた。晋助は紅茶を、初江は珍しいからと代用コーヒーを注文した。注文の品を持ってくると老人は、梯子を伝わって上に消えた。

「変った店ね。よく来るの」

「まあね。あの親爺《おやじ》さんは元市電の車掌だったんだ」

そう言われて見れば、店内はすべて市電に関係があるものばかりで、ナンバープレート、行先表示板、乗車券、車掌用鞄《かばん》、切符切り、帽子などが、ごたごた壁や柱に並べられてあった。

「わたし、喫茶店ての入ったことないの。へえ……」と初江はあちらこちらを首を伸ばして見た。

「ここは喫茶店の代表にはならないよ」と晋助は苦笑した。

「あなた、何かあったの。顔色がすぐれないわ」

「そうかな……」

「目脂《めやに》なんかつけて」初江はハンカチで晋助の目頭《めがしら》を拭《ぬぐ》った。「寝不足らしく目も赤いし、無精ひげ……」

「鋭い観察。実は、きのう、友達と飲み明かした。二日酔いだ。頭の中で梵鐘《ぼんしょう》が陰々滅々と鳴っている」

「無茶するのねえ。戦争のせい……」

「彼は来年の一月、海軍に入隊する。その壮行会だった」

「あなたの入隊はいつ」

「おれか……運命の日は一月八日だ」

「あと、丁度ひとつきねえ」

「もう逢《あ》えないかも知れないな」

「いやよ、そんなの」女は急に涙ぐんだ。

「今までだってそんなに逢えないのに、もう逢えないなんて、ひどすぎる」

晋助と初江は、すぐ近くに住みながら、逢い引きの機会がほとんどなかった。平日の昼間、男は勤めている。夜、女は夫や子供と一緒だ。日曜日、小暮家と脇家はときどき往来があるが、二人だけになるのはむつかしい。結局、きょうのような偶然の機会をとらえるより仕方がない。この春以後、二人が逢ったのは、三度か四度ぐらいに過ぎなかった。

「ひどすぎるのは戦争さ。ぼくたちの希望を断ち切る元凶だ」

「大丈夫……」初江は上にいる老人の耳を警戒した。

「大丈夫。親爺さん、耳が遠いんだ」

「あなた、軍隊に行っても、絶対死んじゃいやよ」

「無理な注文だな。今度のは大戦争だ。敵は最新鋭の軍備を持つ、つまり優秀な殺人用具を持つ大国だ。一方、ぼくは、ヘマで劣等で最低の兵隊だ。ま、ひとたまりもないね」

「でも勝ってるじゃないの。きのうからの大成果、すごいわ。うちの旦那なんか、もう感激して意気揚々よ」

「第一線に出ないで済む人ほど意気揚々でいられるよ」晋助は、彼としては珍しく、口をゆがめて憎々しげに言った。

「あなたが死んだら、わたし生きていられない」

「莫迦を言うんじゃない。きみが死んだら、子供はどうなる。オッコは……」

「オッコ……」初江は、しくしく泣き始めた。「可哀相《かわいそう》な子だわ」

「きみにはオッコを育ててもらわねばならぬ。ぼくは、この前、夢を見た。ぼくが死んだあとに戦争がおわり、オッコが世界的なヴァイオリニストになって、人々の心を慰めている、そんな夢だ」

「あなたは死んでいるの」

「そうだ。しかし魂魄《こんぱく》だけはふわふわ漂《ただよ》っている。風のように、きみやオッコのいる所へ吹き渡っていく」

「そんな不吉な想像おやめなさいな」と初江は笑いにまぎらわそうとした。

「またそれを言う」と、晋助は相手を鋭く睨み付けた。「不吉だときみが言うのは、もしかしたら、それがありえないと考えるからだ。しかし、ぼくは冗談を言ってるわけじゃない。確実な、そうだ、三に二つはありうる未来を真剣に考え、きみに真面目《まじめ》に話してるんだ」

「ごめんなさい」と初江はマザーに叱《しか》られた小学生の気持でうつむいた。「わたし弱い女なの。そういう未来の想像を聞いただけで、真っ暗になって、生きる勇気を無くしちまうの」

「ぼくは、時田史郎さんのように幹部候補生になれない。なぜかと言うと、幹候申請に必要な書類のなかに〝学校教練検定合格証明書〟があるからだ。ぼくは教練を徹底してさぼったため、それがもらえなかった」

「裏から手を回してもらえないの。たとえば敬助さんに頼むとか」

「ぼくがそんな卑劣な手段をきらいなことぐらい、きみだって知ってるだろう」

「じゃ、ずっと二等兵のままなの」

「一等兵か上等兵ぐらいにはなれるかも知れんが兵隊のままだ。要するに帝大出の特権なんか何もない」

そう言いながら晋助の胸を、冷たい氷のような想念がよぎった。兵隊などに金輪際なりたくはない。テスト氏ではないが、人間のおこなう最も愚劣な挨拶《あいさつ》というやつ、つまり敬礼をやらねばならぬのが兵隊だ。敬礼よりも死を選ぶ。日本に一人ぐらい、敬礼がいやで自殺した男がいてもよいではないか。多分人々は、二等兵を恐れた臆病者《おくびょうもの》、上官すなわち天皇を貶《おとし》めた非国民、国に尽さず己の利を求めた卑怯者《ひきようもの》とののしることだろう。が、それも面白いと思う。自殺……どのような方法で……。兵隊として無様《ぶざま》に生き無様に死ぬよりは、そのほうが百倍もいさぎよい。

「何を考えているの、あなた」初江は彼の突然の長い沈黙を不審がった。

「一つの解決を見出《みいだ》したんだ」と晋助は、傷だらけのテーブルを爪《つめ》で引っ搔《か》きながら言った。

客が入ってきた。勤人らしい中年の二人連れだ。紐を引くと、老人が降りてきた。晋助と初江は立った。ついに代用コーヒーは一口も飲まず仕舞いだった。五時を過ぎていて、悠次が六時十分か二十分に帰宅するというので、初江の尻に火がついた。繁華街を男女で歩くのははばかりがあり、別々の道を取ることになった。別れ際に初江が尋ねた。

「さっきの、一つの解決ってなあに」と、一所懸命な目が夕闇《ゆうやみ》の中で光っていた。晋助はびっくりした。〝一つの解決〟のことなど忘れていたからだ。その解決は、自分以外の誰かが考え出した、何の感情もともなわぬ、無機質の抽象語のように思えた。自殺……このおれが……自殺する……果してそれが解決だろうか。

「何でもないよ。一つの解決をつかんだ気がしたんだが、それは幻だったようだ。この乱世に快刀乱麻を断つ解決なんかありやしないのさ」

「そうかしら」初江は晋助の内心を見抜くような目付きをしたが、一転して目を潤《うる》ませ、溜息をついた。「あーあ、逢ったと思うと別れなくちゃならない。この世の中って本当に不合理だわ」

通行人が近付いた。二人はたがいに背を向け合って、別れた。

暮夜

太平洋の熱戦わずか一日で、敵艦隊の七割を屠《ほふ》り、さらには泰国《タイ》へ進駐、マレー半島上陸など、皇軍の赫々《かつかく》たる大戦果、国威発揚の現実により、株式場面は一気に沸騰《ふっとう》し、全面的買気の様相、とくに南方株と船株は暴騰だ。スマトラ拓などきのうの四三〇円が五八〇円に、三割五分も上った。マレーゴム、一八五円が二三〇円、日本郵船三円高、新船二四円高。まだどんどん上昇する。今や、太平洋の制海権を掌握した国力伸展を買目標として、人々は株式市場に熱中している。とにかく、わずか一日で、わが財産は三割から四割増しになった。今後多少の反落はあろうが、当分買気優勢であろう。緒戦の勝利に引き続き、南方の豊富な資源が工業化されてくれば、長期戦も大磐石《だいばんじゃく》。アメリカ、イギリス、フランス、オランダ、東亜に植民地を持った列強に代って、わが大日本帝国が日の出の勢いで経済の急速成長をとげるのは必定だ……。


小暮悠次は新聞の株式欄を矯《た》めつ眇《すが》めつしながら北叟笑《ほくそえ》み、ふと妻の渋《しぶ》っ面《つら》に目を止めて、いきなり引っ叩《ぱた》かれたような不快を覚えた。

「何かあったのか」

「いいえ」初江は、悠太と駿次の御飯のお代りをよそってやりながら、強張《こわば》った微笑を見せた。妻の胸底に何か悩みがあるらしいが、悠次にはつかめない。

「おれの予想が的中したぞ。株は暴騰だ。わが家の経済もこれで安定だ」と悠次は妻の気分を引き立てるように言ってみた。妻は無言だ。聞いているのかいないのか判然としない。食事を終えた子供たちがつぎつぎに席を立った。悠次は、飲み付けぬスコッチをぐっとあおった。せっかく、妻子のために株で大儲《おおもう》けしてやったのに、妻が浮かぬ顔では気分がそがれる。しかし悠次は、なおも上機嫌《じょうきげん》な口調で言ってみた。

「お義父《とう》さんとこも万々歳だろうな。南方用の薬を製産したのは慧眼《けいがん》だった。〝大東亜丸〟に〝共栄散〟か。あれは爆発的に売れるぞ。名前がいい。日露戦争のときの〝征露丸〟にあやかったのがいい。おい、聞いてるのか」ついに悠次は気色ばんだ。

「はい」と答えながら、初江は夫がさっきから段々にいらだってくるのを察知していて、何とか調子を合せようとして、できない自分を呪《のろ》っていた。気は急《せ》いて飛び立とうとするのだが心が重しをつけられたようにずるずると滅入《めい》ってくるのだった。央子の口を濡《ぬ》れ布巾《ぶきん》で拭ってやり、「いいわよ」とわざと元気よく女の子の尻《しり》を叩《たた》いて向うに行かせた。ときやを呼び、夫の食事だけを残して片付けさせると、心して夫に向った。

「きょう、夏江が来たんです。透さんが逮捕されたんですって」

「菊池君が」悠次は驚きのために立腹を忘れた様子で、急に好奇心を剝《む》き出しにした小声で言った。「一体どうしたっていうんだ」

「それが……」初江は、妹の秘密を夫に洩《も》らしてしまったのを後悔していた。夏江はこっそり姉であるわたしだけに相談に来たのだ。さっき、晋助にさえ何も打ち明けなかったのに……。

「容疑は何だったんだ」

「それが皆目わからないんですって。けさ、刑事数人に寝込みを襲われたんですって。どこへ連れて行かれたかもわからない。それで、夏江は三田署に行ってみたんですけど、全然様子がつかめなかったんですって」

「菊池君てのは、ちょっと変ってたな。熱心なキリスト教徒らしいが、熱心すぎて神憑《かみがか》りの気味があった」

「……」

「今どき、一途《いちず》に平和を主張するなんてのは時代遅れもいいとこだよ。彼の言う平和は戦争をしないこと、つまり欧米列強の植民地を温存させて、白人のアジア支配を肯定する結果となる。アメリカやイギリスをはじめフランスやオランダが東亜支配を平和的交渉でやめるなどと観測するのは甘いよ。彼らは武力で植民地を得た。それを元に戻し、安南《アンナン》や印度支那《インドシナ》や馬来《マレー》を独立させるのには、日本の武力が、正義の鉄槌《てっつい》が、必要なんだ。そもそも、アジアを侵略したのはキリスト教国だ。そういう敵性の宗教を盲信するのは、そう言っちゃ何だが、非国民だね。おそらく逮捕はその線だと思うぜ」

「透さんは、闇雲《やみくも》に平和と言ってるんではなく、自分の体験から言ってるんだと思いますわ。ノモンハンで重傷を負って、戦争のむごたらしさを身を以《も》って体験した……」

「彼が名誉の傷痍《しょうい》軍人である事実には、おれも頭を下げるさ。しかし、むごたらしいのは、近代火器を使って国境を侵したソ聯《れん》軍のやり方だってことだ。国境侵犯者をそのままにしておけば平和などありえない」

「そうですわね」と初江は言った。悠次と時局談を交すと、いつもどこかで意見が食い違う。その点を明確にして反論すると、彼は声を荒《あら》げて自説を主張しだすので、適当な所で折り合うことにしている。「透さんが時流に反しているのは事実ですわ」

「夏江は心配だな」と悠次は深刻な表情になった。

「ええ、でも仕方ありませんわ。そういう御時世ですから」

「御時世には、逆っては駄目《だめ》だ。まあ、せいぜい慰めてやれよ」

「そうします」と初江はにっこりした。

「あなた、今の話、ここだけですわよ。おねえさまなんかに話しちゃいやよ。第一、まだ詳しい事実は何一つわかってないんですから」

「もちろんだ……皇軍は大勝利だ。今にきっと戦勝記念の恩赦がある。菊池君はそれを待つんだな」

悠次の酒量は日本酒なら五勺《しゃく》だが、今晩はスコッチの小瓶《こびん》を二本も空けてしまった。すこし足元が危いまま、子供部屋へ行き、今まで壁に貼ってあった〝支那全図〟を〝大東亜共栄圏図〟に貼り替えた。

「悠太、今度はこの地図に日の丸を立てるんだ。おとうさんが地名を言うから、お前が立てろ。まず、ハワイだ。それからシンガポール。ミッドウエー、フィリピンのイバ、クラークフィールド。そうだ。シャム湾、バンコク、ウエーク島……いやあ、こうしてみると大したもんだなあ。皇軍の威力だな。見てみろ、駿次も研三も、日本は回天の歴史的大事業をおこないつつある。おや、オッコも見るのか。よしよし、ほら、綺麗《きれい》な日の丸が沢山立ってるだろう……」

21

ピカピカに剃《そ》り上げた頭を酔いで桃色に染めた敬助は、同じく軍服姿の陸士の同期生たちの中心にいて、話に夢中になっていた。何でも陸幼時代の生徒監で、のちに予科士の区隊長になった大佐が、第何とか軍の部隊長となり、今度のマレー半島上陸作戦で殊勲甲の大手柄《おおてがら》を立て、おそらくはシンガポールへの一番乗りも果すだろうという噂《うわさ》で、南方軍の参謀になった敬助は、戦地でその大佐と劇的な再会をする予定なのだ。しかし、上陸軍は快進撃を続けていて、軍の連絡網を使っても、大佐との交信がまだできず、このような情勢では、シンガポールの陥落も三月まではかからぬ、ひょっとすると二月中で、敬助も参謀赴任のため早々に出発しないと、東亜侵略百二十年の大英帝国の牙城《がじょう》陥落という歴史的偉業に間に合わない、それが嬉《うれ》しい心配だという。

「香港は存外にもろかったな」「おう、紙のような要塞《ようさい》だった」「開戦以来十八日に屈服しおった」「しかし、防備は堅固だった。ヴィクトリヤ湾内には機雷網、ヴィクトリヤ・ピークには洞窟《どうくつ》を掘り、ベトンのトーチカで二重三重に囲み、おびただしい側防火器を擁していたが、陣地に入った人間がなっとらん。命惜しさの腰抜け軍だった」「イギリス本国よりの守備軍は一千五百、カナダ軍一千五百、それにインド兵二千。カナダとインドは最初から戦意がない。それに百五十万の住民が各所で暴動をおこす。植民地は武力威嚇《いかく》による占領統治だから、外敵を受けると内部崩壊をやらかす」「シンガポールも全く同類だろう」

　十人の将校は、顔は違うが、軍服も肩頭を振る仕種《しぐさ》も軍人風の言葉遣いもよく似ている。おたがいを、〝おれ〟〝きさま〟で呼び合い、先輩後輩の誰彼について取沙汰《とりざた》するときは、かならず、〝陸幼何期〟〝陸士何期〟と確かめて、陸幼二十九期、陸士四十四期である自分たちとの先輩後輩関係や距離を測る。「東条閣下は陸幼二期、陸士十七期だったな」「二十七期の先輩か」「ふうむ」彼らはしばし、東条大将と自分たちとの間にある時間的距離を思い、それから東条内閣となってから、日本がどんなに輝かしい戦果を〝電撃的に〟あげたかを、身内の身《み》贔屓《びいき》をあらわにして語り合う。今、シンガポールを目指して猛進中の南方軍の総指揮官寺内寿一《ひさいち》大将は陸士十一期、総参謀長塚田攻《おさむ》中将は陸士十九期、フィリピン攻略の第二十五軍司令官山下奉文《ともゆき》中将は陸幼三期、陸士十八期、という具合だ。自分たち、陸幼陸士の出身者こそが、今の日本を動かし指導し指揮しているという自負の念が談話を活潑《かっぱつ》化していた。

　むろん海軍も大活躍だ。ハワイ空襲の英雄、聯合艦隊司令長官山本五十六《いそろく》大将の名は彼らにも尊敬を込めて語られる。しかし結局のところ、戦争の勝利は陸地の占領をもって成就《じょうじゅ》する。大東亜共栄圏の広大な陸地の奥まで侵攻し占領し資源の活用をはかり皇国を富ませるのは陸軍なのだ。皇軍と言った場合、彼らが強く意識するのは陸軍であり、海軍は陸軍の補助ぐらいに見なされている。海軍こそが軍隊の中心だと信じている時田利平が耳にしたら、仰天するような話が、今、平然と飛び交っていた。

話には、彼らの間のみで通じる隠語がふんだんに使われていた。オヤジ（陸幼の生徒監）、クスケ（陸士の区隊長）、ゴミン（陸幼、予科の模範生徒）、カデ（幼年学校出身者）、スタ（頭の固い、成績不良な者）、グシャ（頭のよい、成績優秀な者）……「××オヤジは、あれで随分スタだったが、根性はあって、カデらしいのう」「そう、スタのくせにゴミンになりおった」「グシャには結局駄目なやつが多いのう」「ふむ、おれはスタぞ」と敬助は、同期生のほとんどが自分より先に陸大を卒業し、すでに昨年十月少佐に進級しているのを暗に指して言った。が、彼もこの三月には少佐に進級が決っている。そうなれば、少佐で陸大出の〝天保銭組《てんぽうせん》〟で一線に並ぶ。半年ほどの遅れは大したことはないし、満洲や北支での彼の実戦経験は、ほかの同期生にない利点である。事実、陸大に在学中、戦術実習の際など彼の万里の長城攻略の経験が大いに役立ち、面目を施したものだという。

将校連の会話に聞き耳を立てているのが悠次と晋助であった。悠次は、何とか彼らの話題に入って行こうと切掛けを狙《ねら》っているのだが、隠語の壁に阻《はば》まれてうまくいかず、よくは理解できぬながら、しきりと相槌《あいづち》を打っていた。晋助は、黙々と手酌《てじゃく》で飲みながら、彼らの話を苦々しい思いで聞いていた。今次の大東亜戦争の主役は自分たち陸軍であり、その陸軍の中核が陸幼陸士出身者であるという誇り、そして仲間内で固まった閉鎖的思考、傲慢《ごうまん》、単純な価値判断、そういったものは、かのテスト氏が軽蔑《けいべつ》する、外面的茶番に過ぎない。彼らに欠けているのは、と考えて晋助はある言葉を探し求め、それを見出しえないで考え込んだ。手酌でぐいぐい飲んだために、意識がふわふわと蒸発してしまい、手答えのある堅い言葉が出てこない。不意に見えてきた、フランス語だった、la passion、そう、彼らにはこれが欠けている。それはきわめて個人的な情熱であり苦悩であり、キリストの受難のように、全世界を相手にしても、おのれ独りのみは、進んで迫害を受けに進んでいく、強く、したたかで、永続する感情である。彼ら少壮将校には、残念ながら、この la passion がない。時代の流行に乗り、〝バスに乗り遅れるな〟とばかりナチス・ドイツを賛美し（ああ、バスとはいみじくも言ひにけるかも、公共の乗物を拒否するところから la passion は生れるなれば）、天皇または国家（天皇と国家とは彼らにおいて同義なり）のために戦争の勝利という目標だけを求めている。

la passion と心中でつぶやくうち、晋助は初江を想《おも》い、今は百合子とともに台所に手伝いに立って不在となった座のあたりに、あのふくよかな乳房ときゅっと締った腰の感触が漂っている気がした。おれには初江しかいない。彼女のためなら全世界を失なってもいいと心から思う。兄貴の敬助には絶対に理解できぬのがおれの気持だ。国家よりも一人の女を大事に思うなど、まさしく狂気の沙汰だと彼は慨嘆するだろう。

南方軍参謀になって出征する敬助を祝い、同時に麻布三聯隊に入営する晋助を祝おうと言い出したのは母の美津だ。母の頭では、両者は同一種類の慶事なのだ。そこで晋助に向って、みんなが――百合子も悠次もはるやも――おめでとうと言う。おそらく、父の礼助が生きていたならば、あのアジア・モンロー主義者、満洲事変の立役者、東亜経済圏の夢想者は、息子二人の出征と入営を諸手《もろて》を挙げて喜んだことだろう。

敬助は上機嫌だ。彼の一言一言に少壮将校たちは押し並べて豪傑笑いで応じていた。笑みを頬《ほお》のあたりに残したまま敬助は、こちらに立ってきて、悠太に言った。

「悠ちゃん、今年はいよいよ中学生だな」

「うん」と悠太は生返事《なまへんじ》をした。弟や妹が大人たちの酒席に飽きて、別室で双六《すごろく》に興じているのを、さっきから羨《うらやま》しげに横目で見ていたが、自分はもう子供ではないと示したくて無理をして坐《すわ》っていた。

「中学生になったあとは、どうする。幼年学校を受けるのか」

「軍人の世の中だからなあ」と父の悠次が話題を引き取った。「幼年学校が、この子にはいいと思う。敬ちゃん、よろしく指導を頼むよ」

「幼年学校へは行かないよ」と悠太が言った。

「ああ言ってるがな」と悠次は敬助に片目を瞑《つむ》った。「この子には、おれの遺伝があるから将来近眼になる公算大だ。近眼じゃ陸士も海兵も受けられん。今のうちに幼年学校をねらうのが得策だ」

「幼年学校へ行かないで、何になるんだ」と敬助はからかい気味に言い、「まさか、文科へ行くわけじゃないだろう」と晋助を一瞥《いちべつ》した。

「ぼく、理科へ行って天文学者になるんだ」と悠太は言った。

「天文学者か」と敬助は驚いた様子だったが、すぐ吹き出した。「いやいや、変った望みだ」

「まあなあ、子供のうちだけさ、勝手な空想に耽《ふけ》られるのは」と悠次が言った。

悠太は目を三角にして従兄《いとこ》と父とを交互に睨《ね》めつけていたが、その目から涙が流れだした。

「や」と敬助は気が付き、しかつめらしく頷《うなず》いた。「天文学者だって立派な職業だ。第一理科だしな。理科の知識は戦争に役立つ。頑張《がんば》れ」敬助はまた、晋助を一瞥すると、むこうへ行こうとした。

「にいさん」晋助は言った。酔いが深く、舌がもつれる感じである。内面で何かが弾《はじ》けて、熱い感情《パッション》が流れ出してきた。「文科はなぜいけねえんだ」

「お」敬助は振り返り、弟の険しい表情を見て取ると、両拳《りようこぶし》を握って垂れ、柔道の自然本体の構えになった。

「ぼくは文科だ。仏文だ。しかし仏文学だって立派な学問だ」

「文科がいけないなどとは言っとらん。誤解だよ」

「しかし、さっきから、軽蔑してるじゃないか」

「思い過しだよ」と敬助は苦笑した。「お前、酔ってるな」

「酔ってるさ。酔うために飲んでるんだ。ぼくはこの時代に何の役にも立たん。仏文学などという、にいさんのいわゆる軟文学を学んだ脇晋助二等兵は、不動の姿勢、速歩《はやあし》、敬礼、捧《ささ》げ銃《つつ》、すべてができない屑《くず》の兵隊だよ。おい、脇大尉《たいい》殿、いやこの三月には少佐に進級する、脇少佐殿、せめて脇二等兵に敬礼を教えろよ」

「よせよ」敬助は晋助の手を振り払った。晋助は、払われた方向にわざと腕を薙《な》いで、御節《おせち》料理を皿から払い落した。

「兄弟喧嘩《げんか》はおやめなさい」と初江が割って入った。敬助に目くばせしてむこうへ行かせ、晋助の腕についた数の子や金団《きんとん》を膳布巾《ぜんぶきん》で拭《ぬぐ》った。

「どうしたのよ、晋助さんにしちゃ、珍しく、人にからんだりして」

「死にたいんだ」と晋助は初江の耳に言った。

「何を莫迦《ばか》言ってるの」初江は畳の上を拭う振りして晋助に囁《ささや》き、悠次を気にした。さいわい夫は、敬助に向って戦局の行方について質問していた。

「死にたいんだ。これは本気だよ」

「気持はわかるけど、我慢するのよ。それしか方法ないわ」

「いや、唯一《ゆいいつ》の方法は自殺だ」

「ちょっと……」百合子が銚子《ちょうし》を運んで来たので、初江は畳をこすってごまかした。

「どうなさったの」と百合子が尋ねた。最近肥《ふと》ってしまい、顎《あご》が二重になってきた。

「晋助さん、酔って、粗相なさったの」

「無理もないわ。娑婆《しゃば》ともしばらくお別れですものねえ。晋助さん、どんどんお飲みなさいな」百合子は重たげに腰を振りながら、去った。

「何言ってやがる。酒でたぶらかそうってのか」とつぶやくと、晋助は千鳥足で部屋を出た。しかし二階への階段は、しっかりとした足取りであがって行った。自室に入ったとき、初江がついてきた。喜んだ晋助が初江を抱き締めようとしたとき、悠太が姿を現した。がっかりした晋助は、ソファにふてくされた形で坐り、唱《うた》うように言った。

「いよいよおれは二等兵。二等兵は殺される。何にも知らずに殺される」

「あなた、飲み過ぎよ。死ぬ、死ぬって、不吉なことばかり言わないでよ」

「死ぬと能動形では言っていない。戦争で殺されると受動形で言っている。フランス語的発想だ。Je serai tué à la guerre. どうせ殺されるなら、その前に……」

「あなた酔ってるわ」

「酔ってはいるが、本気だよ。叔母《あ ふ》さん」

初江は見る見る顔を曇らせ涙を溢れさせた。女の泣き顔には慣れているが、初江のはことのほか変化が激しくて驚かされる。

「そう泣くなよ。本当は殺されたくない。せめて詩と小説を完成させてからにしてほしい」

晋助は引出しから原稿の束と日記帳を取り出した。きのうの大晦日《おおみそか》、一日がかりで整理し、意に充《み》たぬ未定稿や作品は焼却した。大学ノートの日記帳は、大分迷ったが、最近のものだけを残して、やはり焼却してしまった。残ったものを重ねて、麻紐《あさひも》でからげてみると、厚さ三センチばかり、一生の成果としては、いかにも薄く貧しい。いっそ全部を火中に投じようかと思ったが、未練がおこったのは、初江を想って書いた作品や日記を彼女に読んでもらいたいと思い返したから、そもそも、そのような文章のみを残していたと気付いたからであった。

晋助は初江にそれを渡そうとして、ふと頬を撫《な》でる悠太の視線にこそばゆくなり、少年に言った。

「入学記念に何か本をやろう。岩波文庫読めるかな」

「この子なら読めるわよ」と初江が言った。「『世界文学全集』を読んでるの。今は『神曲』。文語文でしょう。わたしには到底読めそうもないわ」

「『神曲』か。『恋は我等を導きて共に死なしめき』」

「それは何なの」

「パウロとフランチェスカだ。ジアンチオットの妻フランチェスカはパウロと密通して、二人ともジアンチオットに殺される。ダンテは地獄のフランチェスカに問う。『フランチェスカよ、汝《なんぢ》の受くる苦しみは、我をして哀《かな》しみと憐《あはれ》みとに泣かしむ。されど我に告げよかし。かの甘き太息《ためいき》の頃《ころ》、何によりて、又いかにして恋はなんぢに、汝の内気なる願ひをそれぞと知らしめたる』するとフランチェスカが答える。『悲しみの中にありて楽しかりし時を想ふより痛ましきはなし』と」

「悲しい話ね。フランチェスカは殺されなくちゃならない」

「パウロもだ」

「二人一緒に殺されるのなら幸福だわ」

「しかし二人とも地獄に墜《お》ちなくちゃならない」

「幸福でも、そのあとが恐《こわ》いのね」

「しかし、地獄を恐れぬほどのパッションが無ければ幸福などえられない」

「パッション……」

「そう、全世界を相手にしても、自分たちの幸福を求める情熱が二人にはあった。だから二人は幸福だった」

「地獄に墜ちても……」

「そうだ」

初江は考え込んだ。晋助は悠太に向って言った。

「今、どのあたり読んでるの」

「自殺者の森。すごく怖い所だよ。自殺した人は、みんな変な木になっちゃうんだ。真っ黒な葉っぱで、刺々《とげとげ》の枝で、折ると血が吹きでて、痛い痛いって、木が喋《しゃべ》るんだ。ねえ、晋ちゃん、自殺した人はどうして地獄に墜ちちゃうの」

「ダンテはキリスト教徒だからね、自殺者は、みんな地獄に墜ちると信じている」

「なぜかなあ。自分で死ぬ人って、勇気あると思う。それなのに地獄だなんて、わかんないよ」

「地獄だの自殺だの、子供が考えることじゃありません」と初江が言った。「この子は、本の読み過ぎで、変なことばかり考える。入学試験まで、あとちょっとしかないのに、『神曲』どこじゃないでしょう。このあいだも、死んだおばあちゃまに風呂に入れてもらった夢なんか見て……薄気味悪い」

「まあいいじゃないか」と晋助は言った。「死人の夢は、死者の復活を意味して縁起がいいんだ。ぼくも、つい三日前に、父と逗子《ずし》の家で食事をする夢を見たばかりだ」

「おおこわ」と初江は身震いした。「死人が生きている人を誘うようで、恐いわ」

「おかあさんが震え上ってるから、この話やめよう。さてと、ぼくの入学祝いに……これをあげよう」晋助は『ブッデンブロオク一家』の揃《そろ》いを引き出し悠太に渡した。何度も読み返して、大事にしてきた文庫本だが、もう読む機会はなさそうだ。マンは、この小説を二十五歳のとき書いた。おれと同年輩の青年が、このような大長篇を書きあげている。もし、自分がこのような小説を完成していれば、今すぐ死んでも悔いはないのだが……。

「おにいちゃん、下で双六《すごろく》やろうよ」と駿次が呼びに来て悠太が下におりて行くとすぐ、初江は晋助の胸に飛び込んできた。女は男の舌を痛いほどに吸い込んだ。この女を、今抱きたいと切に思う。が、誰かが階段を登ってきそうで二人は落ち着けなかった。二人は離れ、女は男の唇《くちびる》の口紅を拭った。

「あと一週間しかないのね。あなた入営したらすぐ戦地へ送られるの」

「初年兵教育が終ったら、ハルビン郊外の聯隊駐屯地《れんたいちゅうとんち》に送られる公算が大だ。もっとも、この戦局じゃ、かならずしも原隊に送られるとは限らない。南方の激戦地回しかも知れない」

「大戦争ですものねえ。いやな時代ね」

「本当にいやな時代だ。個人のパッションを阻害しようとするものが極端に肥大している。敵はアメリカでもイギリスでもない、国家という怪物だよ。軍隊や牢獄《ろうごく》で個人の幸福を奪い、平気で殺戮《さつりく》や虐殺《ぎやくさつ》をする。そうして国家は声を張りあげて個人に脅しを掛ける。七生報国、尽忠報国、愛国、義勇公に奉ぜよ、義は山嶽よりも重く死は鴻毛《こうもう》よりも軽しと覚悟せよ、生きて虜囚の 辱《はずかしめ》を受けず死して罪禍の汚名を残すこと勿《なか》れ。要するに国家は生きよ、個人は死ねというわけだ」

「でも国家を相手にしても負けるだけでしょう」

「それはそうだ。しかし、ただ一つパッションだけは負けない」

「全世界を相手にすれば、パウロとフランチェスカじゃないけど、殺されるだけじゃないの」

「殺されても、殺されるまでは幸福でいられる。死を前に、幸福は稠密《ちゆうみつ》になって光輝く」

「でも、はかないわ。結局、殺されてしまうんでしょう」

「人間は遅かれ早かれ死ぬんだ。幸福に酔っても死ぬ。絶望していても死ぬ。ならば、束《つか》の間《ま》の幸福を求めたほうが得だ。すくなくとも、ぼくはきみと逢《あ》えて愛し合えて幸福だった」

「……だった。もう過去なの」

「ああ、ほとんどね。あとは死ぬだけだ」

「さっき、あなた自殺だなんて言ったわね。冗談でしょう」

「冗談だと思うかい」

「ええ、酔ったあげくの冗談よ」

「見抜かれたか」晋助は苦笑した。しかし顔に染《し》み出た笑いの形は、すぐに苦々しいしかめ面《つら》となった。

「わたし、不幸だわ。あなたがいなくなってしまう。あなたのいない毎日なんて、死んだも同然」

「だから、せめて思い出を大切にしてくれよ。ここに、ぼくの文学的草稿と日記がある。これをあずかってくれ。お袋や兄貴には、絶対に読まれたくない」

「わたしは読んでもいいの」

「いいさ。そのために預けるんだから。それからヴァイオリンと楽譜、レコードの全部はオッコにやってくれ」

「でもあなたが帰ってきたとき要るでしょうに」

「いや、もう要らない。オッコが使ったり聴いたりしてくれたほうがぼくには喜びだ」

「このヴァイオリンの音には沢山の思い出があるわ」初江はケースを開き、響板をそっと撫で、弦を弾《はじ》いた。「何か弾《ひ》いてよ」

「いや、今はその気分になれない」階下では詩吟が始まっていた。胴間《どうま》声《ごえ》で猛烈な調子外れである。

「そうね」初江は嘆息して、涙ぐんだ。「こんなふうにしてお別れしなくちゃならないのね。

そろそろ下に降りましょう、怪しまれぬうちに……」

22

「すっかり片付いたね」と美津は言った。書棚《しょだな》の上の紙箱、机上に堆《うずたか》く積んだ本や書類、床の上の雑品、すべてがさっぱりと消えている。

「しばらく留守にするからね」と晋助は言った。「現役は二年だが、この戦局では二年では帰れそうもない」

「敬助によると長期戦になりそうだねえ」と、美津は溜息《ためいき》をついた。日頃気丈で、長男の出征と次男の入営を軍国の母の名誉としてきた美津も、本心では息子二人の不在を寂しがっていた。ことにも、腰をしゃっきり伸ばし、忙しく立ち働くのを常としていた人が、この正月二日、南方の任地へ向う敬助を東京駅頭に見送ってからは、何だか捨てられた老犬のようにしょんぼりとしてしまい、思案顔や溜息が多くなった。それでも晋助の入営の準備にあれこれ気を配り、現在主力が満洲に駐屯している歩兵第三聯隊の麻布龍土町《りゅうどちょう》の留守部隊にいる敬助の後輩の中隊長に晋助のことを頼みに行ったりした。

「おかあさんも元気でね」と晋助が言うと、美津は、「お前こそ体をこわさぬように」と頰《ほほ》笑《え》んだ。こういうとき涙を流さぬのが美津の特徴で、何かにつけてすぐ泣き顔を見せる初江との大きな違いであった。その母の顔を晋助は眼底に焼き付けるようにじっと見詰めた。母ともこれでお別れだと思う。

「ちょっと出てくる」と晋助は外套《がいとう》の袖《そで》に腕を通した。

「どこへ行くんだね。きょうは寒いよ」

「散歩だ。入営前の見納めに街を見てくる」

「早目に戻ってきておくれ。お隣りの野本さんで入営祝いの小宴を催すからぜひお越しいただきたいと、さっき桜子さんから電話があったんだよ」

「最後の晩餐《ばんさん》か」

「最後だなんて縁起でもない。桜子さんの御好意じゃないか。六時と言っておられたよ」

玄関口まで出た晋助は〝面倒だな〟と思った。腕時計を忘れたのだ。それを取りに二階に上るのが面倒だった。「やれやれ、お祝いか……」と晋助は口を尖《とが》らせた。桜子のことだから大変な御馳走《ごちそう》だろうが、このところ食欲のない彼には、それも面倒の一つだった。そうして、そんな面倒を思う自分を、彼はいぶかしがった。まるで、もう一度、この家に帰ってくる人間の感覚ではないか。人間においては、状況への反応よりも習慣への帰属感のほうが強いらしい。

散歩用の下駄《げた》を用意してくれたはるやに、晋助は、「それじゃない」と言って、山歩き用の編上靴《あみあげぐつ》を出させた。外は、空が唸《うな》るほどに風が強く寒かった。枝折戸《しおりど》のところで振り返った。瓦《かわら》の一部がずり落ち、所々下見板《したみいた》の腐った二階屋は、みすぼらしく小さく、そこでの生活を示しているように見えた。世界の東の果ての小国の首都の片隅《かたすみ》でいとなまれた、みすぼらしく小さな無名の人生、それがおのれの実相であった。

幼い時より見慣れていた街が、まるで過去の遺跡のようだ。薄汚れた硝子《ガラス》、割れた軒端《のきば》、錆《さ》びたトタン、崩壊と凋落《ちょうらく》の兆《きざ》しが家々に現れて、街並みが傾き、どこかに沈んで行く。子供たちの一隊が走って来た。走る。走る。どうしてあんなに急いでいるのだろう。どこへ駆け抜けて行くのだろう。遅れた女の子が泣きべそをかいて追っていく。央子に会わなくてはならない。大通りは凍結した川のようだった。冷たくて、つるつるに光って、変に静かだった。馬糞《ばふん》を弾き飛ばしてトラックが通る。何だって、あんなに怒ったように吠《ほ》え立てて、これ見よがしに肩を震わせるのだろう。兵隊の運転するサイドカーが来た。ふんぞり返って乗っているのは少佐か少尉《しょうい》だった。サイドカーも怒って、怒鳴って、震えていた。とにかくこの機械どもは滑稽《こっけい》なほど大袈裟《おおげさ》な動作と音で疾駆していた。そう、現在は何もかも大袈裟な時代なのだ。

小暮家の石段をあがった。わざと門の引戸を力を入れて閉め、靴音を飛び石に響かせてみた。呼鈴を押した。ときやの黒っぽい顔が、「奥さまはお留守です」と言った。「オッコちゃまが熱を出されたので、三田に診てもらいに行かれました。駿ちゃま、研ちゃまもご一緒です。悠ちゃまだけ、二階でお勉強中です」央子がいない……間の悪いことだ……初江もいない……こう間の悪いのは、誰かの悪意のせいだ……la passion に反対する巨大な機構の悪意のせいだ。戸惑っている晋助をときやは気の毒そうに眺《なが》め、「悠ちゃま、お呼びしましょうか」と言った。「いや、試験勉強の邪魔をしちゃ悪い。また来ます。さよなら」また来る機会など、もう無いのだ。ヴァイオリンの音が響いてきた二階の飾り硝子に唐楓《とうかえで》の枝の影が焼きついていた。太陽が沈もうとしている。世界も街も時代も沈もうとしている。

下降の感覚が足元から起ってきた。街全体が巨大なエレベーターとなって沈んで行くようだ。お茶の師匠の黒い板塀、人形屋の倉庫、そのむこうに精神病院が連なっている。鉄格子《てつごうし》の中で医師の白衣がチラと動く。村瀬芳雄も、あす、海軍に入隊するはずだ。横丁から夕陽《ゆうひ》の黄色い矢が飛んできた。つぎつぎに目に突き刺さる。子供たちの黒い影が走ってきた。さっきの子供たちかどうかわからない。夕陽の光を頭にまぶされて、血まみれになった兵隊のように見えた。この子供たちも、やがて大人となったら兵隊に狩り出されるのだろう。子供たちは走っている、大急ぎで人生を駆け抜けて行く。彼らは、ふっと幻のように消えてしまった。割烹着《かっぽうぎ》の女が歩いてきて、こちらを怪訝《けげん》そうに見ている。多分、子供たちを熱心に見詰めていたので変に思われたのであろう。

おのれが発狂して精神病院に入るという発想が浮び上った。徴兵官は鉄格子の中まで追ってはこないだろう。しかし、監禁されて治療の名目のもとに自由を奪われると、考えただけでぞっとする。七、八年前のことだ、この精神病院から逃げてきた患者——晋助と同い年ぐらいの青年——を看護婦と看護人の白い集団が追うのを目撃した。はだしの青年は汗まみれになって走っていたが力尽き、猛禽《もうきん》の群に襲われた小動物のように倒れてしまった。

徴兵忌避をして監獄に入るのもいやだ。規則尽くめの毎日、看守への敬礼と服従、強制労働、すべてにおれは耐えられぬであろう。

小学校の奉安殿に先生らしい男が最敬礼をしている。晋助が通り過ぎるあいだ、ずっと頭を下げている。最敬礼をしているみずからの姿を誇示するかのようだ。校庭に人影はなく、砂埃《すなぼこり》が風に舞っていた。灰色の宵《よい》が迫ってきた。晋助は足を早めた。教会堂の前で大通りを渡った。薬屋、古本屋、煎餅《せんべい》屋などの小店舗が並び、主婦たちの姿が増えてきた。逃げるように小路に入ると、子供のときに見覚えた家々が現れてきた。家々の先に行けば、かつて遊んだ場所があるはずだ。と、人家が切れて、射撃場と学校寮の裏手に挟《はさ》まれた薄暗い道となり、石ころや穴で足元が危くなった。しかし、何か懐《なつ》かしい所に吸い込まれるような快感がおこり、彼の歩度はかえって早まった。

石積みの堡塁《ほるい》が道をさえぎっていた。白く累々《るいるい》とひろがり、歩哨《ほしょう》に誰何《すいか》されそうだ。黙って通過すれば射殺される恐怖が迫ってきたが、今さら退くわけにもいかず、進むのみと臍《ほぞ》を固め、エリコの石垣《いしがき》に向うヨシュアの心で進む。堡塁は土管の連なりとなった。直径一メートル五十ほどの大土管が道から広場へと不規則に並んでいる。青白い火が、土管の中を傍《そば》を上を、チロチロと燃えて動く。猫《ねこ》であった。一様に肋《あばら》もあらわに痩《や》せて貪欲《どんよく》な目付きで、猫よりも怪獣の群という姿で、こちらに隙《すき》あらば襲い掛る気配を見せ、十匹二十匹とうろうろしている。地獄の門を守る異形の動物ども。うれひの国に行かんとするものはこの門をくぐれ。永劫《えいごふ》の呵責《かしやく》に遭はんとするものはこの門をくぐれ。この門を過ぎんとするものは一切の望みを捨てよ。動物が近付き牙《きば》を剥《む》いた。攻撃開始の合図で鳴く。奥へ奥へと鳴き交している。しかし晋助は、動物に食べられるのも運命、むしろ加害者が明らかで小気味よいと思う。

勢いよく、大股《おおまた》に行く、ヨシュアの兵士の心に、エリコの石垣は崩れた、そのようにして、堡塁を通過し、松林に入った。風は枝をたわませ、幹は震え、梢《こずえ》は軋《きし》んだ。吐息と、呻《うめ》きと、深き嘆きの声とが響き渡る。

煙立つ大野であった。砂煙がつぎつぎに立ち昇るさなかに枯草が靡《なび》き、さながら亡霊の手の乱舞に似て束の間の休みもない。大小の穴は底に血のような水を湛《たた》え、水中よりけだものの角を光らせたかと見えるのは氷であった。埃が目に入り、晋助はしゃがみ込んで、涙で流し出した。鉄条網の切れ端が風に飛ばされてき、牙を剝いた怪獣のように足にからみつこうとした。それをよけると落し穴にずり落ちた。ともかくも歩み始めた。前方に丘が迫ってきた。丘の頂きまで道が通じているはずだが闇《やみ》にまぎれて見分けられず、まっすぐに笹藪《ささやぶ》を掻《か》き分けて登った。

視界が開けた。砂煙は麓《ふもと》で拭《ぬぐ》い去られてしまい、透き通った空気のむこうに富士や丹沢の連峰が望めた。丁度富士のあたりの空はまだ明るい。新宿のビルのシルエットが角張っている。目の下の線路を電車が通って行く。反対側からも通って行く。宵闇の街や線路が何やら異様な作り物に見えるのは、灯火が無いからであった。まるで僻遠《へきえん》の地に来たかのように、空と地とは相呼応して暗くなっていき、家々も道も空地も、一刷毛《はけ》の黒に塗り潰《つぶ》されてきた。

子供のとき、よくこの丘には遊びに来たものだ。正月の凧上《たこあ》げ、春の摘み草、夏の蟬取《せみと》り、秋のトンボ釣《つ》り。時折見る不思議な夢のなかに出現してくるのは、おそらくこの丘の思い出なのだ。幼い晋助は、母のそばでタンポポを摘んでいる。敬助が斜面の上から元気一杯に駆け下りてくる。そんな兄弟を父がどこかで見ている。父の脇礼助は、日曜日に家族連れでこの原っぱを散歩するのを好み、この小高い丘に登って富士や帝都の眺望《ちょうぼう》を楽しんだ。「見ろ、晋助。大東京などと言っても、富士やあの山脈に較《くら》べれば、ちっぽけなもんだ。第一、朝や昼や夕という、一日の移ろいの一切に東京は服従せねばならぬ。大東京の力など、高々そのくらいのものさ」幼い子には珍糞漢糞《ちんぷんかんぷん》の言葉を、父は魔法使の呪文《じゅもん》のように口にした。丁度、小学生の晋助に平気で英語の諺《ことわざ》を聞かせたように、三つ四つの息子に平気で大人用の言葉で語るのだった。「このあたりは元々武蔵野《むさしの》の雑木林だった。今は練兵場だ。が、おそらく将来は住宅街になるだろう。そして、遠い将来、再び雑木林になる可能性はもっとも大だ。人間の力よりも自然の力のほうが遥《はる》かに強大で永続的で徹底しているということだよ。なあ晋助」幼い子は言葉を音として記憶し、その意味を解しえたのは、ずっとあと、父の死後であった。

電車が来た。前照灯は淡く、車内は仄暗《ほのぐら》く、しかし、大勢の乗客を内に閉じ籠《こ》めた、強力な鉄塊として、全重量を鉄路に押し付けて、大地を轟《とどろ》かせて通り過ぎた。あとに、圧力にひしゃげた鉄路が蒼白《あおじろ》く光っていた。月が輝いているのであった。盛りを過ぎているが、まだ満月の余光を保つ、二十日の月が明らかに目的地を照らしていた。

目的地――丘の脇腹《わきばら》を刻む坂を降りた先、土手の上の線路――が彼を誘うのだった。それは、丁度、二キロメートルにわたって一直線コースとなった真ん中あたりの線路で、さっきから何台も通過する電車は、そこを猛スピードで通り過ぎて行った。たとえ、運転手が彼に気付いたとしても、ブレーキを掛けたぐらいでは電車は止りはしまいと思われた。それに、月明りに坂道も土手も明らかで、間違いなくそこに到達できる。間違いなく、確実におのれの決心を実行できることが肝要である。無様な失敗は、耐えられない屈辱だ。

　晋助は、なおも何台かの電車をやり過ごした。決心が鈍ったのではなく、完全な夜が来るのを待ったのだ。暗ければ暗いほど、誰にも怪しまれずに目的地へ行ける。しかもありがたいことに、坂道と土手と線路は月が高くなるにつれ、闇のなかで一層はっきりと見えてきた。

　電車が突進してきた。今だと思う。が、何かが彼を引き止めた。未練ではない。自分の心の奥底までぱっと明るくなり、何度もよく練った思考がきちんと筋道の通った連環となっているのを覗《のぞ》き見る気持で、彼は自分の決心の道筋を素早くたどってみた。自分は狂人にも、囚人にも、兵隊にもなれない。残された道はあの線路へ行くしかない。どうせ明日は、初江に央子に、母に敬助に、すべての人々に別れを告げねばならず、としたらそれが今夜であっても少しも構わない。連環となった思考のうちで初江だけが異物のように肥大している。彼女だけは、おれの死を悲しむだろう。彼女を悲しませずに、共に喜ぶためには、共に死ぬのが最上の解決であろう。けれども央子は……央子のために彼女は生き残ってもらわねばならぬ。この世に脇晋助なる人間が生きた、たった一つの痕跡《こんせき》、それが央子だ。初江に抱かれた幼い子の姿を彼はまざまざと、まるで目の前にいるかのように鮮明に思い浮べた。幼い子が笑った。初江が頰笑んだ。晋助は母と子に笑い掛けた。そのとき、轟音《ごうおん》が聞えてきた。

　晋助は丘を一気にたくみに走り下りた。土手を登るとき枯草が露に濡《ぬ》れていて足を滑らせたが、あっけなく上に出た。線路が「ここだ」と叫んでいた。彼は二本の線路のあいだに仰向けに倒れた。鉄を伝わって重たいものが、圧倒的な力で近付いてきた。それは次第に地鳴りをともない、枕木《まくらぎ》に当てた頭をぶるぶると振動させた。最後の瞬間まで、この世界をよく見てやるぞと彼は決心し、目を見開いた。すこし端のぼやけた月とまばらな星は、風に洗われて異常に美しかった。人生の最後の光景がかくも美しいことに彼は満足して微笑した。その微笑がそのままで死顔となることを願ったとき、物凄《ものすご》い風とともに真っ黒なものが覆《おお》い被《かぶ》さった。

が、真っ黒なものは、一陣の風のようにあっけなく去ってしまった。何事が起ったのか。晋助は上半身を起し、遠ざかっていく電車の淡い尾灯を認めた。失敗したのだ。顔を撫《な》でてみる。手足を動かしてみる。血も痛みもなく、難なく立ち上れた。自分が生きているという、予定外の事態に戸惑いながら、彼は線路から出、砂利を踏むと、土手を降り始めたが、滑ったのを機に、斜面に身を横たえた。あれほど考え準備し予定した行為の結果がこれ――生きてしまったということなのだ。思考が停止し、月と星とが鮮かに光り、風と呼吸とが合奏した。轟音がした。ふたたび電車が近付いてくるのを見たとき彼は全身を貫く恐怖を覚えた。この恐ろしいものが死だ。おれは何をしたのだ。電車はカタカタと歯を鳴らして嘲笑《ちょうしょう》しながら去って行った。

どこをどう通って家まで帰り着いたのか晋助は全く覚えていない。格子戸を開けるか開けないかに美津のつんつん声が襲ってきた。

「何をしてたの、今まで。野本さんからはもう五回も電話があって、みなさまが、お待ちかねですって。おやおや、転んだのかい。泥《どろ》だらけじゃないの。さあ、大急ぎで着替えなさい」

23

昭和十七年二月二十八日土曜日午後、時田病院の真向いにある三田北寺町大松寺において、時田菊江の七回忌追善供養がおこなわれた。

読経《どきよう》の途中で、利平は貧乏ゆすりを始めた。足先から腹のあたりにかけて震えが波のように上昇してきて、止めようとしても止らない。そのうち、震えは胸から肩へと波及してきた。腋《わき》の下が湿りを帯びてきたと思うと、汗がぬるっと脇腹を這《は》いおり、続いて鼻汁が出、涙が出、体中の水分があちこちの栓《せん》を抜いたように流れ出してきた。正座の膝《ひざ》を押え、ハンカチで顔や項《うなじ》を拭い、必死で取り繕うのだが及ばない……。

一時から法要と定めておいたのに、外来患者が引きも切らず、それに間が悪く西山副院長が風邪で休み、利平は診療に追いまくられた。外来が終ったのが一時半過ぎで、大急ぎで着替えて駆け付けたため、ついモルヒネを一筒打っておくのを忘れてしまった。二階の居間の机の引出しの奥に仕舞い込まれたアンプルと注射器を取って来なくてはならぬが、誰を行かせたらいいか、一つ大きなくしゃみをして身震いをしつつ、利平は考えた。今のくしゃみで、不快が体中にぱっとひろがった。磬《けい》が鳴った。「御焼香を」と住職が言った。利平は一番に進み出たが、手の震えで香をばらまき、数珠《じゅず》を香炉に打ち当ててしまった。続いていとが落ち着き払って、焼香をした。さっきからの利平の苦しみを知っているくせに、彼女はまるで知らん顔である。ハンカチで鼻を押えて、利平は立ち上ると、並み居る人々の驚きをよそに、本堂から走り出た。寺院の長廊下を、誰かが追い掛けてきた。初江だった。

「おとうさま、どうなさったの」

「モルヒネが切れよった。もう我慢できん。一筒打ちに帰る」

「施主が席を立つのは失礼ですわ。風間の叔父さまも見えてますし。わたしが取ってきます。どこにありますの」

「おれの居間の、大机の右上の引出しの奥じゃ。五ｃｃの注射器とアンプルとアルコール綿が銀メッキのケースに一括《いっかつ》入っちょる」

「わかりました。おとうさま、お席に戻ってて。取ってきたら襖《ふすま》をわざと音たててパチンと締めます。そうしたら小用に行く振りをしてお立ちあそばせ」

　利平はまた席に坐った。いとは横目でチラと見て澄ました顔だ。震えている体の中心あたりで、チロチロと燃えていた怒りが、全身に燃えひろがった炎のように皮膚を焼いている。この震えは憤怒《ふんぬ》のせいなのか禁断症状なのか、見分けがつかない。元を言えば、このような苦しみは、この女のせいだ。上野平吉ごときと情を通じおって、そのためにおれはモルヒネを連用する羽目になった。五郎の報告では、最近、二人の逢《あ》い引《び》きは目に余る頻度《ひんど》だという。平吉の野郎……。

その平吉は最後列の席に五郎と並んで坐《すわ》り、涼しい顔をしている。いとの口から院長の麻薬中毒を聞き、薬品購入伝票を調べれば、すべてを明らかにできる事務長の地位にいながら、知って知らぬ振りをしているのは、院長の破滅をいとと結託して望んでいるからだ。

平吉を呼び付けて叱責《しっせき》解雇を言い渡そうと何度も思いながら、その都度思い止まったのは、一つには、彼が知り過ぎた男であるため、もう一つには彼の商才のためであった。大東亜戦争勃発《ぼっぱつ》以来、南方戦線の拡大で利平の発明品は爆発的に売れている。ジャングルの虫刺されに完皮液《かんぺーき》、泥水の浄化に真水ちゃん、マッチがスコールにずぶ濡れになっても発火できるマッチちゃん、熱帯性下痢に大東亜丸、熱帯性熱病に共栄散……まるで今日の戦火拡大を予想したかのような発明品の数々を、軍部に売り込んだのは平吉の功績であった。どういうわけか平吉は風間振一郎や野本武太郎など今を時めく親戚《しんせき》と仲が良く、彼らの引きで、しかるべき軍の要人に会っては販路をひろげる才覚を持っていた。

超《ちょう》　日月光照塵刹《にちがつこうしょうじんせつ》
一切群生蒙光照《いっさいぐんじょうむこうしょ》
本願名号正　定　業《ほんがんみょうごうしょうじょうごう》……

『正信念仏偈《しょうしんねんぶつげ》』の読まれるあいだに、風間振一郎と藤江に続いて風間家の人々が焼香をしていた。松子と夫の大河内、梅子と夫の速水、桜子と夫の野本……襖がパチンと閉められた。

初江が頷《うなず》いている。利平は素早く立つと、手渡された銀メッキのケースを鷲掴《わしづか》みにして便所へ走った。モルヒネ一筒を腕に注射し終えるまで、何も考えず、一気の動作であった。何食わぬ顔で席に戻る。汗みずくの額を拭っていると、いとが「すこし静かになさいませ」と言った。

「静かにじゃと……」利平は一遍に頭に血が昇り、「何を言う」と爆発した。「気分が悪いから、ちょっと鎮《しず》めに席を立つ。それが何で悪い」

「悪いとは申しておりません」といいとは利平の背広の裾《すそ》を引き、「みなさま御迷惑ですわ、お静かに……」と、ささやいた。

「静かにはできん」と利平は怒鳴った。住職が読経をやめ、人々がざわめいたが、構わず続けた。「おれは体の具合が悪いんじゃ。それで、さっきから座をはずして休んでおる。みなさまに迷惑をかけんように必死でこらえちょる。お前には情というものがないのか」

いとは答えず、無表情にそっぽを向いていた。利平は拳《こぶし》を固めていとの肩を打った。力一杯のつもりが、さすが手前で力を抜き、小突く程度になった。いとは、ちょっと打たれた所を引いたが、相変らず無表情を決め込んでいた。いかにも憎たらしい態度に利平はなおもかっとなった。

「まあまあ」と止めに入ったのは振一郎だった。「何があったか知らんが、ここは菊江さんの仏前だ。なごやかにいきましょう」

「フウム」と利平は鼻息を荒《あら》げ、振一郎に突っ掛って行こうとしたが、その後ろに初江と夏江の心配そうな顔を認め、気を鎮めた。モルヒネの作用が現れたらしく、汗も涙も鼻汁もすっかり引いてしまい、いたたまれぬような不快も霧が吹き払われたように散っていた。「フウム」と利平は半ば自嘲を込めた笑みで振一郎に頷いた。

振一郎は、住職に言った。

「おさわがせしました。回向《えこう》をお続け下さい」

正　定之因唯信心《しょうじょうしいんゆいしんじん》
惑染凡夫信心発《わくぜんぼんぷしんじんぽつ》……

利平が黙って居住いを正したので、初江はほっと息をついた。大急ぎでモルヒネを取ってきた甲斐《かい》があったと思う。それにしても空恐ろしい中毒患者になってしまった。去年の春久米薬剤師に聞いて、父をいさめたが、さっぱり聞き入れず、その後どんどん中毒が進み、近頃《ちかごろ》では、お久米さんもあきらめて、命じられるままに麻薬を与えているらしい。薬が切れると利平の肌はぱさぱさに乾いて、皺《しわ》のあいだから粉でも吹きそうだし、全身を震わし、首を左右に傾け、汗を拭い、まるで落ち着きを欠く。

一目見れば、禁断症状をおこしているとわかるし、その苦痛や不安を見て取れるのに、いとときたら、まるで風馬牛だ。さっき利平が血相変えてここから走り出たとき、初江にはすぐさま父の目差すものが何かを推測しえたのに、いとはとんと無関心だった。本当に鈍感なのか、わざとそうしているのか、極《き》めかねるところ、いとという人の煮ても焼いても食えぬところで、現に今だって、利平を怒らせておきながら平然としてみせ、ますます相手の怒りを増大させるような振舞いは、大日本婦人会の副支部長などして大勢の女たちを信服させている人にあるまじき無神経で、おそらくはわざと利平を怒らせて内心ほくそ笑んでいるに違いない。

大卓の上に位牌《いはい》と並んでいる菊江の写真が、にこやかに頰笑《ほほえ》みながらどこかに寂しげな影を持つのは、死を予感したせいかとも思われるが、いとを公然と妾《めかけ》にしていた利平の行状のせいもあるだろう。もっと言えば、菊江の早すぎた死の原因はいとにある。そして今、利平といとが不和で、二人がともに不幸なのを、菊江の微笑は見透していたようにも見える。

あの二・二六事件のまっただなかに、母が五十二歳で亡《な》くなってから早や六年経《た》ってしまった。支那事変や大東亜戦争を母は知らず、史郎の結婚や夏江の結婚と離婚と再婚も知らない。今生きてらしたら、おかあさま、何を考え、感じ、何とおっしゃるやらと思うと初江はにわかに悲しくなった。

きな臭い世の中になってしまった。男たちは戦争に狩り出される。透、史郎、敬助、晋助。悠次はまだだが、戦局の成り行き次第では引っ張られる可能性がある。女たちは不幸だ。夏江、薫、百合子、そうして……わたし。初江は、晋助が入営してから、このかた、どうしようもない空虚な思いにとらえられていた。この先の人生には、もう楽しみも目標もないようだ。晋助は央子のために生きてくれと言い置いた。つまり、彼は確実な死へと向う、おのれの運命を見定めていたのだ。
晋助が初江に残した原稿は、短篇小説が十篇に詩が五、六十篇だったが、あまり感心した出来ばえではなかった。何せ肩肘《かたひじ》張って書いたらしく、凝った言い回しや晦渋《かいじゅう》な文脈や独りよがりの抽象が目立ち、そこに晋助らしい率直で皮肉で若々しい特徴が見られなかった。ところが日記のほうは、その折々の思いを飾らぬ言葉で簡潔に述べていて、ペンを執る彼の姿、吐息の香り、肉体の温みが感じられ、読んでいて晋助自身が目の前にいるような親しみや、時には彼に抱かれているような陶酔を覚えるのだった。日記には日付も固有名詞もなく、誰と特定のできないよう気配りがなされていたが、初江には、〝君〟と呼ばれているのが自分であるとわかり、彼と過ごした折々の情景が鮮やかに甦《よみがえ》ってきた。

藤棚《ふぢだな》の下で君に逢つた。乳房のやうに垂れた花房を見ながら、花弁の一つ一つを数へて行くやうな、長い時間、僕は君の手を愛撫《あいぶ》してゐた。透明な肌の下の血が僕の手に流れ込んで来た。

幼い子は柔かく、僕にそつくりな眼《め》と鼻と顎《あご》とで僕に笑ひ掛けた。僕が死んだあと、お前は残り、僕と君の思ひ出を彼女の恋人に伝へるだらう。

氷の池のほとりで君を抱いた。君の瞳《ひとみ》の中に僕がゐて、僕の瞳の中に君がゐて、二人の時間と体は永遠に混ざり合つた。氷上を滑つて行く石の音を聞きつつ、僕等は永遠を見てゐた。

君は人妻だ。しかし君は夫を愛してゐない。僕を受け入れる時、君は喘《あへ》ぎ狂ひつつ、全身で夫を愛してゐないと伝へてくれる。僕の罪はその時消えてしまふ。赤い血はその時神の前で透明になる。

君と僕とは許されざる仲だ。世の人々はそれを破倫と言ふ。けれども、それは神の前で罪なのだらうか。君が僕を愛し、僕が君を愛することは、いくら反省しても悪魔の囁《ささや》きとは思へない。君の愛も僕の愛も神の賜物《たまもの》としか思へない。

愛してゐない夫に愛してゐる振りをする君の苦しみを僕は痛いほどに感じる。だから、君を抱きながら、僕は君の苦しみを痛み、恍惚《くわうこつ》となる。苦痛のない幸福などあり得ないと君は教へてくれた……。

入営の日の朝、新宿駅まで見送るという悠次と初江の申し出を、晋助はかたくなに拒絶した。美津が悠次に言い訳した。「誰も送るなと言うのだよ。町会と警防団が大挙して駅頭で万歳をするはずだったのも断っちまった。第一、昨夕は野本さんちで歓送会をするというのに、夜おそく帰ってくる始末だからね」

「じゃ、さよなら」と言って、独りとぼとぼと去っていく晋助の後姿は、何だか幽霊のように頼り無かった。そのとき初江は、彼が「さよなら」と言ったときの、死人のように蒼白《あおじろ》く凝固《ぎようこ》した顔を思い浮べていた。

晋助とは正反対に派手な出立をしたのは敬助だった。正月二日、東京駅頭には、歩三留守部隊の将校連が総出で、それに陸大の同期生、陸幼陸士の同期生など、カーキ色の軍服がひしめき、それに風間振一郎を初め、敬助と親交のあった大政翼賛会関係の政治家や秘書が国民服や紋付で集団で押し出して軍服と威勢を競い、その周辺を敬助の部下の下士官兵が十重《とえ》二十重《はたえ》に取り囲み、二車輌《しやりよう》分のプラットホームを占領してしまった。敬助の左右には妻の百合子と娘の美枝、母の美津、岳父の振一郎が並び立ち、祝辞と激励に来る人々に一々頭を下げた。いよいよ発車間際《まぎわ》には、参謀本部の何とか少将の音頭で、「脇敬助大尉の出征を祝する聖寿の万歳」が三唱され、そのどよめきは東京駅の端々へと轟《とどろ》くほどだった。初江はついに敬助の近くに行く機会が無く、それは百合子の妹たち、松子、梅子、桜子にしても同様だった。桜子など、夫の野本武太郎が、将校や政治家の群から終始弾《はじ》き出された有様であるのが不満で、「何よう。敬助さんて、すこし偉ぶってるわ。つまんない」と聖寿の万歳にも唱和しなかった。

お経が終り、利平が、「本日は御多用中、ありがとうございました。このあと、時田病院花壇の間にて小宴を開きたく、そちらにお移り下さい」と言った。あきらかに、モルヒネの効き目だろう、和やかではあるが締りのない笑顔が一同に向けられていた。

「おとうさま、困ったわね」と初江は座を立ちながら夏江を振り向き、今の初江の言葉などまるで耳に入らぬ妹の暗い表情に気付いた。

「夏っちゃん」と呼ぶと妹は、まるで見知らぬ人に向うような、冷やかな眼差《まなざし》で姉を見た。

「会食のため花壇へ移動ですって」

「……わたし行きたくないわ。このまま帰る」

「透さんに何かあったの」

「ええ……いいえ」夏江は曖昧《あいまい》な微笑をした。玄関口で、松子や梅子に話し掛けられても答えず、ひたひたと草履の音をたてながら足早に去った。


夏江は古川橋へ急いだ。疲れ果てていて、早く横になりたいと思う。外階段をのぼるとき、階下の窓の中で主婦の顔が何か言いたげな表情を向けていた。扉《とびら》を閉めるや、畳に倒れ伏した。心臓が破裂しそうに脈搏《みゃくう》ち、息苦しい。法事のあいだ、必死で体を支えていた気力がプツンと切れてしまった。もう二度と起き上れない気がする。いっそこのまま死んでしまったら楽なのにと思う。

菊池透が治安維持法による予防拘禁を宣告された通知が届いたのは、二月中旬、シンガポールのイギリス軍が無条件降服したニュースで日本中が沸き立つさなかのことであった。戦《せん》捷《しょう》記念の恩赦があると新聞が書き立てるので、一縷《いちる》の望みをいだいた直後に通知を寄越《よこ》すとは、まことに意地の悪い仕打ちであった。

透は当初、スパイ事件については証拠不充分とされ、「聖戦ノ意義ヲ曲解シ、イタヅラナ平和ヲ説キシ」点と「国体ヲ否定シ皇室ノ尊厳ヲ冒瀆《ボウトク》スベキ宗教活動ヲ行ヒシ」点が、治安維持法違反とされた。しかし二年の懲役刑に三年の執行猶予《ゆうよ》の判決がおりて、ただちに釈放されるかに見えたのが、不意に、「罪ヲ犯スノ危険ヲ防止スルコト困難ニシテ更ニ之ヲ犯スノ虞《オソレ》アルコト顕著ナルトキ」とされて、予防拘禁に付されたのだった。

予防拘禁の期間は一応二年であったが、「継続ノ必要アル場合ニ於《オイ》テハ更新スルコトヲ得」というので、実際は無期拘禁に等しかった。

いったい、透がどのようなおそろしい罪を犯し、一生を監獄に閉じ籠《こ》められるのか、夏江には文書をいくら読んでも理解も納得もできなかった。

数日後、透から手紙が来た。豊多摩刑務所内に設けられた予防拘禁所に監禁されている、面会に来てほしい。ついては次の本を差し入れてほしいと、十冊ほどの哲学書の名が書き連ねてあった。神保町あたりの本屋を回って買い集めた、重い本の包みをかかえて、さっそく夏江は面会に行った。

中野駅で降り、畑中にまばらな民家の点在するむこうに、背の高いコンクリートの塀《へい》が、城壁のように迫《せ》り上っていた。受付で申し込んで待つあいだ、深編笠《ふかあみがさ》に浅葱《あさぎ》色《いろ》の衣の囚人たちが、黒衣の看守に引率されて、陰気臭く歩くのを見、わが夫もあのような一人なのかと思い、胸を痛めた。

鳥籠《とりかご》のような小部屋に洗い晒《ざら》しの囚人服を着た透が現れ、金網越しの十五分の会話で、内容は看守に全部速記されていた。限られた時間内に何もかも話そうとするためか、かつてない早口で、昼間は藺草籠《いぐさかご》を作り夜は読書と割合に自由な生活だ、体の具合もよく食欲もあって元気でいるから安心しろ、本は読みたいからこれからも差し入れてほしいと、存外に快活な口調で話したが、あまりにも当り障りのない話題と、時々見せるもどかしげな口籠りが、かえって獄中の苛酷《かこく》な現実を暗示させて、夏江は心配になった。大体、彼の逮捕の切掛けとなったジョー・ウィリアムズ神父の運命も、特高の取調べに日常茶飯事の拷問《ごうもん》も、予防拘禁となった理由も、夏江が知りたいことは何一つ話されなかった。しかも彼は、以前よりげっそり瘦《や》せて、頰骨《ほおぼね》が尖《とが》り、肌は異常にどす黒く、動作が人形のようにぎこちなかった。ひとしきり、彼が話したあと、「きみはどうしてる」と尋ねられて、「元気でいるわ。安心して」と答えたものの、実際には辛《つら》い毎日であることを彼女も言い出せずにいた。

透が逮捕された翌日、刑事三人が古川橋の家に来て、家捜しをした。夏江が一度片付けた押入れや引出しを引っ繰り返し、手帳、ノート、信書、写真などを根こそぎ押収していった。さらに刑事らは夏江に永山光蔵鉱物博物館を案内させ、事務所内を徹底捜査するとともに展示してあった鉱物を全部移動させて探り、結局、怪しいとみて押収したのは、ロシア語の鉱物学の専門書であった。連日のあからさまな刑事の往来のため、透の事件は古川橋界隈《かいわい》にぱっと知れ渡ってしまった。スパイ、非国民、売国奴などの誹謗《ひぼう》が飛び交っていることを階下の主婦がそっと教えてくれ、夏江が家を出ると井戸端の女たちから刺すような視線が放たれたし、子供たちが「スパイ、スパイ」と叫びながら脇《わき》を走り抜けた。年が明け、元旦《がんたん》の朝、突然警防団服の男たち数人が来訪し、「あんたんとこだけ国旗が出てないのはなぜだ」といちゃもんをつけ、部屋の中をジロジロと見て、「ほんとだ、神棚がねえや」「あんた、神社にも日の丸にも敬礼しねえで、アメ公の神様なんて拝んでるそうじゃねえか」「きょう午後、隣組で春日神社に戦捷祈願に行くが、まさか、あんた行かねえつもりじゃねえだろうね」と口々にわめき散らし、それを近所の人々が面白そうに見物していた。

昼間は博物館で働き、透の件で弁護士と打ち合せや検察官の呼び出しで留守勝ちの夏江は、隣組の回覧板を止め置いたり、常会での欠席が多すぎると組長から注意を受けた。この種の注意は、段々に露骨な嫌《いや》がらせとなり、マッチ、砂糖、米、味噌《みそ》の配給切符が配られなくなったり、回収した廃品の山が外階段の前に積み上げられて通行不能となったり、木炭の特配が隣組であっても彼女だけに通知がなかったりした。

この二月十五日夜、シンガポール敵軍の無条件降伏の臨時ニュースを聴いていると、突如窓硝子《まどガラス》が破れて小石が飛び込んできた。すぐ外を窺《うかが》ったが、むろん誰の仕業《しわざ》かわからない。そして、翌々日、透が予防拘禁処分になった旨《むね》の通知が来た日に、今度は、永山光蔵博物館の硝子が割られて、展示品や蔵書が滅茶苦茶に荒らされる事件がおきた。物取りの犯行でないことは、館内随一の貴重品である砂金や隕石《いんせき》が手付かずであったことから察しられた。

古川橋を引き払って、御台場の永山光蔵博物館に移り住んだほうが、煩雑《はんざつ》な世間付合いなどを逃れられて気楽だとは思うが、反面、博物館の近隣は埠頭《ふとう》や倉庫ばかりで女の一人暮しには不用心のうえ、隣組を通じておこなわれる衣料や食糧品の配給も受けられず、また郵便物の配達も滞りがちであった。それに開戦以来、鉱物博物館に興味を持つ人など無くなったと見えて、ぱったり入館者が跡絶《とだ》えていた。

「元気でいるわ、安心して」と夏江が答えた折の、表情の翳《かげ》りを透は敏感に読み取り、「やっぱり、何かと辛いことがあるようだな」と言った。

「いいえ……」と夏江はびっくりして打ち消した。

「きみ、古川橋では人の口がうるさくて無理だよ。この際、八丈島に行ったらいい」

「だめよ。あなたから離れたくはないわ」

「ぼくのほうは大丈夫だ。この予防拘禁所というのは、刑務所内にはあるが、一応別世界になっていて、在監者の処遇もゆるやかなんだ」透は看守を横目で見つつ言った。「この頃の食糧事情じゃ、東京で女一人が暮すのは無理だよ。八丈島なら、魚と牛乳はふんだんにあるし、親父《おやじ》もお袋もきみなら大歓迎だよ。とくに勝子が大喜びだ」

「ああ勝子さん」夏江は、陽気で丸々と肥《ふと》った義妹を思った。義兄宏の嫁の、物静かなフクの顔も浮んでくる。一昨年島で過した四箇月の記憶が懐《なつ》かしく浮び上ってきた。

「わたし、もうすこし東京で頑張《がんば》ってみる」

「辛くなったら、いつでも温かく迎えてくれる古里があるんだと、心丈夫にいたまえ」

「ありがとう」

それで接見時間切れとなって夏江は帰ってきた。が、彼に会ってから、急にこの古川橋での生活がわずらわしくなった。気持の張りが無くなったせいか、風邪をひいて三十九度近くの熱を出し、どうにか熱は下ったけれども、依然として食欲が無く、体がだるくて炊事をするのも億劫《おっくう》であった。きょうは母の七回忌とて無理して大松寺へ出掛けたが、手足から力が脱《ぬ》け落ちたようで、坐《すわ》っているのがやっとの有様であった。

畳に俯《うつぶ》してあれこれ思い巡らした。透が言う通り、一時――それがいつまでになるかわからないけれども――八丈島へ逃避しようか。博物館のほうは閉館にして、前から話がある上野の科学博物館に収蔵品を全部引き取ってもらったらどうだろう。入館者が無く、収入がなく、税金を払うだけでは到底持ちこたえられない。開館の時の最大の出資者風間振一郎に相談しに行ったら、「大東亜共栄圏関係の標本がまったく無いような博物館は、いまや時代遅れだ。それに永山光蔵は鉱物学者として優れてはいたが、鉄、マンガン、ニッケルなどの戦略資源には無関心で、そのほうの探索をしていない。あの博物館は重大時局下無用の長物だ」と言われてしまった。

東京を引き払うと想像しただけで、急に晴れやかな気分になってきた。透とのひと月に一度の面会を、ここ古川橋の陰湿な露地奥で待つより、風と海と空が一杯の島で暮し、月一度上京したほうがいい。この際、思い切って生活を変えてみよう。今、ここで自分がめげてしまい病気にでもなったら、獄中の透を気落ちさせるだけだ。彼に頑張ってもらうためには、自分も息災に暮すのが一番だ。夏江は起きあがり、喪服を不断着に着替えた。と、何だか待っていたように誰かが扉を叩《たた》いた。

「菊池さん、いる」階下の主婦の声だった。

「どうぞ」と、扉を開くと赤ら顔の主婦が立っていた。肉付きのいい人で、国民学校五年生の男の子の母だ。

「さっき常会が終って、あしたの防空演習に、あんたがでることに決ったよ」

「あした防空演習があるんですか」

「一時から、綱町《つなまち》、豊岡町、松坂町、三田《みた》三町合同の演習で三田署長が指導に来るんだよ」

「知らなかったわ」

「常会に出ないと欠席で決められちゃうんだ。あすは、菊池さんを含めて、三人が当番になったよ」

「そうですか……」

「あんた、嫌なら、あたし、代ってやってもいいんだよ」今までも防空演習、鉄屑《てつくず》献納、慰問袋作りなどの輪番をこの主婦に頼み、返礼として砂糖、塩、マッチ、木炭などの配給品の一部を都合してやっていた。今度も主婦はそれをお目当てにしてきたに違いなかった。

「あしたは、わたし、でます」

「でも防空演習は大変だよ。バケツの水は重いし、二時間がほどは立ちっぱなしだからね、あんたの体じゃ無理だよ」

「大丈夫です」

「あ、そう」主婦は腹立たしげに唇《くちびる》をむっと結びながら、部屋中をジロジロ見回し、蓄音機に目を止めると、「あんた、時々、レコード聴くでしょう。あれ下に筒抜けで、うるさくてかなわないんだけどね」

「すみません」

「三味線ならまだ我慢できるけど、楽隊のうるさいのはかなわない。あれ、敵性の音楽じゃないのかい」

「ドイツのです」事実、夏江が聴くのは最近モーツァルトの室内楽ばかりだった。つい昨夜聴いたのは、静かで悲しい『クラリネット五重奏曲』である。

「へえ、ドイツならしょうがないね」主婦はプリプリして行ってしまった。あの冠の曲げようでは、二度と彼女に物を頼めないだろう。

夏江は、溜息《ためいき》とともにへたり込んだ。ふと父の利平がまるで落ち着かず、座を立ったり坐ったりしていた姿が、ピントのぼけた映画のようにぼんやり思い出された。不意にピントが合って、利平が大写しになった。父には衰弱のきざしが明らかであった。「おとうさま、困ったわね」と初江が嘆くのももっともだ。今や時田病院は一大城府のように大規模となり、隆盛の頂点を極めているのに、肝腎《かんじん》の院長が老いさらばえては、先行きは暗い。

母が死に、父が老い込み、兄が出征し、夫は入牢《じゅろう》した。時は移り、人は変り、みんなが不幸になった。父の寿命もあまり長くはない予感がする。兄は激戦地の南方にいて死の危険に曝《さら》されている。小銃の弾丸一つで簡単に人は殺される。夫は頑丈なコンクリート塀に囲まれ、コンクリートと鉄格子《てつごうし》の箱に詰め込まれ、今の世の情勢では一生のあいだこの世に出てこられないだろう。姉の初江だけは夫と子供たちとともに住んで充足している。七つも年上なのに肌《はだ》に艶《つや》があって、しかも派手好みで、はっとするほど若い。その姉にしてからが、最近どうかすると眉間《みけん》に縦皺《たてじわ》を刻んで考え込んだりしている。何か不幸の種を抱いているのかも知れない。

人間は不幸になる動物である。そして人間の最大の不幸は、不幸を自覚できることだ。夏江は鏡台まで行き、聖書を手に取った。好きなページに大小の栞《しおり》がはさんである。目を瞑《つむ》って開いてみると、詩篇第八十四篇が現れた。

……なんぢの家にすむものは福《さいは》ひなり。かかる人はつねになんぢをたたへまつらん。その力なんぢにあり。その心シオン大路《おほぢ》にある者はさいはひなり。かれらは涙の谷をすぐれどもそこをおほくの泉あるところとなす……。

24

終業の一時間ほど前になると、予定していた仕事に一区切りがつき、何となく手持ち無沙《ぶさ》汰《た》になる一刻がある。別に示し合せたわけでもないのに、社員たちが大体同じ時刻に同じ状態になるため、職場全体の空気がたるみ、女事務員に茶を命じたり、私用の雑談が飛び交ってざわめきとなる。悠次は、自分だけはなお書類の整理に精出す体で、その実、証券会社が部外秘として出した株式関係の解説資料に目を通していた。

最近の株価の高騰《こうとう》は、大東亜戦争相場として歴史に名が残るであろう。平均上騰率三十三パーセントだが、これは平和産業の不振が足を引っ張っているからで重点産業について見れば、上昇率は史上最高、目を見張るばかりだ。とくに南方株と船株は緒戦の勝利によって暴騰した。

が、留意すべき傾向が最近出てきた。それは国による株式統制の傾向が出てきたことである。これまでの急激な株価の上昇は、商品市場の投機の統制の厳しいのに反して証券市場は野ばなしであったためという反省が国に出てきた。開戦以来、事業会社の買い入れた株式の申告の義務化、金融機関の貸出し禁止、銀行を通じた株式売買を禁じ取引所のみとする規制、国債買い入れの強化策などで、投機的株価上昇に翳りが出てきた。

今、どうしたらよいか。どうしたら人に先んじられるか。緒戦の興奮が去ったところで、地道な生産経済に移行しつつある現在、仕手っぽい南方株や敵潜水艦の暗躍によって損害の大なる船株には、そろそろ見切りをつけ、重要産業団体令の適用を受ける重点産業十二種に目を向けるべきだろう。

悠次は、この十二種の産業を記憶しているかどうか、指を折って数えた。鉄鋼、石炭、鉱山、金属工業、セメント、産業機械、電気機械、精密機械、車輛《しゃりょう》、自動車、貿易、造船。

「何かいいことでもありますかね」と向いに坐っていた同僚が言った。

「いやあ」と悠次は指を全部折って拳《こぶし》として振った。「この節、何をやるにも複数のお役所の許可がいるでしょう。たとえば、この前出た石炭対策要綱は、従来のように商工省のみならず、沢山の省庁が関係している。いったいいくつあるか数えてたんですよ。いいですか、商工省、企画院、内務省、厚生省、農林省、逓信省《ていしん》、鉄道省、石炭統制会、産業報国会……九つです」

「やれやれ、小暮さんの記憶力はものすごいものですな。東条首相なみだ」

「そんなでもないですよ」悠次は、資料を置いて頬杖《ほおづえ》をつき、中断された思考を追った。南方株と船株を思い切って売り払い、重点産業に乗り換えよう。注目集中の航空機会社は成長株だろう。このうち三菱重工業と住友金属工業は大型すぎて面白味がない。中島飛行機、川西飛行機、渡辺鉄工所あたりの新興で特殊生産技術を持つものをまとめて買ってやろう。

そう決心したとき、仕事仕舞いのベルが鳴った。いや、ベルが鳴ったときに、そう決心したのかも知れない。悠次は立って、いそいそと社を出た。

家の玄関に入ったとき、初江の不在を思い出した。悠太と二人で、小学校卒業と中学入学の記念に伊勢参りをさせたのだった。駿次、研三、央子と、ときやの作った変に塩辛い田舎料理を食べた。子供たちと何を話してよいかわからず、悠次は、わが家なのに妙に窮屈を覚えながら黙々と食べた。いつも夕食の座をにぎわしているのは初江で、彼女が話し掛けると子供たちが伸び伸びと応答していたのに気付く。考えてみれば悠次は子供たちと軽口をたたいたり、談笑したりという経験がなく、何とか話し掛けようと思うのだが話の糸口が見付からない。試しに、「おかあさんと悠太は元気に旅をしてるかな」と言ってみると、駿次と研三は顔を見合せて困った表情となるし、「オッコ、ヴァイオリンうまくなったか」と尋ねると、「うん」という素気ない返事が返ってくるのみだった。仕方なしに悠次は夕刊をひろげ、株式市況を綿密に読み、〝雑株展望〟のコラムに、さっき自分が考えたように、これからは飛行機株が有望なりという論を読むと、先を越されたように残念がった。気がつくと子供たちは、子供部屋に去ってしまい、そちらではあけすけにはしゃいでいた。

食後、納戸《なんど》の片付けを思い付いた。父の悠之進が作らせたという、引出しが百八ついた大箪笥《おおだんす》に、重要な書簡、写真、切手、メダル、思い出の品々を分類し保存してある。毎年暮になるときちんと整理し直し、その一年のけじめとしていたのが、一昨年暮の眼底出血、昨年暮の開戦騒ぎで手つかずであった。ごたごたと投げ込んでおいたものを、一旦《いったん》取り出して分類し直し、引出しに年号を記入した紙を貼《は》るのだ。面倒な仕事だが、やりだすと結構面白く夢中になるのが常だった。こういう性癖は、維新前、明治、大正の三代に渡って前田侯爵《こうしゃく》家の家扶を実直に勤めた小暮悠之進の血を引いたものらしい。悠之進の整理した引出しには年代順に日誌、書簡、報告書、出納簿、拝領品などが収められ、家の生きた歴史を構成していて、美津姉などそれを見るのを、子供のときから大の楽しみとしていた。

まずは雑品の区分けをし、もらった手紙のうち後世に残したいものを選び出す。自分の人生など平々凡々だと思いながら、人間一人が生きるのに、まことさまざまな物品や書類が付き纏《まと》うのに感心する。昭和十五年の分を整理し終えたとき、ちょっと疲れを覚え、初江の六尺の桐箪笥《きりだんす》に目が行った。利平が長女の嫁入り道具として気張った立派なものである。引出しを一つ一つ引き出してみる。着物や帯がきちんと畳まれてある。縮緬《ちりめん》や綸子《りんず》や緞子《どんす》、縞柄《しまがら》や江戸小紋や更紗《さらさ》模様、丸帯や袋帯に名古屋帯……結婚当初はすきすきだったのが、どの段もぎっしりで、いつのまにこんなに着物を買い集めたのかと思う。ふと、引出しの底に臍繰《へそく》りでも隠してないかほじくって見たくなった。悠次の渡す金では、これだけのものは買えず、利平から時々お金をせびっているらしいとは、薄々察していた。どこかにその金の残りでもあるような気がする。

固いものが指先に触れた。書類らしい。引き摺《ず》り出してみる。小説らしきものや詩を書いた原稿用紙、大学ノートが出てきた。形の整った美しい文字に、何となく見覚えがあるようだったが、誰のものか見当がつかぬ、名前をもとめて原稿やノートを調べても発見できなかった。

物語めいた文章は、小説だろうと判断したが、悠次が知っている現代風俗や軍国の家庭物語などと違い、いずれの時いずれの所とも知れぬ抽象化がおこなわれ、主人公は森だの砂漠《さばく》だの原野だのをさまよったり、やっと現代の物語だと思うと、研究室だの書庫だの浮き世ばなれした場所で主人公が長々しい瞑想《めいそう》に耽《ふけ》ったりして、閉口した。

詩のほうは、もっと抽象的で、勿体《もったい》ぶった表現や変に曲りくねった文脈で、まるで文章の鹿砦《ろくさい》だった。いったい何を表現しているのか、さっぱりつかめず、悠次は半分も目を通さぬうちに投げ出した。

大学ノートは、小説や詩の創作覚えと思われた。こちらの文字は走っていて、推敲《すいこう》の跡もなく、読みやすかったが、やはり省略と韜晦《とうかい》とでわかりにくかった。

ノートのページをめくっていると、はらりと落ちたものがある。二通の封書であった。悠次は宛名《あてな》の文字を見てはっと胸を突かれた。これは、まぎれもなく、詩と散文詩の作者が初江に宛てたものであった。

差出人の署名は無かったが、切手の消印から一通は三月十八日、もう一通が三月二十二日で二通ともつい最近のものだ。十八日のは局名がかすれて読めぬが二十二日のは麻布局と読み取れた。

此《こ》の手紙は公用外出する大学先輩の伍長《ごちやう》に頼んで投函《とうかん》してもらひます　読んだらすぐ焼却するやうに
ずつと初年兵は禁足令でしたが来る三月廿二日外出許可となりました　何よりも君に逢《あ》ひたい　家になんか帰らんでよいから君に逢ひたい　九時営門を出ますが其《その》付近は人目ある故有栖川宮《ゆゑありすがわのみや》記念公園の梅園の中央の藤棚《ふぢだな》の下に十時とします　都合悪ければ来なくてよい　一時間いや二時間は待つてゐます

君に逢へた良かつた嬉《うれ》しかつた　晴れた春の一日に恵まれ暖い風にくるまれ二人は幸福だつた　束《つか》の間《ま》の時が此の上無く濃縮されて一瞬は永遠となつた　君は人妻僕は兵隊君は夫に僕は家族に秘密を持ち分厚い障壁に妨げられて猶且《なほか》つ相引かれるそれが二人の運命だが

考へて見れば僕が娑婆《しやば》にゐた時だつて事情は同じだつた　此の次は何時《いつ》外出許可となるか
それとも此の儘《まま》死地に赴かせられるか未来は皆目不確定だ　中からの書簡は全部検閲され
てゐるので此の種の通信は不可能で営門を入る前に急いでポストに入れるのだ　兎《と》も角《かく》外
出許可あり次第八方手を尽して報知する
此の手紙必ず焼却すべし　前便をまだ大切に保管すると聞いて仰天し心配してゐる
君を愛する憐《あは》れな二等兵より

読み進むうちに頭に血が昇り胸の動悸《どうき》が速くなった。視線の粘着力が弱まり、同じ行を何度もなぞるかと思うと数行先に移行している。隠れもない事実は、一人の男が初江と逢い引きしたということである。しかもその男は二等兵で、つまり最近入営したばかりの若者で、おそらくは麻布の聯隊《れんたい》にいる。そして、これが重大なことだが、男は入営前から初江と知り合い、詩を書く文学青年である。

「まさか」と悠次は思わず叫んだ。晋助だろうか。ところで、晋助はまだ二十五歳、初江はもう三十四歳だ。男が九つも年上の女を愛しうるか。おれは四十一歳だ。五十歳の女を、到底愛せそうもない。おれが欲望を覚えるのは、なみやのように年下の女ばかりだ。「しかし」と悠次はつぶやいた。この字面《じづら》は、美津にそっくりだ。美津は父悠之進の薫陶《くんとう》を受けた能書家で真行草《しんぎょうそう》を自在にこなす。これは彼女の楷書《かいしょ》にそっくりなのだ。同じ血を分けた兄弟でも敬助のほうはまるで形をなさぬ悪筆で、それだけに晋助の字のうまさには、悠次も注目していたのだ。

　小説と詩は敬遠して、もう一度注意深く大学ノートを読み始めた。謎《なぞ》めいた表現ながら、どうやら日記風の記述であると突き止めた。大学生から小会社の社員となった若い男が人妻を恋している。人妻には何人かの子供がいる。二人の住む場所は不明だが東京市内であることは間違いない。悠次を不快にしたのは、人妻が夫を愛していず、あからさまに男と愛し合っているくだりが散見されることだった。

　結局のところ、筆者は晋助のようでもあり別な男のようでもある。要するに端無くも手紙で露見した二人の関係は、ずっと以前から続いていたという事実が〝日誌〟で確かめられたのである。そう悟ってみると、初江の自分への態度に符合するところが多々あった。

　元々初江は夫婦の営みに淡白で、媚態《びたい》を示したり甘え掛ることがなく、こちらが求めれば体を開きはするものの、お義理でそうするように熱を欠いていた。男女のあいだはそんなものと思っていた悠次は、なみやが彼にすがりつく可憐《かれん》な仕種《しぐさ》や、全身をわななかせて男を受け入れ、あられもなく乱れるさまに、新鮮な驚きを覚えた。

　そもそも、彼がなみやを抱いたのは、最初の眼底出血のあと二階を病室にして臥《ふ》せっている折で、食事や薬を運んでくる彼女が体をくねらせて身を寄せたり、襷掛《たすきが》けしてあらわな腕をわざと見せつけたりするのに刺戟《しげき》されたためであった。初江がついぞ、そのような態度を取らなかったので、若い女の誘いが男の欲望をつのらせたのだ。

　当然の結果として彼は初江への欲望が減じてしまったが、彼女はそれを別に不審とも思わぬようで無事過ぎ、そのうちになみやの妊娠騒ぎがおきてしまった。

この一件以後、初江は露骨に悠次の要求を嫌《きら》い、たまに応じても不感症の女のようにただ横たわるだけで、夫婦の関係は段々と疎遠《そえん》になり、ついに絶えてしまった。そうなった原因を自分の失敗にあると思っていた悠次は、妻から嫌われても為《せ》ん方無しとあきらめていたけれども、今、妻のほうにも男を作っていた事情があったと思い返される。

もし晋助だったとすると、彼が大学を卒業したのは去年の三月で、大学生から勤人になったという〝日誌〟の筆者の境遇に、さらには入営して新兵となったのまで、何もかもが初江の変化と呼応している。やはり晋助であったか……そう推測しながらも確実な証拠のないのに悠次はじれて、何か証拠品を探し出そうと、桐箪笥の引出しをつぎつぎに、着物や小物や下着を取り出しては底まであらため、さらに、あたりのボール箱や針箱、鏡台や長火鉢《ながひばち》の引出しなど、初江の手に触れそうな辺りを夢中で捜し回ったが、不審な物は出てこなかった。

央子がひょっくり現れ、父親の気違いじみた所行を不思議そうに見詰めたのを、「あっちへ行ってなさい」と叱《しか》り付け、子の泣き声を遠くに聞いたとき、悠次は我に返った。自分は今、妻の行為に腹を立て、度外れに荒れ狂っているが、もうすこし冷静な対応の方法はないだろうか。まずは真相を妻に問い詰める、男は誰なのか聞き出す……それとも、そ知らぬ顔をしてそれとなく観察する……悠次は、自分となみやの仲が初江に発見されたときの不快を思い出し、真相だけは知る必要があると思ったものの、彼女をとことん批難する気にはなれなかった。自分だって同じ過ちを犯した。妻が夫を許したように、夫も妻を許すべきだろう。

それで二人の間の均衡が取れるはずだ。そのためには妻の男が誰なのか夫が知り、妻は男と絶交する約束を夫とする必要がある……ここで悠次はちょっと気恥かしかった。自分は妻と相談のうえで里に帰した女と、一時縒《よ》りを戻してしまった。女は去年の初冬からは鵠沼《くげぬま》の佐々竜一宅に女中として住み込ませた。最近、土曜日から月曜にかけて麻雀《マージャン》のため佐々宅に二泊することが多いが、女は悠次に会っても知らん顔だ。魚料理の特技があるので海岸住いの主人は彼女をすっかり徳として、彼女のほうでも居心地がよいらしい。が、その、なみやへの未練は依然として悠次の心に巣くっているのだ。要するに悠次は、今度の事件にどう対処すべきか、皆目《かいもく》見当がつかなくなったのである。で、当面の仕事として、散乱した品々を元に戻し始めた。

綺麗《きれい》に片付けるという目的ができると悠次の興奮は鎮《しず》まってきた。何か仕事を始めると几《き》帳面《ちょうめん》にそれを完成させようとする性癖から、彼はにわかに熱心に働きだした。「旦那《だんな》さま、お蒲団《ふとん》はどういたしましょう」とときやが言ってきたとき、もう十時過ぎだと気付いた。「まあ大変、お手伝いいたしましょうか」「いや、これはおれ一人でやる。蒲団だけは敷いておいてくれ」

整頓《せいとん》を終えたのは午前一時過ぎだった。ときやに沸かさせておいた風呂《ふろ》を使ったところ湯が冷めていて、火照《ほて》った体にはかえって気持がよい。しかし、頭の芯《しん》まで興奮していて、一向に寝付かれず、この先、どうしたらよいか、あれこれ思い惑い、やっと眠ったと思うと夢魔にうなされて目覚めた。初江と別れ、子供たちとも別れ、たった独り、空虚な家に住む夢は彼をぞっとさせた。相手の男が二等兵の服装で現れ、初江と連れ立って歩くのを彼が空《むな》しく見送る夢では、男は背中を向けていて誰だか判《わか》らず、晋助よりは大分小柄な、ずんぐりした背恰好《せかっこう》が彼を安心させた。朝になった。夢の残渣《ざんさ》であろうか、脳髄のどこかに狂おしい不快がわだかまっていて、到底仕事などできそうになかったが、起きてみると結構頭も働き出し、子供たちと朝食を摂《と》ったあと会社に出掛けた。

〝奥さんが男を作ったそうですな〟〝いよいよ寝取られ亭主ですな〟〝cocuという言葉がありましたな〟人々がそんな目付きを向けて来るようで居たたまれず、すべては変な夢のせいだと自分に言い聞かせて辛抱した。ふと書類に赤い斑点《はんてん》が散ったようで悠次はあわてた。憂《ゆう》悶《もん》と不眠と疲労とのさなかで目を酷使したため眼底出血が再発したと思った。白紙をひろげ左目でよく見たが斑点は現れず、気のせいらしかった。このところ眼《め》の調子がよく、今年になって眼薬が切れたのに補給せずにいた。会社が引けたら、すぐ三田に薬をもらいに行こうと決心した。

午後になってもさっぱり仕事にならず、しかも睡気《ねむけ》に襲われた。目を覚まそうと株式関係の書類を手にしてみたけれども、無意味な活字の列に過ぎない。きのう、目下の最重要の課題と考えた、南方株と船株から重点産業への乗り換えも、今は自分とは無縁な些事《さじ》に感じられた。必死で欠伸《あくび》をこらえていると同僚に異変を気付かれた。持病の偏頭痛がおきたと医務室へ転げ込み、頭痛薬を飲んでベッドに横になった。とろとろと浅い眠りのすえ退《ひ》け時となっていた。なお灰色の憂《う》さが砂のように頭に詰り、気分がすぐれない。それでも三田の病院へ回ることは忘れずにいた。ほとんどの職員は帰り、外来も暗かったが、事務室で上野事務長と話し込んでいる久米薬剤師をつかまえた。

「きょうは御主人様のお出ましですか。こんところ、悠太ちゃま、受験勉強とかで薬を取りにいらっしゃらず、薬無しでは御目に悪いと心配申し上げてましたよ……」女薬剤師は愛想を振り撒《ま》きながら眼薬を調製してくれた。玄関の出端《ではな》に利平に出会った。黒鞄《くろかばん》を提げた末広婦長を従え、往診帰りらしい。

「おう」と怪訝《けげん》な表情だ。悠次が独りで三田に来ることなど稀《まれ》であったからだ。

「初江と悠太を伊勢参りに行かせているので、薬をいただきに来ました」

「このごろ孫たちはさっぱり来んな。たまには来させい。ところで一献傾けんか。下関の〝関娘〟が〝津の国屋〟の特別ルートで入荷しちょる。この節、酒も品薄で、飲めんじゃろ」

「はあ、その……」悠次は不得要領に言った。初江の一件があって、舅《しゅうと》に対して虚心でいられないうえ、日頃《ひごろ》から煙たい相手と差しでは、堅苦しくてたまらない。

「まあ遠慮するな」と利平は先に立った。悠次は、早く断りの口実を口にすべきだったと悔みつつ、後を追った。

二階の座敷には夕食の準備がととのっていた。土鍋《どなべ》がぐつぐつと煮立ち、鱈《たら》の切り身、しらたき、豆腐、野菜が踊っている。土鍋の耳の部分の燗《かん》用の湯に徳利も浸《つ》けてある。いとは、利平が「悠次が今夜は一緒じゃ」と言っても、別に驚く様子もなかった。夕食に飛び入りの客は珍しくもなく、いつも具や酒をたっぷりと用意してあるらしい。

「初江さんは」といとが尋ねた。

「ちょっと旅行に出掛けています。悠太の中学入学祝いに伊勢神宮に行かせました」

「そうそう、府立六中に合格ですってね。あそこは難関だったんでしょう。おめでとう」

「悠坊が中学生かのう。おれたちも年を取るわけじゃ」と利平が言うと、いとは〝おれたち〟にはわたくしは入りませんわと示すように横を向いた。利平は六十七、いとは悠次より四つ年下だから、三十七である。

利平は、なるほど、老人の相となった。首に紙のような皺《しわ》が寄り、頰《ほお》には染《し》みが増え、飲み始めたところなのに、かつての大酒家に似ず、すでに酔いが目を血のように赤くしている。

「すると駿坊が小学……」

「国民学校五年生、研三が四年生、央子がこの四月から幼稚園です」

「央子のヴァイオリンは上達したじゃろ」

「はい、先生には褒《ほ》められてるようです。しかし、まだほんの子供ですから、先のことはわかりません」

「ほんの子供のとき好きちゅうのが大切じゃ。おれも子供のとき、日本海の波を見ながら、大きうなったら海軍の軍人になると誓うた。家が貧しいから上京しても苦学じゃ。牛乳配達をやりながら済生学舎を出て医者になり、軍艦八雲の軍医になり、晴れて歴史に輝やく日本海大海戦に参加できた。子供のときの夢がかのうた。央子の夢も大切じゃ。女ヴァイオリニストの夢ぐらい持って、将来実現したらええわ」

利平は、酔いがほぐした舌で、機嫌よく話している。

「そうそう、史郎がシンガポール、今は帝国領土の昭南か、で脇の長男、敬助少佐に会うたそうじゃ。何でも参謀として手柄を立て、飛ぶ鳥を落す勢いじゃと」

「そうですか」と悠次は言った。「史郎さんも昭南が任地なんですか」

「いやいや、任地は、どこか、蘭印あたりの製油所らしい。ま、第一線よりは安全じゃな」

「古河電工での経験を生かせる任地ですな」

「あいつのことじゃ、結構、さぼりながら任務を果しとるじゃろう」

利平は上機嫌で笑い、ぐいぐい飲んだ。飲みながら悠次にも徳利を差し出す。酒に弱い悠次も、憂さ晴しをしたくて、注《さ》されれば空けて、つい盃を重ねた。常には、すこしアルコールが回ると頭痛に悩まされるのが、今夜はむしろ頭が軽くなるようである。と、利平が、満面に笑みをたたえつつ、「そうそう」と言った。

「史郎が、昭南でな、脇の長男の敬助少佐に会うたそうじゃ。参謀で手柄を立て……」とさっきと一字一句たがわぬ話を続けている。酔って繰り返しが多くなるのは、利平の癖だが、つい一分前の話をそっくり蒸し返すのはどうしたことかと驚く悠次に、利平は、三度目の「そうそう、史郎が……」を始めた。

悠次は、利平をからかってみたくなり、「脇の次男の晋助も今度入営しました」と言ってみた。実はついひと月前の法要後の宴席でも、この件を同じ語り口で利平に報告してあり、今、どういう答が返ってくるかに、興味があった。果して利平は、ひと月前とそっくりに、

「ホ、ホウ」と大袈裟《おおげさ》に驚いてみせ、「晋助か、あの優男《やさおとこ》が兵隊は気の毒じゃのう」と言った。

「はい、およそ兵隊には向かぬ文学青年です」

「結婚はどうなっちょる」

「まだ独身です。去年大学を出たばかしですから」

「就職はどこじゃった」

「小さな出版社です。給料がすくなくて困っていました」

「それなら、うちの病院に来て下さればよかったのに」といとが言った。ひと月前も、ここでいとが同じことを言った。今夜は、わざと言ったらしく、悠次に片目を瞑《つむ》ってみせた。

「いや、うちはいかんぞ。独身の男に夢中になる女どもがおって、晋助など喰《く》われちまう……」

それで大笑いになって終ったのだが、ここまでの遣《や》り取りは、ひと月前とほとんど同様であった。悠次はおかしくてならず、いとと顔を見合せながら、無遠慮に吹き出した。すると不意に利平が言った。

「女の尻軽《しりがる》には注意せい。年下の妻ほど信用できん」

「はあ?」

「初江さんのことじゃないんですよ」といとが解説した。「わたくしへの当て付けですよ」

利平が睨《にら》み付けると、いとはそっぽを向いた。「あなたは同じことを蒸し返しなさる。年下の妻は尻軽だ。白状せい。それればかり。いったいどんな証拠があるんですか」

「証拠なら山ほどある。目撃者が大勢おる」利平は両肩を怒らせた。

「御自分で御覧になったわけではないでしょう。わたくし存じております。中傷したのはお久米と五郎でしょう。二人とも大嘘《おおうそ》吐きですわ。お久米はオールドミスの嫉妬《しっと》、五郎のは不具者のひがみですわ」

「何を言う」利平は、口の中の鱏を皿に吐き出すと、力み返って口髭《くちひげ》をぶるぶる震わせた。

悠次は首をすくめたが、いとは平気だった。

「わたくし何一つやましいことしてませんわ。あなた御自分で疑心暗鬼に取り付かれてらっしゃるのよ。じゃ、伺いますが、お久米と五郎以外に、あなたの〝目撃者〟とやらがいるんですか。あの二人は、わたくしを陥《おとし》れようとして嘘八百を並べ立てているんです。そして、あなたをも陥れようとしている。もう、お気がつきあそばせ。わたくしが妻の座を追われ、あなたが病気にでもおなりになったとき、誰が病院を乗っ取るか。上野ではありませんよ。あの人は清廉《せいれん》潔白な人ですわ。病院の収入をあげるため、あんなに献身的な努力をした人が、今までいましてて？　あなたは、間違ってます」

悠次は、つぎの瞬間、利平が猛烈な反撃に出るものと見守っていたが、利平は猪口《ちょく》を飲み干し、弱々しく、「確かな証拠があるんじゃ」と言っただけだった。

「いいえ、証拠なんか、これっぽっちもありません」といとは勝ち誇った。「あるのは、嘘、陰口、中傷、讒言《ざんげん》のたぐいだけですわ。きょうは、悠次さんがいらっしゃるから、わたくしはっきり申しますわ。悠次さん、ぜひ初江さんにお伝え下さい。初江さんも、お久米に惑わされて、ありもしないわたくしの不節操だの不義だの信じてらっしゃるんですもの」

「初江が……」悠次はびっくりして問い返した。

「そうですよ。初江さんまで、わたくしを誤解してあれこれおっしゃるから、おお先生が信じてしまわれて、とうとう麻薬中毒におなりになった……」

「いと、もうええ、やめい」

「いいえ、やめません。あなた、散々わたくしを殴ったり打《ぶ》ったり蹴《け》ったりなすったけど、悠次さんの前ではまさかなさらないでしょうから、思い切って真実を申します。あとは殴り殺すなり、突き落すなり、お好きなようになさいませ」

「いと……」利平は、盃を置くと何か言おうとしたが、萎《しお》れた顔付きで口をもぐもぐさせただけだった。二人のうち、どちらが正しいのか。利平の邪推か、いとが黒を白と言いくるめているのか、判然としない。ただ、利平が怒ったり打ち萎れたり、感情をあらわにしているのに、いとは終始無表情で、小面憎《こづらにく》いほど落ち着き払い、かえって胸に一物あるように見える。総体に細身だが胸や尻は豊かで男好きのする背恰好で、何しろ若い。年老いた利平が若い妻の情事を疑うのも無理がないと納得される。二人を見較《みくら》べているうち、悠次は段々に舅が気の毒に思えてきた。いとと上野平吉の関係については、初耳だったが……。

　初江だって過ちを犯している。〝年下の妻は信用できん〟のは事実ではないか。誰かに、強い力であやつられている感じで、悠次は、「初江も男を作ったんです」と言ってしまった。その瞬間、強い後悔の念にとらえられたが、もう遅かった。

「何を言う」と利平は、目を剝《む》くと、背筋を伸ばした。

「本当なんです。証拠があります。きのう簞笥《たんす》の引出しから、男の手紙が出てきたんです。恋文でした」

「相手は誰じゃ」

「よくは判りません。今年入営した兵隊らしいです」

「兵隊じゃと……おれの娘が兵隊風情《ふぜい》と、何しおったと……」利平は、両の拳《こぶし》を握り締めて胸を中心に膨れ上がった。「いつ頃《ごろ》からじゃ」

「はっきりとしませんが、男の日誌らしいのがありまして、大学生、勤人、そして兵隊と身分が変っています」

「大学出か」と利平は、ちょっと気勢をそがれて、背を丸くした。「そいつが最近兵隊に取られたちゅうわけか。由々《ゆゆ》しき大事じゃ。おれの娘がのう……ふつつかな娘を差し上げたりして、申し訳無い。小暮悠次殿、この通りじゃ」利平は居住いを正すと、がばとひれ伏した。芝居じみた動作だが、利平がするとしたたかな真実味があって、悠次もあわてて坐《すわ》り直し、両手をついた。

利平は立ち上った。酔いが深く、弥次郎兵衛《やじろべえ》のように揺れている。居間のほうへと、よろよろと歩き出す。

「どうなさるんです」といとが追った。

「今から西大久保へ行く。事の真偽を問い質《ただ》す」

「初江さんは旅行中です。さっき悠次さんがそうおっしゃったでしょう」

「なにい、旅行中。いつ帰る」

「今晩遅くです。十一時頃だと思います」と悠次が答えた。

「それ見い。今晩じゃ」

「まだ七時前ですよ。今から行っても仕方がありません。それに、そう酩酊《めいてい》なすっていては、事の真偽などつかめませんわ」いとは利平を元の席に連れ戻し、悠次に尋ねた。

「その恋文というの、たしかに初江さん宛《あて》なんですか」

「封筒の宛名が初江になってます」

「日誌とやらも、その男の人のものですか」

「字が同じです」

「似た字の人なんて大勢いますわ……名前は書いてないんですか」

「ないんです」

「その兵隊に心当りはありませんの」

「ありません」咽喉《のど》まで出掛った晋助の名前を悠次は飲み込んだ。

砂地に水が吸われたように会話が消えた。悠次は正座してかしこまり、利平は腕組して沈思の体だ。いとは土鍋の火を切り、料理を片付け、茶漬《ちゃづ》けを運んで来た。利平は茶漬けを忙しく流し込んだが、悠次は食欲が無かった。

いとが悠次に正面切って尋ねた。

「結局、どうなさりたいの」

「相手の男を突き止め、絶縁させたいのです」

「それだけ？」

「と言うと？」

「もし事実でしたら、初江さん、姦通罪《かんつう》になりますわよ。相手の男も同罪よ」いとは、自分は絶対にそのような立場にないと明言するように、利平に頷《うなず》いた。

「そこまでは事を荒立てたくありません。絶縁状を取り交わす、それで充分です」

「悠次さんて、随分寛大な方ね」いとは含み笑いをした。

「なぜですか」

「だってそうでしょう。自分の女房を寝取られたら、失礼しますわ俗な言い方で、相手の男を殺すか、女房を追い出すか、何か激しい解決法をなさるのが、世の殿方のなさりようでしょう」いとは利平を一瞥《いちべつ》した。利平は腕組を解いて、怖い顔を悠次に向けた。

「そうじゃ。もし事実じゃったら絶縁状ぐらいでは事はすまん。初江は離縁させて、おれが引き取ります。のう、小暮悠次殿、娘をあんたに差し上げたのは、このおれじゃ。娘の不始末の片をつけるのも、このおれじゃ。相手の男には、厳しく詮議《せんぎ》のうえ、社会的制裁を加えねばならん。裁判沙汰《ざた》にまではせんでもええが、多額の手切れ金を取り立てるぐらいはすべきじゃ」

「はあ……」悠次は煮え切らぬ返事をした。うっかり口を滑らしてしまったが、どうやら利平は自分で初江を問い詰めるつもりらしいのがかえって迷惑である。夫婦の問題は自分で解決したいと思う。どのようにして断ったものか……。飲めぬ酒をつい飲み過ごして言わずもがなの告白をしたのがまずかった。悠次がうじうじと考えていると、利平がいとに言った。

「さ、ハイヤーを呼べ。西大久保までじゃ。銀タクならすぐ来るじゃろう」

　利平は着物を背広に着替えた。ハイヤーが来たとき、最前とまるで違い、足腰もしゃんとして立っていた。

　悠次が時田夫妻を連れて西大久保に着いたのは、八時過ぎであった。二階に子供たちとときやを寝かせるようにした。一階の子供部屋から、思い掛けず二階に移された子供たちは、旅先にでもいるように騒ぎ立てていたが、十時すこし前には静かになった。さて、三人は茶の間に閉じ籠《こも》り、悠次が卓袱台《ちゃぶだい》に置いた〝証拠品〟を囲んだ。

　利平といとの意見も悠次と一致した。大学を出て、会社勤めののち、最近入営した若い男が相手だとまでは証拠歴然だというのだ。

「原稿もノートも同一人物に間違いない。本当に心当りがないのか」

「全然ありません」

「去年大学を出たとすれば一年ほどの交際となるが、気がつかんもんかのう」利平は、〝おれだったら〟と言うかのように、悠次をジロリと見た。

　三人は待った。

　悠次は冷えた茶をすすりながら、再び後悔していた。夫婦の間の秘事は、まず夫が妻に質すのが順序であった。物の弾みとは言え、舅《しゅうと》に漏らしたのは失策だった。舅がわが家に乗り込むのを許すとは、夫として何と見っともない立場に立ったものだろう。きっぱりと断ればよかったとわが家にいながら、尻がこそばゆい。

利平は後手を組んで、せかせかと歩き回っていた。茶の間から座敷へ、廊下へ、子供部屋へ、便所で用を足すと台所で水を出し、また戻ってきて、口髭をしごく。「酒は無いかのう」とつぶやいて、いとに、「およしあそばせ」とたしなめられた。ようやく坐ったかと思うと、膝《ひざ》をぶるぶる震わせて、鞄《かばん》から注射器を出し、腕まくりすると、自分でずぶりと針を突き立てて一本注射した。悠次は、力をつけるためのヴィタミン剤だと思った。

いとは、例の無表情を極《き》め込み、きちんと坐ったまま微動だにしない。この女こそ、別にここに来なくてもよかったのだ。利平は初江と血が繋《つな》がっているが、いとは生《な》さぬ仲だし、初江の嫌《きら》う女だ。しかもいとは利平に疑われている。自分が疑われている女が、初江を疑うとは奇妙な成り行きだ。考えの筋道がこんがらがった悠次は、また冷たい茶をすすった。

ぼんぼん時計が十一時を打ったとき、台所に鍵音《かぎおと》がした。利平はすっくと立つと「誰じゃ」と叫んだ。「ぼく」と悠太の声だった。いとが音もなく飛んで行った。「初江、ここに来い」と利平が前にも増した大音声《だいおんじょう》で怒鳴った。いとが初江を連れてきた。旅行用の地味な羽織を着ている。

「そこへ坐れ」と利平は両の拳を突き出した。

「お待ちあそばせ。悠太ちゃんが寝るまで待ちましょう」といとが冷静に言った。

卓袱台にひろげられた晋助の草稿やノートや手紙を見て、初江は一気に事態を見て取った。悠次が発見し、それを利平に告げ口したのだ。悠太が洗面所に来て歯を磨《みが》いている。この子が寝るまでのあいだ少時がある。初江は、奥歯を噛《か》み締め、胸の不安を鎮《しず》めながら考えた。父の憤怒《ふんぬ》の形相は幼いときから見慣れていて、こういう場合、こっちが下手に出てあやまるより方途がないのを、よく知っている。要はどのようにあやまるかだ。文学的草稿と日記の全部を詳しく読んだとしてもそれが晋助のものだと証明する事実は見出《みいだ》せぬだろう。もっとも悠次は晋助を疑い、美津に筆跡の鑑定を頼むかも知れぬ。晋助は、これらの文章を母親に〝絶対に読まれたくない〟と言っていた。つまり、美津にまだ見せていないのだ。それに、晋助のだという決定的な証拠は何もないのだから、飽くまで白を切れば、美津といえどもそれが息子のだとは断定はできないだろう。問題は手紙だ。これをどう言い繕ったらいいか。とにかく晋助が疑われるような言い方を絶対にしてはならない。晋助のため、央子のため、それだけは口が裂けても告白してはならない……ここまで考えがまとまったとき、初江は、眼鏡の曇りを拭《ぬぐ》っている悠次の、すこし飛び出た目に視線を走らせ、妻の秘密をひそかに探り、事もあろうに義父に駆け込み訴えをして、とかくに不貞の噂《うわさ》のあるいとまで呼び入れて、責めようとする夫に腹を立てた。あなたがなみやと不始末をしたとき、わたしは美津に、いや、晋助にさえ事実を隠して、夫婦のあいだだけで秘《ひそ》かに処理してあげたでしょう。利平の力み返った体の構えが目の前に立ちはだかっていた。おとうさまにも、わたしを責める資格はないわよ。いとを妾《めかけ》にして、おかあさまを苦しめた過去を、わたくし決して忘れませんわ。

そして真面目《まじめ》くさって坐っているいとを、初江は憎悪《ぞうお》した。あなた、自分は何様なのよ。上野平吉とあなたの仲は、三田では公然の秘密じゃないの。体中が怒りで固くなった。この立腹はあまりにも強かったので、夫や父に謝罪しようとする気持を抑えてしまい、どこか不貞《ふて》腐《くさ》れた態度を初江にとらせる結果となった。

「今、そうっと二階へあがって調べてきたら、悠太ちゃん、もう眠ってました」といとが利平に報告した。

「初江」と利平が進み出た。「これは何だ」初江は黙《だま》っていた。

「返事をせんか、こいつ」利平は、いきなり初江の頰《ほお》に力一杯の平手打ちをくれ、勢い余って尻餅《しりもち》を搗《つ》いた。初江は、「ごめんなさい。ごめんなさい」とわざと悲鳴をあげ、熱い痛みをじっとこらえた。

「これは、兵隊からの手紙ではないか。公園なんかで密会しおって、怪《け》しからんやつじゃ。いったいいいつからの付合いじゃ。名は何という。悠次の前で何もかも告白して、前非を悔い、手をついて謝れ。それができんかったら、もうおれの娘ではない。こいつ、なぜ黙っちょる」利平は、初江の共襟《ともえり》を持つとぐいと前に引き倒した。父の意にそうように、彼女は自分で前に倒れたのだが、それでも痩《や》せ細った父親には娘の体が重過ぎたらしく、どすんと横倒しに転んでしまった。

「おとうさま、大丈夫」初江は助け起こそうとした。

「莫迦《ばか》」利平は彼女の手を払って起き上がると腰をさすった。「おれは、さっきから聞いちょる。この兵隊とは何者じゃ。お前とどういう関係じゃ。ありていに言え」

これ以上父が興奮して卒中の発作でもおこしたらと心配になった初江は、やっと話し始めた。

「その手紙の内容は事実です。その人は今年の一月、徴兵に取られた新兵です」

「名前は」

「言えません」

「どうして言えん」

「あの人に迷惑が掛かるからです」

「いつから付き合うている」

「付き合うなんて……そんな関係ではありませんわ。この前、たった一度逢《あ》っただけです」

「有栖川宮公園でか」

「はい」

「男の誘いに乗るなんて、はしたない」

「すみません。つい好奇心で行ってみました」

「肉体関係があったのか」

「とんでもない。一時間ほどお話しして帰ってきただけです」

「まだおれの質問に答えてない。いつから付き合うちょる」

「付き合うというほどではなく、顔見知りの程度でした。去年の五月、央子の温習会が聖心の講堂であったとき、富士彰子先生、央子のヴァイオリンの先生、に紹介されたのです。先生のお弟子さんの一人で、その前にも、央子をお稽古《けいこ》に連れて行ったとき見かけたことはあります。聖心ではお辞儀しただけで別れました。話したのはこの前、有栖川宮公園が初めてです」

「では、このノートは何じゃ。年上の人妻に逢い、恋をする男の手記ではないか」

「あの人、文学青年なんです。架空の女主人公と自分が恋の道行きをするという設定で、空想上の女性を描いてるんです。小説も詩も、わたしにはさっぱり理解できません。ただみんな絵空事だということはわかります」

「しかし、この手紙は完全な恋文じゃ」

「おとうさま」と初江は泣きだした。空涙のつもりだったが、真実悲しくなって泣けてきた。「あの人が勝手にわたしを好きになったので、わたしのほうでは、どうしようもありませんでした。それは、公園に行ったのは悪うございました。申し訳ないと思います。すみませんでした。でも本当に、逢ったのはその時一回だけなんです」

「こんな文章がある。〝君は人妻僕は兵隊君は夫に僕は家族に秘密を持ち……相引かれる〟とは何じゃ」

「ですから、あの人、空想力が豊かで、針小棒大に書くんです。〝相引かれる〟なんて、あの人の思い込みです。すこし頭が変なんです。精神病か何からしいんです。気味の悪い目付きをして、そわそわして、恐ろしかったです。あの人ときたら、自分が文学的天才で、自分の愛している女は自分を愛してるに違いないと信じて、ぐんぐん迫ってくるんですもの」

「迫ってくる……何をしたのじゃ」

「交際してほしいと言うのです。嫌ですと言っても、是非にと頭を下げて迫ってくるんです」

「じゃ、この原稿やらノートやらはどうしたんじゃ」

「そのとき、公園で、ぜひ読んでくれと渡されたんです。何度も断ったんですが、相手の言う通りにしないと、乱暴でもされそうな気配でしたから、じゃ一時お預りしますと受け取って、大急ぎで帰ってきたんです」

「迫ってこなかったか」

「いいえ。公園の出口で振り返ったら、もう姿が見えませんでした」

「なぜ、原稿や手紙を、おれに隠しておいたんだ」と悠次が不快げに訊《たず》ねた。

「申し訳ありません。男の手紙で公園などに出掛けた自分があなたに恥かしくって……つい、こっそり隠してしまったんです。旅行から帰ったらあの方に送り返すつもりでした」

「手紙まで隠しておくというのは、変じゃないか。男は焼いてくれと書いているのに、保存しといたのはなぜだ」

「焼くつもりだったんです。でも、旅行の準備に忙殺されてしまい、つい……」

「実に不愉快だよ」と悠次は、怒ったときの、金属を叩《たた》くような甲高い声で叫んだ。「こんな手紙や原稿を、あんな所に隠しておくなんて」

「許して、あなた」初江は、涙で濡《ぬ》れた顔を畳に擦《す》りつけながら言った。「あの人の手紙で、ついふらふらと公園なんかに行ったのが、やましくて……でも、もう二度としません」

「こんなもの、みんな焼いてしまえ」

「はい」と返事をしながら、初江は、晋助の大事な原稿は全部夏江に預けようと面従腹背で考えていた。

「本当に、もう二度と男に逢わないな」

「逢いません。あなた、誓いますわ」

「男の名前は言えないのか」

「言えません。あなた、それだけは勘弁してくださいな。言えば、あなたはあの人を忘れなくなって、なおお苦しみになるわ……わたし、自分であの人に、二度と手紙を出すな、付き纏《まと》うなと一筆書きます」

「それでも相手が文通してきたり、逢いに来たらどうするんだ」

「その場合は、すぐあなたに申します。むろん手紙はお見せしますすし、どこかで言い寄って来たりしたら、剣突《けんつく》をくわします」

悠次は黙った。眼鏡の曇りを拭いつつ考え込んでいる。利平は、背を丸めて卓袱台に腰掛け、「フーム」と何回か嘆息してから言った。

「小暮悠次殿、どうするかな」

「本人が男には二度と逢わない、原稿と手紙は焼くと言ってるので、この件は始末がついたと思います」

「フーム、あんたがそれでいいのなら、おれも、この際、それでいい。まあ軽率で、ふつつかな娘で面目次第もない。初江、今後、身を慎め。お前は派手で隙《すき》だらけじゃから男に付け込まれる」

「はい、みんなわたしが悪いのです」と初江は俯《うつぶ》したまま、わっと泣き入った。大粒の涙がボタボタと畳に落ちていく。本当に悲しかった。このような嘘《うそ》でこの場を誤魔化した自分も、自分では女をはらませたくせに妻の秘密を知って動顛《どうてん》して舅に告げ口をした悠次も、妾を持って本妻を苦しめたのに娘の過ちを許せず逆上した利平も、みんな憐《あわ》れで悲しかった。涙は止らず、咽《むせ》び泣きになった。いとが、近寄ってきて背中をさすってくれたとき、ぞっとする嫌悪《けんお》感に襲われ、初江はいとの手を払い除《の》けると、すこしいざって坐り直した。両膝に手を置き、きっと前方を見詰めつつ、晋助に心で言った。

あなた、見てください。わたし何も言いませんでした。あなたが好きです。全身全霊で愛しています。ですから、あなたとの間の秘密は死んでも守り通します……。

25

四月十八日は土曜日なので四時間目で放課となり、悠太は校門を出た。四方に散って行く生徒たちのうち、北の西大久保方面に向う者は少なかった。新宿の商店街は勤め帰りの人々が足早に過ぎて行き、ふと見回すと中学生で歩いているのは自分だけだった。かならず同級生の誰彼と連れ立ち帰宅した小学生のときと相違し、独りで自由でいると自覚すると、悠太は、またちょっと回り道でもしてみようかと思った。

その日の気分によって帰路に回り道をするのが、中学生になってからの新しい楽しみだったのだ。ベルの鳴っている映画館の前でスチール写真を眺《なが》めて筋を空想し、伊勢丹百貨店の裏手の市電の操車場で転轍《てんてつ》機の複雑な動きを謎《なぞ》解きのように理解しようとし、花園神社の境内に入り込んで絵馬や枝むすびの神籤《みくじ》に人々の願いを思い、という具合だった。きょうは、どうしようと思いながら三光町《さんこうちょう》の交叉《こうさ》点《てん》を渡り、だらだら坂を下るうち、左手に明治旅館という小さな看板を見た。玄関までの短い石畳は南天や八つ手で囲まれ、陰気な格子《こうし》戸《ど》が閉じている。たしか小学校に入ったばかりのとき、阿部定《あべさだ》という有名な人殺しの女が隠れていたと母から聞き、その前を通るたびに気になっていたのだ。あるとき晋助に尋ねたところ、

「あれはすげえ女だ。恋人のチンチンを切り取って、腹に巻いて逃げたという人だからね。ああいう情熱てのは、悠ちゃんにはわからねえだろうな」と言われ、阿部定という女が、にわかに恐怖よりもあこがれの対象となって、その明治旅館の前を通ると、どうかすると美しい色白の女性を思い描くのだった。悠太は、石畳にそっと足を踏み入れ、誰かに見咎《みとが》められた気がして後じさりし、しかし格子戸の中の有様をあれこれ推測し、そこに恋人のチンチンを腹に巻いた阿部定がひっそりと坐《すわ》る姿を復原しようとした。理由は解《わか》らぬながら、そういう想像は甘美で彼のチンチンを固く立たせてくるので、その甘美を味わいたくて、足を停《と》めたとも言える。誰かが来た。悠太は旅館から離れた。そのときである、異様なものを見た。

改正道路のずっと先、町並がべったり低くひろがるあたりに黒い飛行機が東から西へ、右の若松町のあたりから左の戸山ヶ原の方向へと、超低空に飛んでき、下腹から銀色の粉を撒《ま》き散らし、さっと遠ざかっていった。目の前、西大久保二丁目の家並のどこかで爆発音がおこった。白煙が三つ、四つとあがる。サイレンが鳴った。ウウ、ウウ、ウウと断続する。空襲警報である。今のは敵機であったか。しまった、機種を見分けるべきだった。悠太はもう地平のあたりに小さくなった機影に目を凝らした。高射砲が弾幕を張った空を縫って悠々《ゆうゆう》と飛んで行き、消えた。たしか双発だったから、四発のコンソリデーテッドB‐二四ではなく、ノースアメリカンB‐二五かマルチンB‐二六だろう。米軍の戦闘機なら、模型飛行機作りの対象として大体知っているが、爆撃機には詳しくない。残念だった。もっとはっきり見分けるべきだった。

道を行く人々が右往左往し始めた。子供連れの婦人が血相を変えて逃げ場をもとめている。神社に走り込む人々がいる。警防団の服装をした中年の親爺《おやじ》がメガホンで何かわめいている。火叩き棒を薙刀《なぎなた》のように構えた主婦が門口に顔を出す。学校帰りの小学生が走り始めた。悠太も走った。一刻も早く家に帰ろうと思う。しかし、白煙が黒煙に変り、もくもくと吹き上げるのを見ると火事が見たくなった。家の前を駆け抜けて、改正道路の道なりに西大久保二丁目に来た。煙はさらに先、三丁目のあたりに勢いを増してひろがっている。あたりに人の数が増えた。火災を目指す弥次馬《やじうま》の群である。「ありゃ射撃場のほうだ」「いや、もっと、こっちだ」群衆の流れに乗って悠太は走った。レンズ工場、鋳物《いもの》工場など、いかにも場末を思わせる赤錆《あかさ》びたトタン板の建物が続く。戸山ヶ原の入口近くを警官と警防団が通行止めにしていた。さかんに半鐘が鳴る。消防自動車がけたたましいサイレンと鐘とともに到着した。群衆は押し合い圧《へ》し合いしているけれども先に進めない。悠太は後退し、このあたりの勝手知った裏道を右に左に縫い、割れた盥《たらい》や毀《こわ》れたポンプなどのガラクタを踏んで露地を通り抜け、ようやく火災の近くまで来た。近付くにしたがって胸の奥を異様な力でぎゅっと摑《つか》まれた感じがしたのは、燃えているのが竹井広吉の家のような気がしたからである。隣組の主婦たちがバケツ・リレーで水を運んでいた。路《みち》が狭くて消防自動車は入れないらしく、その姿は見えなかった。いくつかの平屋（それは竹井の家ではない）が焔《ほのお》をあげ、バケツ・リレーでは到底間に合わぬ有様だった。竹井の家の屋根と廃品置場のあたりに見物人が鈴生《すずな》りになっていた。人々があわてて屋根から降り、廃品置場から飛び出した。一隊の兵隊が銃を構えて寄ってきたのだ。悠太は急いで露地に逃げ込んだ。今度はつかまったら大変と一目散に家まで駆けに駆けた。

「悠太？」と二階で母の声がした。あがってみると応接間の窓に、母と弟と妹が集っていた。ときやが二階の屋根に登って火事の模様を報告しているのだ。

「一つは消えたようですけど、あと三つはまだまだ煙がすごく上っています」

「どうしたの」と母が悠太に訊ねた。「汗びっしょりじゃないかえ」

「うん、大急ぎで駆けて来たんだもの」

「よかったよ、無事で。びっくりしたねえ。おかあさん、央子を迎えに幼稚園に行ったら、いきなり空襲警報だものねえ。子供たちはみんな机の下に逃げたけど、大人は逃げるところが無いもんねえ。ああ怖かった。本当の空襲だなんて、考えもしなかった。おとうさまから電話でね、無事だったんですって。そうそう、三田も大丈夫だったって」

「ぼくアメリカの飛行機見たよ」と悠太は言った。「あれは黒い大きな爆撃機でね、ノースアメリカンB－二五かマルチンB－二六だよ」

「へえ、お前見たのかい。飛行機の爆音なんか全然しなかったけどねえ」

「超低空で飛んでいたよ。あれじゃ高射砲も照準をつける暇がない。敵も考えたねえ」

「朝、警戒警報が出てたんだって、幼稚園の先生が言ってらした。わたしゃちっとも知らなかったよ。大分ほうぼうに被害があったらしいね」

「すこし煙の勢いが衰えてきました」とときやが言った。

「もういいわ。ときや、降りてらっしゃい」と母が言った。モンペ姿のときやは、身軽に目の前の屋根に飛び降り、窓から入ってきた。

「結局四箇所ですね。爆弾って、すごい火事をおこすんですね」

「きっと焼夷弾《しょういだん》だよ」と悠太が言った。「ぼく見たんだ、銀紙みたいのがパラパラ落ちてくるの。あれ、普通の爆弾じゃなかったな」

「いやだねえ」と母が顔を曇らせた。「これから、時々空襲があるのかねえ。家なんか、燃えたら大変」

「防空壕《ぼうくうごう》作らなくちゃあね。ドイツでは普通の家でも作ってるんだ。ぼく調べてみる」悠太は『機械化』という少年科学雑誌のバック・ナンバーを繰った。どこかに、家庭用防空壕の作り方が出ていたように思って捜すうち、「日本空襲を狙《ねら》ふ米軍用機」の見出しに目を奪われた。ノースアメリカンB‐二五は、最高速力二六九ノット、航続距離一五〇〇浬《かいり》、双発。横から撮った写真はさっき見た機影にそっくりだった。マルチンB‐二六のほうは最高速力三〇四ノットで速いが、着速大のため夜間着陸時に事故多く〝殺人飛行機〟の異名を持っている。あと、双発の爆撃機ではボーイングB‐一七Eというのがあるが、形が細長くて、さっきのとはまるで外観が違う……。

悠太は『機械化』の記事を読み始め、いつしか夢中になっていて、父が帰った物音に、あわてて立って、躾《しつ》けられた通り中学の制服を不断着に着替えた。背広を脱ぎながら、父は母に、やはり空襲の話をしていた。

「帝都の方々に来襲したらしいぞ。東部軍司令部発表では、午後零時三十分ごろ、敵機が数方向より京浜地方に来襲したという。九機は撃墜したというから、三十機か四十機来たのかな」

「大空襲ですわね」

「ああ、でも我が方の損害軽微で、皇室は御安泰にわたらせられるそうだ」

「でも何だか不安ですわ。またやって来るでしょうか」

「なあに、皇軍は大勝利のまっただなかだ。マニラ、シンガポール、ジャワが落ちた。ビルマとフィリピン全土の制圧も間近だ。敵は焦《あせ》って、一か八かの大博打《おおばくち》を打っただけさ。二度と来れんだろう」

「悠太は防空壕を作ったほうがいいと言っていますが」

「風間の叔父みたいなことを言うね。そんな必要はなかろう」

「時田でも大きなのを掘ってますが」

「金がある人は作ったらいいさ。それより、野本には何時に行く?」

「六時ごろからそろそろと言うことですが」

「じゃ、六時に家を出よう」

急に両親の声が小さくなった。餞別《せんべつ》を何にするかを相談しているらしい。今夜は、脇晋助が初年兵として現役出征するので一日休暇で帰宅しており、その送別会が野本家で行なわれるのだった。

悠太は机に向い、まず来週の英語の単語を調べようとして、ふと三週間前、母と伊勢旅行から帰った夜の出来事を思い出し、机上に頰杖《ほおづえ》をついた。

あれから、たしかに母は変った。まず、いつも怖い顔をして、子供たちを睨《にら》み付け、ごく素っ気ない応対しかしなかった。ついさっきの空襲をめぐる話は、久し振りに母の示した饒舌《じょうぜつ》だった。時々、母はこっそりと泣いていた。茶の間の端で俯《うつむ》いて、ぼくが近寄ると、いそいでそっぽを向いて涙を袖《そで》で拭《ぬぐ》った。けれども、目が真っ赤なので、それと知られた。母は日増しに痩《や》せてきた。食が細いので、夕食の折など御数に手をつけず、香々《こうこ》にお茶漬《ちゃづ》けですましたりした。何よりも目立つのは、母が万事に投げ遣《や》りになったことだった。掃除洗濯《せんたく》はときやの受持ちだったから変化はなかったが、弁当と夕食の御数は母が選ぶのに、卵焼きが三日も四日も続き、その間、弁当まで卵焼きで、ぼくはうんざりするよりも驚いてしまった。やっと塩鮭《しおざけ》に変ったと思うと、それがまた二日間も続く。奇妙なことに、いつも食事にうるさい父が、母の単調な料理を黙って食べていた。そう、父と母とは食事のあいだ全く無言であった。両親の沈黙に気圧《けお》されて子供たちも、しんとしている。毎朝毎夕、御通夜《つや》さながらの食卓であった。

先週の土曜日、父が鵠沼に麻雀《マージャン》に出掛けたあと、夏江叔母が訪ねてきた。父の不在を知って訪ねてくる大人の策略をぼくも解するようになっていた。二人は、ながいあいだ、ひそひそ話をしていた。ふと奇異な気配がして耳を澄ますと、泣き声が聞えてきた。母の声に叔母の声が重なっている。二人は抱き合って泣いているらしい。訳けを知らぬまま、ぼくも悲しかった。ぼくは、透叔父が牢屋《ろうや》に繋《つな》がれてから、夏江叔母がすっかり気落ちしていることは知っていた。そして、叔母への同情が人一倍深い母が、自分自身も悲しいのに、妹の悲しみをともに悲しんでいるのだと思い巡らし、今度はぼく自身も悲しくなった。

母が子供部屋に入ってきた。例によって怖い顔で子供たちを一人一人睨《ね》め付けて言った。

「みんな、学校の洋服着て行くの。悠太は中学の制服。晋助さんとのお別れだからねえ。戦争へ行くんだ。もう二度と会えないかも知れない、みんなちゃんとした服装になるのよ」

（「第五章　迷宮」に続く）

初出
文芸誌「新潮」（一九八六年一月号〜一九九五年十一月号）に連載。

後に、それぞれが独立した単行本として新潮社から刊行された『岐路』（上下巻、一九八八年六月刊）『小暗い森』（上下巻、一九九一年九月刊）『炎都』（上下巻、一九九六年五月刊）の三部作は、文庫化に際して著者の手が入り、『永遠の都』という総タイトルのもとに、全七巻の文庫版として一九九七年五月から八月にかけて刊行された。本書は、その新潮文庫版を底本にするものである。

新潮文庫版『永遠の都 4 涙の谷』は、一九九七年六月刊行

加賀乙彦
一九二九（昭和四）年、東京生まれ。東京大学医学部卒業。一九五七年から六〇年にかけてフランスに留学、パリ大学サンタンヌ病院と北仏サンヴナン病院に勤務した。犯罪心理学・精神医学の権威でもある。著書に『フランドルの冬』『帰らざる夏』（谷崎潤一郎賞）、『宣告』（日本文学大賞）、『湿原』（大佛次郎賞）、『錨のない船』など多数。本書『永遠の都』で芸術選奨文部大臣賞を受賞、続編である『雲の都』で毎日出版文化賞特別賞を受賞した。

永遠《えいえん》の都《みやこ》 4
涙《なみだ》の谷《たに》
〈全七冊セット〉

発行　二〇一五年三月三〇日

著者　加賀《かが》乙彦《おとひこ》
発行者　佐藤隆信
発行所　株式会社新潮社
東京都新宿区矢来町七一
郵便番号　一六二-八七一一
電話　編集部〇三-三二六六-五四一一
読者係〇三-三二六六-五一一一
http://www.shinchosha.co.jp
印刷所　二光印刷株式会社
製本所　大口製本印刷株式会社
乱丁・落丁本は、ご面倒ですが小社読者係宛お送り下さい。送料小社負担にてお取替えいたします。
価格は函に表示してあります。

ISBN978-4-10-330819-5　C0093